met Hand en Hart

Van Hannah Green verschenen bij Uitgeverij Hollandia:

Ik heb je nooit een rozentuin beloofd
Wie de koning eert
En Sarah lachte
Aan de zelfkant van het leven
De apostelen van broeder Bisset
Twee Anna's
Geloof is zo broos
Een seizoen vol verrukking

Hannah Green

met Hand en Hart

Roman

13e druk

UITGEVERIJ HOLLANDIA

Oorspronkelijke titel: „In this sign"
©Joanne Greenberg 1970
Vertaling: Elisabeth Swildens
© Hollandia BV 1974
Omslagontwerp: Wouter van Leeuwen
Druk omslag: Hollandia, Baarn
Druk binnenwerk: Haasbeek, Alphen aan den Rijn
Uitgave: Hollandia BV
Beukenlaan 16–20, 3741 BP Baarn 1982

ISBN 90 6045 874 5

Verspreiding voor België: Uitgeverij Westland NV, Schoten

VOOR ALBERT

,,Met de handpalm naar binnen gekeerd bedekt de rechterhand de linker, die op het hart rust.''

1

Ze zaten samen op de bank te wachten. Mensen liepen af en aan, gehaaste dienaren van de Wet. Als ze passeerden keken ze naar hen, eerst verstrooid, dan met een glimlachje dat ze onmiddellijk weer van hun gezicht veegden. Ze zaten al meer dan een uur op die bank en langzamerhand begon het Abel duidelijk te worden waarom ze zo nieuwsgierig werden opgenomen. Janice en hij zaten kaarsrecht, omdat ze bang waren. Daarom voelden ze zich ook zo stijf en ongemakkelijk in hun kleren. Ze werden zo vreemd aangekeken omdat hun kleding niet paste bij de tijd van het jaar. Nog maar kort geleden had hij zich zo zorgeloos en zelfverzekerd gevoeld in deze kleren. Ze waren zo mooi toen ze nieuw waren. Hij zag zichzelf nog, trots als een pauw, in zijn nieuwe kleren de winkel uit stappen, het schrale septemberzonnetje tegemoet, in de wetenschap dat hij zijn laatste centen aan deze kleren had uitgegeven. Nu was het januari en naast hem zat Janice, nog helemaal zomers gekleed in groen en goud, met een hoedje vol bloemen.

Misschien hoorde zij die dunne jurk en het bloemenhoedje niet te dragen, maar het waren haar beste kleren. Zij deden hem denken aan die zomerse dagen en hij zag haar weer de straat afhollen, recht op hem af. Ze holde omdat ze zo blij was; die prachtige auto en het eten, al dat eten, en de bazaar die ze in augustus hadden bezocht. Hij herinnerde zich ook, dat al die dingen en hun hoop op de toekomst, die zomer een glans in hun ogen en op hun gezicht hadden getoverd, al hun gebaren soepel en elegant hadden gemaakt.

Alle voorafgaande zomers van zijn leven riepen bij hem slechts herinneringen op aan stofwolken en de stank van mest, zweet en vermoeidheid. Dat was zomer op de boerderij. De stadszomer was anders. Hij meende dat hij nog nooit echt naar een boom in

7

volle bladertooi had gekeken, nooit in de zoele avondwind had gewandeld, nooit dansende zonnevlekjes op een gezicht had gezien of op zijn eigen gezicht gevoeld, vóór die Zomer in de stad. Het blonde haar van Janice was warm onder zijn handen en het geurde naar haar zelf en naar de zon. Hij gaf haar een ring met een groene edelsteen om het zonlicht in te vangen en voor zichzelf kocht hij een prachtig horloge en een horlogeketting met een gelukshangertje eraan; een leeuwekop met ogen van fonkelende rode steentjes. Die Zomer . . .

Naast hem schoof Janice heen en weer. De deur van de rechtszaal was nu open en ze boog zich voorover om naar binnen te kijken. Ze zagen rijen banken, maar meer ook niet, want toen werd de deur weer gesloten.

Een man in een dikke jas kwam om de hoek en liep op hen toe. Abel wilde opstaan. Hij hield zijn hand voor Janice om haar te beduiden dat dit zijn baas was, meneer Webendorf. Naast hem liep nog een man; een klein, heel schoon, heel keurig gekleed mannetje. Abel kende hem niet, maar voordat hij kon opstaan om meneer Webendorf te groeten, knikte deze even en verdween in de rechtszaal. De onbekende bleef voor hen staan.

„Comstock," spelde hij tot hun verbazing met zijn vingers. „Ik ben uw tolk."

„Bent u doof?" Abel stotterde een beetje met zijn vingers, omdat zijn handen zijn gedachten volgden.

„Mijn ouders," zei Comstock. „Ik werk soms voor het gerechtshof. Kom, ze wachten op ons." Zijn gebarentaal was snel, ontwikkeld en een beetje lelijk van ongeduld. Abel en Janice keken elkaar verbaasd aan.

„Kom, vooruit," zei Comstock. Hij liep haastig de rechtszaal binnen. Even aarzelden zij, toen volgden ze hem.

Een man bracht hen helemaal voorin de zaal, vlakbij de rechter en meneer Comstock stond tussen hen en de rechter in. Iedereen zwoer de waarheid te zullen spreken en toen begon het.

Dit was een openbaar gehoor, zei de rechter. Gehoor? Maar ze konden toch niet allemaal Horen? Men zou consideratie — wat was dat, *consideratie?* — met de gedaagde hebben vanwege zijn gebrek. De mooie, zinloze woorden die de rechter gebruikte, vonkten uit Comstocks vingers. Een klein beverig zonnestraaltje gleed langzaam door de donkere zaal van hout en steen. Het sloop van de ene stoel naar de andere langs het middenpad en toen de autohandelaar, meneer Dengel, zijn verhaal had verteld, rustte het zonnestraaltje tussen de voorste rij stoelen en tafels, waar de mensen tegen de rechter spraken. Abel was blij dat hij naar dat zonnestraaltje kon kijken, voor hem was dit het enige bekende in deze zaal.

Meneer Dengel had hem die auto verkocht. Al deze moeilijkheden hielden dus blijkbaar verband met de auto.

Meneer Dengel sprak lang over de auto, over de kleur en het merk en de papieren die waren ondertekend. Maar toen hij over het geld sprak — wat de auto had gekost — moest Abel wel opspringen en de waarheid zeggen, want het bedrag dat meneer Dengel noemde was niet juist. Dat was een leugen. Toen werd de rechter boos en met keiharde gebaren lieten Comstocks handen Abel deze boosheid voelen. Zij vertelden hem dat hij zou worden beboet wegens belediging van het Hof als hij niet onmiddellijk ging zitten en zweeg tot hij zou worden gehoord. Wat betekende *beboet* worden? Wat bedoelden ze met *belediging van het Hof?* Toen begreep Abel dat hij ervoor moest zorgen dat niemand boos werd. Hij ging zitten. Meneer Dengel zei nog iets en de rechter stelde hem enkele vragen en zei vervolgens tegen Abel dat hij nu ook alles van de auto moest vertellen. Hij begon zijn verhaal en trachtte zich alles duidelijk voor de geest te halen: De Stad en die glanzende auto en De Zomer.

Laat in het voorjaar hadden Janice en hij de boerderij van zijn vader verlaten. Hij kon een baan krijgen en Janice eveneens. Ze hadden een kamer gehuurd in Perrer Street en ze hadden geld om mee te beginnen — de spaarcentjes die zijn vader hun had meegegeven in een grote ouderwetse beurs. Iedere avond, als hij van de drukkerij naar huis liep, kwam hij langs de garage waar ze die auto's verkochten. Hij bleef altijd even staan kijken. Als het warm was, stonden de deuren open en was de garage verlicht, zodat de voorbijgangers de mooie glanzende wagens goed konden zien. Soms kwam de eigenaar naar buiten. Dan nam hij iemand bij de arm en nodigde hem glimlachend uit om binnen te komen en plaats te nemen achter het stuur. Om de claxon te proberen en de koplampen aan en uit te doen. Eenmaal was dat Abel zelf overkomen. De man had hem gewenkt en hij was naar binnen gegaan en in de auto gestapt. De man was beleefd en voorkomend tegen hem geweest, alsof Abel een welgesteld man was. Hoewel hij de woorden niet verstond, had Abel dat toch begrepen. Hij glimlachte tegen de man en knikte hem toe om te tonen hoe prettig hij dat vond. Toen schreef de man een heleboel cijfers op een papier. Hij toonde het papier aan Abel en Abel knikte hem nogmaals toe. De man sprak aan één stuk door, zijn mond bewoog voortdurend. Hij glimlachte erbij, want hij vertelde Abel dat het echt waar was, dat die prachtige glanzende automobiel zijn eigendom zou worden, het eigendom van Janice en hem, voor dat hele kleine beetje spaargeld in zijn ouderwetse beurs. Toen knikte Abel ja, nog eens en nog eens en zette zijn handtekening op het papier en de man liep helemaal om de auto heen, opende het portier voor hem en gaf hem een hand.

Abel kon zich ook nog heel goed herinneren hoe het zonlicht tussen de bladeren van de bomen door scheen op die warme zomeravond. De lucht was warm en de avondzon was warm en de straten baadden in het gouden licht. In dat licht was hij naar hun kamer gewandeld en had hij Janice verteld van de automobiel. Ze was zó opgewonden, dat ze zonder te eten waren weggehold om naar de auto te gaan kijken. Het was toen al donker en er was weinig te zien geweest, maar toch waren ze blij dat ze er heen waren gegaan. Langzaam en zwijgend vanwege de duisternis, waren ze naar huis gelopen. Hier was de sterrenhemel niet zo wijd als buiten op het platteland; hier stonden de sterren keurig afgepast tussen de omlijsting van de daken. Alles wat ze zagen, wat ze dachten en wisten, was een bron van schoonheid, geluk, rijkdom en kracht voor hen. Zij zagen alles in een helder licht. Hoe zou in zo'n vreugde iets slechts kunnen schuilen?

Wat moest hij van de auto vertellen? Hij was blauw en heel glad om te voelen. Hij had iedere dag tot een feest gemaakt. Abel trachtte een beschrijving te geven van het zilverkleurig metaal, van de prachtige sterke lijnen van de auto en de rode spaken aan de wielen. Het was een nieuwe auto — een Pierce-Arrow 1919. De rechter schoof ongeduldig heen en weer op zijn stoel. Comstock zei tegen Abel dat hij het kort moest maken en Abel probeerde de rechter te doen begrijpen dat niemand schuld had aan het feit dat de vreugde om de auto maar zo kort had geduurd. Hij was gewend aan paarden, niet aan motoren. Bij zijn eerste autorit reed hij tegen een hek. Bij de tweede rit liet hij een paar paarden schrikken. De paarden trapten achteruit en van schrik rukte hij dermate hard aan het stuur, dat de auto omsloeg. Dikwijls vergat hij ook de benzinetank bij te laten vullen en tenslotte was Janice zó bang, dat ze niet meer mee wilde in de auto. Ze begon hem aan het hoofd te zeuren dat hij de auto moest verkopen. Even zweeg hij, zijn handen trilden zo hevig dat hij het woord dat hij wilde zeggen niet kon vormen. Hij herinnerde zich weer hoe boos hij was geweest op Janice. Een hele week lang had hij niet tegen haar gesproken. Zelfs geen 'welterusten' of 'goedemorgen' teken had hij haar gegeven. Ze durfde niet met hem in de auto te rijden. Steeds weer vroeg ze hem de auto te verkopen. Ze huilde en zei dat ze bang was. Na talloze ruzies en huilbuien, na dagen van zwijgen en na nog twee ongelukken gaf hij tenslotte toe. Hij zou de auto verkopen.

Hij zette een bordje 'te koop' op de auto en verkocht hem aan een voorbijganger. Zij schreven net zo lang prijzen op totdat ze tot overeenstemming waren gekomen. Aanvankelijk was Abel trots op het feit dat hij de auto voor een groter bedrag had verkocht dan hij er zelf voor had betaald. Maar daarna had hij een week lang getreurd, zoals iemand treurt om een dierbare overledene. Zondags wandelden Janice en hij weer als van ouds...

„Schiet op!" zei Comstock. „De rechter interesseert zich niet voor uw gevoelens."

„Maar ik moet alles vertellen, anders kan hij het toch niet begrijpen?"

Tijdens hun wandelingen, vervolgde hij, begonnen ze op de prijzen te letten van alle mooie dingen in de winkels en van het eten in de restaurants en ze kwamen tot de ontdekking dat ze al die dingen zouden kunnen kopen met het geld van de auto. Zo waren ze op het idee gekomen om die juwelen en die kleren te kopen. Abel glimlachte. Ze waren zo trots geweest op hun rijkdom dat ze iedere nacht goed sliepen en 's morgens blij ontwaakten en de hele dag opgewekt en snel werkten. 's Avonds gingen ze telkens naar een ander restaurant en ze aten alle mogelijke exotische gerechten, die ze nooit hadden geproefd op de boerderij of in de grauwe sombere school waar ze elkaar hadden ontmoet. Op zondagmiddag waren de winkels open en Janice begon op de kleding van de stadsvrouwen te letten. Hij had de hoed voor haar gekocht die ze nu droeg. Hij had die ring voor haar gekocht met die prachtige edelsteen en zijn horloge en de horlogeketting met het gelukshangertje in de vorm van een leeuwekop met ogen van fonkelende rode steentjes. In augustus gingen ze naar de bazaar. Ze kochten een speelgoedaap aan een touwtje. Ze kochten tollen en speldenkussens, reukkussentjes die naar dennenaalden en cederhout geurden, Chinese wierookstokjes en een heleboel verschillende papieren bloemen. De Zomer. Weer glimlachte hij.

„En wat gebeurde er toen?" vroeg de rechter.

„Toen was de Zomer voorbij."

Op een avond na hun werk, telden Janice en hij hun geld. De

12

warme dagen waren voorbij en de pret met het geld liep ten einde. Ze trachtten de moed erin te houden, maar het begon koud te worden 's avonds en de fabrieksmeisjes liepen rillend in de schemering naar huis. Toen begrepen ze ook dat ze niet meer buitenshuis zouden kunnen eten voordat ze hun loonzakjes kregen. Al hun spaarduitjes waren op en het geld van de auto ook.

Toch waren ze toen nog niet boos en verbitterd geweest. Abel vertelde de rechter niet van de etalages. De rechter zou hem uitlachen als hij wist dat zij de etalageruiten als spiegels gebruikten en dat het in die ruiten nog steeds zomer was. Als Abel langs zo'n ruit liep, zag hij een goed gekleed man. Een man die in de stad was opgegroeid, geen boerenkinkel. Een welgesteld man van de wereld, geen bange jongen. En naast hem een goudblonde, stralende vrouw — *zijn* vrouw. Samen liepen ze langs de etalageruiten en soms knikten en glimlachten de voorbijgangers hen toe, omdat ze niet wisten wie zij waren. Omdat zij hen natuurlijk voor rijke zelfverzekerde stadsmensen hielden, zonder lichaamsgebrek.

Het werd winter, zei Abel, en al hun geld was op. Ze moesten leven van het geld dat zij verdienden. Abel verdiende zes dollar per week en Janice veertien. Ze werkte in een fabriek, waar ze van zeven uur 's morgens tot zeven uur 's avonds petten en jasjes stikte op de machine. Als ze thuiskwam van haar werk was ze boos omdat ze niet meer buitenshuis konden gaan eten en omdat er geen geld was voor extra kolen en warm water als ze de huur hadden betaald en de levensmiddelen gekocht. Ze durfden geen gasfornuis te kopen, de hospita had hen verboden op hun kamer te koken. Bovendien kon Janice niet koken. Ze waren dus wel gedwongen koude maaltijden te eten.

Nu sprak de rechter. Comstock zei dat hij Abel wilde ondervragen. „Heeft u gelezen wat op het papier stond dat u moest ondertekenen toen u die auto kocht?"

„Het ging over de auto. Ik heb het ondertekend omdat het over de auto ging."

13

„Waarom heeft u de brieven die u ontving niet beantwoord?"
„Die gingen ook over de auto, maar ik had de auto verkocht — die was er niet meer. Het had dus geen zin die brieven te lezen, nietwaar?"
„Wist u dat u slechts een aanbetaling had gedaan op de auto?"
„Wat?"
„Wist u niet dat u de auto slechts voor een deel had betaald — dat u nog veel meer moest betalen?"
„Nee."

Abels ogen vlogen van de rechter naar Comstock en terug, om te zien hoe zijn woorden werden opgevat. Nu zweeg de rechter, maar Comstocks handen wierpen hem wrede woorden toe. „Ik ben er zeker van dat je die man niet hebt verteld dat je doof bent! Dat heb je verzwegen, nietwaar?" Abel keek de rechter opnieuw aan, maar zijn lippen bewogen niet.

Abel werd bang. Die Comstock wist, wat alleen een Dove kon weten. Die Comstock wilde hem kwetsen met de diep verborgen geheimen van de Doven.

„Heb je hem verteld dat je doof bent?"
„Dat heeft de rechter niet gevraagd. Zijn lippen bewogen niet."
„Heb je het hem *verteld?*"
„Nee." Abels ontkenning was nauwelijks leesbaar. Hij vormde een snelle aarzelende slordige driehoek met zijn vingers en vervolgde, „Ik heb het hem niet verteld ... hij zei 'meneer' tegen mij."

Comstock bewoog zijn lippen, hij sprak nu tegen de rechter. Abel keek toe en omdat hij wist wat er zou worden gezegd, kon hij een deel van de woorden van Comstocks lippen lezen. ' ... man ... gezegd ... dat hij doof was ... mensen ... schamen zich ...'

'Maar waarom?' las Abel van de lippen van de rechter. Hij wendde zijn blik af. Het bleke zonnestraaltje kroop nu langs de poten van de stoelen omhoog. Een zonnevlekje klom omhoog langs de jurk van Janice. Ze leek wel een vreemde zoals ze daar

14

zat op de derde rij. Nu verdween de zon helemaal. Comstock was uitgesproken. De rechter wierp een blik op Janice en Abel zag dat ze probeerde te glimlachen, maar ze was te bang. Toen nam de rechter weer het woord en Comstock vroeg: „Heeft u getracht de woorden van meneer Dengels lippen te lezen?"

„Jawel. Maar ik kan zijn woorden niet lezen. Terwijl hij spreekt kauwt hij op een sigaar."

„Maar hij heeft u drie brieven geschreven. Is het dan nooit bij u opgekomen dat die brieven wel eens belangrijk kunnen zijn?"

„Ik heb geprobeerd die brieven te lezen, maar ik begreep er niets van. Ik begreep alleen dat het over de auto ging en ik had de auto verkocht."

De rechter schudde zijn hoofd en zei iets en Comstock gooide Abel die woorden minachtend voor de voeten. „U kunt plaatsnemen."

Abel wilde gaan zitten, maar plotseling bleef hij staan en vroeg, „Waarom bent u boos?" Comstock sperde zijn ogen wijd open. „Ik bedoel *u*. Waarom bent *u* boos? U kent ons niet. De rechter is niet boos."

Comstock bewoog zijn handen razendsnel: „Idioot dat je bent. Voordat de winter voorbij is sta jij op straat te bedelen met een bordje voor je buik!" Zijn gebaren waren zó snel dat Abel ze nauwelijks kon volgen. „De Horenden zullen medelijden met je hebben, omdat ze dom zijn en omdat ze nu eenmaal altijd medelijden hebben met Doven. Als jij daar staat te bedelen zullen ze medelijden hebben met alle Doven. Waarom moest jij zo nodig naar de stad komen om moeilijkheden te maken? Door jouw toedoen zullen hard werkende mensen, die nog nooit iemand een cent schuldig zijn geweest, uitgelachen en misbruikt worden en voor 'Doofpot' worden uitgemaakt. Jij ellendige bedelaar —"

De rechter bewoog zijn lippen en Comstock wendde zich met een beleefd gebaar tot hem om te zeggen dat hij alleen maar een nadere verklaring had gegeven. Toen moest meneer Webendorf getuigen.

Meneer Webendorf sprak over Abel. Het was vreemd om Comstocks handen dingen te horen zeggen over Abels eigen leven. Ja, hij had hem aangenomen als leerling, van de school voor doofstommen. 'Ja, hij verrichtte goed werk in de grote drukkerij. Hij was een uitstekende tweedejaars leerling en hij had plichtsbesef. Natuurlijk waren de meeste leerlingen veel jonger dan hij, maar aangezien de man doof was . . .'

Toen informeerde de rechter naar de salarissen en meneer Webendorf gaf inlichtingen.

„Hij krijgt het salaris dat door de Bond is vastgesteld voor het tweede leerjaar: zes dollar per week en verleden maand is zijn salaris verhoogd tot zeven dollar." De rechter keek een beetje verbaasd en meneer Webendorf vervolgde: „Over drie jaar verdient hij veertien dollar per week en als hij de zesjarige opleiding achter de rug heeft verdient hij behoorlijk — achtentwintig dollar." Toen zweeg hij even en vervolgde hoofdschuddend, „Ik wist niets van die auto."

Abel voelde zich net zo beschaamd als die keer toen zijn vader hem had geslagen, maar hij kon zijn ogen niet afwenden van die woorden.

„Ik wist ook niets van die kleren, — enne — dat hij getrouwd was. De jongen verscheen altijd in dezelfde oude kleren op het werk. Ik wist dat hij ergens op kamers woonde, maar ik wist niet dat hij ook een vrouw had. Als hij mij in vertrouwen had genomen zou ik hem zeker hebben gezegd hoe verkeerd het was . . . al zijn spaarcentjes . . ."

In al zijn waardigheid nam de rechter het woord. Op de een of andere manier wisten Comstocks handen zijn woorden anders over te brengen dan de woorden van Webendorf. De woorden van de rechter klonken luid en doordringend. Ze hingen in brede gebaren in de lucht. Zó mooi waren die woorden, dat Abel aandachtig in zijn stoel achterover leunde om er naar te kijken. Het waren zulke prachtige woorden, dat hij ze helemaal niet begreep. Hoewel het Hof zich zeer wel bewust was van de moeilijke positie waarin gedaagde verkeerde, zeiden de woorden van de rechter, bood de wet hier geen enkele ruimte. De auto was verkocht en aangezien gedaagde eiser niet had ingelicht omtrent zijn lichaamsgebrek, had hij zich schuldig gemaakt aan bedrog. (Wat waren die woorden prachtig! Abel keek naar de lange regelmatige bewegingen. Ze deden hem denken aan andere lange regelmatige bewegingen; hooien en maaien.) Maar dit gebrek vormde tevens een verzachtende omstandigheid en hoewel een dagvaarding tot betaling van het maximum van tien procent van het loon van gedaagde was toegestaan, was het Hof geneigd in deze een mildere houding aan te nemen.

Comstock zweeg. Abel zat hem geduldig aan te kijken in afwachting van een verklaring.

„Ik veroordeel gedaagde," vervolgde de rechter, „tot betaling van het resterende bedrag van zijn schuld in termijnen, verhoogd met de vereiste rente, een boete van honderd dollar, benevens de kosten van dit proces. De betaling zal twee dollar per week bedragen gedurende de komende vijf maanden en worden verhoogd tot drie dollar per week, zodra zijn loon wordt verhoogd. Na beëindiging van zijn leertijd zal vijf dollar per week worden betaald, totdat de gehele schuld is voldaan. Het Hof hoopt dat de rentevoet niet meer dan zes procent zal bedragen." De rechter wierp een blik op de autohandelaar. „Hoewel er geen wettelijke middelen zijn om woekerwinsten te bestrijden, hoopt het Hof dat u in dit geval uw normen zult willen herzien."

Nerveus bewoog Abel zijn handen voor de tolk. „Ik begrijp er niets van. Wat heeft hij gezegd? Heb ik gewonnen of verloren?"

Met een minachtend gebaar naar Abel wendde Comstock zich opnieuw tot de rechter.

Abel zag een vaag glimlachje rond de lippen van de rechter spelen. „Verloren," zei de rechter. „Verloren," zeiden Comstocks handen en toen: „Het Hof heeft geen keuze. De wet is duidelijk op dit punt. De rechter verzoekt mij u mede te delen dat het nog veel en veel erger had kunnen zijn."

17

Comstock moest Abel opnieuw uitleggen hoeveel hij maandelijks zou moeten betalen en waar hij het geld zou moeten afdragen. Maar het deed er blijkbaar niet meer toe of hij de wet begreep of niet. Hij zat daar als een gewond dier, te ziek om op te staan, te lijdzaam om ineen te zakken. Toen was Comstock uitgesproken. ,,Ik heb je wel gezegd dat je tot de bedelstaf zou komen," zei hij nog. ,,Geen Dove zal iets met je te maken willen hebben. Jij —" Hij zweeg. Het winterse zonlicht viel plotseling in een brede stoffige baan voor zijn gezicht en hij moest zijn ogen dichtknijpen om Abel te kunnen zien. De rechter was opgestaan en de mensen verlieten de rechtszaal. Het was voorbij.

,,Ik zal nooit bedelen," zei Abel, maar in gedachten zag hij zich al tegen een muur zitten met zijn hoed omgekeerd op de grond voor zich, te zwak om op zijn benen te staan.

,,Jij zult alles bederven voor de Doven uit deze buurt," zei Comstock, hoewel hij niet zeker wist of Abel zijn handen kon zien. ,,Was je maar op die boerderij gebleven, ergens ver weg op het platteland!" Hij liep naar de deur. Aan de andere kant van de zonnestraal klonk een dof gedreun. Abel had zijn hoofd op tafel gelegd en bonkte langzaam en regelmatig met zijn vuisten op tafel.

2

Ze moesten de ring met de steen van groen zonlicht verkopen. Abel had er zeventig dollar voor betaald en toen Webendorf hem op papier had uitgelegd wat „rente" betekende, wist hij dat hem geen keuze bleef. Janice huilde en verzette zich. Avonden achtereen liet ze hem cijfers optellen, die nooit een andere uitkomst boden. Tenslotte liet hij haar de ring vol zonneschijn van haar vinger nemen en samen gingen ze ermee terug naar de juwelier.

Abel kon zich die juwelier nog goed herinneren. Hij was heel aardig voor hen geweest toen ze de vorige keer in zijn winkel waren. Nu wierp hij een vluchtige blik op de ring, maar hij liet hem niet fonkelen in de zon, zoals de vorige keer. Ditmaal glimlachte hij ook niet. Hij was achterdochtig, strak en gespannen. „Twintig dollar," zei hij.

Abel voelde de angst als een steen op zijn hart drukken. Zij trachtten de juwelier ervan te overtuigen dat hij zich vergiste. Hij kende hen toch zeker nog wel? Zij hadden die ring voor zeventig dollar van hem gekocht. Janice sprak het duidelijkst van hen beiden — dat wisten ze, want de mensen hadden meer geduld met haar dan met Abel. Hun gezichten vertoonden niet altijd die uitdrukking van afkeer als zij haar stem gebruikte. Daarom nam zij nu het woord. Ze vroeg de juwelier of hij zich deze ring kon herinneren, ze hadden hem afgelopen zomer bij hem gekocht. Ze wees op de vitrine achter de etalageruit. „ij lah hiee, hiee," zei ze.

Abel herinnerde zich hoe voorzichtig de juwelier zijn hand in de vitrine had gestoken om de ring te pakken. Hoe hij de steen had laten flonkeren in de zon voordat hij hem aan Janice overhandigde. Misschien verstond hij haar niet. Met zijn ogen beduidde hij Janice dat ze moest schrijven: „Wij hebbe de ring van

19

de somer gekocht foor seventig dollar. Wij hebbe dr goed foor gesorgt. Al tijt afgedaan foor 't wasse."

Snel las de juwelier het briefje, maar schudde het hoofd. „*Twintig dollar*," schreef hij toen en onderstreepte die boodschap. Ze gaven de ring niet op en ze gingen ook niet weg. Bleek en verbijsterd bleven ze voor hem staan. Hij trok het papier naar zich toe en schreef: „Ik moet zakelijk blijven. Ik zal u vijfentwintig dollar voor de ring geven, maar meer ook niet. De ring is gedragen en dus niet meer nieuw. Als u ergens anders geen betere prijs kunt krijgen, kom dan terug, dan zal ik u vijfentwintig dollar voor de ring geven."

Janice wilde nooit in gebarentaal spreken in tegenwoordigheid van Horenden, maar nu trok ze Abel in een hoek en vertelde hem met kleine, onopvallende gebaartjes wat ze op haar hart had: „Ik ben bang. Wat is er met hem? Waarom doen ze ons dit aan? Wat moeten we doen?"

„Ik weet het niet. We kunnen niet naar de politie gaan."

„Jij bent de man. Jij moet zorgen dat hij de ring terugneemt en ons geld teruggeeft."

„Dat doet hij vast niet."

„Jij moet hem dwingen."

„Ga naar buiten," zei hij, „en wacht daar op me. Ik zal met hem praten — alleen."

Ze sloeg haar ogen neer, maakte snel het afscheidsgebaar en verliet de winkel. Abel zag dat ze opgelucht was, omdat ze niet langer hoefde te blijven.

Hij nam de ring van de toonbank en wenkte de juwelier naar een plek achterin de winkel, waar het donkerder was en waar Janice hem niet zou kunnen zien. Hij voelde de eenzaamheid als een harde brok in zijn keel. De juwelier keek hem niet aan. Toen haalde Abel het prachtige horloge uit zijn zak en het gelukshangertje in de vorm van een leeuwekop met ogen van rode steentjes. Zelfs hier, in het schemerlicht flonkerden de steentjes. „Pah aa", zei hij. Hij zag dat de man zijn ogen half dichtkneep bij het geluid van zijn stem. Hij wendde zich tot Abel en Abel zei, „'e ring en 'orloge 'en*alles* — daarna schreef hij „$70" op het papier. Zelfs toen keurde de juwelier hem geen blik waardig. Hij sloeg de kassa aan en de geldla sprong open. Snel telde hij de bankbiljetten uit en legde ze op de toonbank. Toen Abel ze opraapte, veegde de juwelier de prachtige sieraden met een zwaai in de palm van zijn hand, alsof hij kruimels van tafel veegde. Hoe voorzichtig had hij de sieraden de vorige keer uit de vitrine gehaald, alsof het tere levende wezens waren. Maar nu, door hun armoede, waren de juwelen bedorven. De groene edelsteen bracht ongeluk en het horloge wees slechte uren aan. De juwelier zou ze beschaamd in een donker hoekje verstoppen. Een verkoper kwam naderbij en bleef vlak voor Abel staan. Abel draaide zich om en liep met opgeheven hoofd de winkel uit. Hij hoopte maar dat hij niet van ellende tegen de deur zou botsen. Hij voelde de aanwezigheid van de beide mannen achter zich. Hij vroeg zich af of ze hem uitlachten, daar in de wereld van de Horenden achter zijn rug.

„Heb je het geld?"

„Ja."

„Alles?"

„Ja."

Ze stonden voor het raam van een restaurant en deden alsof ze naar binnen keken.

„Als we die schuld hebben afbetaald zullen we de ring terugkopen."

„Nee, nooit. Ik ga daar nooit meer heen."

„Maar ik wil blijven hopen."

„Nee, nooit meer. Hij heeft me belachelijk gemaakt."

Aan de andere kant van het raam zat iemand naar hen te kijken. Ze draaiden zich om en liepen verder. Toen ze op de hoek van de straat kwamen en wilden oversteken, haalde Abel plotseling zijn handen uit zijn zak en zei snel, vanwege de kou, „Dit is nu Buiten — De Buitenwereld. Hier willen ze nu allemaal zo

21

graag naar toe. Iedereen loopt te rennen!" Hij stopte zijn handen weer in zijn zakken en keek woedend om zich heen. Stilte.

Op school had iedereen het voortdurend over Buiten gehad. Hun ogen straalden als ze er over spraken en in de nauwe gangen met leuningen aan weerszijden voor de blinden, spraken ze de Taal der Handen over de hoofden van de onderwijzers heen, verscholen achter boeken en lessenaars, en het onderwerp van hun gesprekken was altijd de wereld daar buiten. Voordien, op de boerderij, had Abel geen gebarentaal gekend en ook geen echte woorden. Toen hij op school kwam was hij in ieders ogen doofstom geweest. Zelfs degenen die even doof waren als hij, waren die mening toegedaan. Hij volgde de opleiding voor jongens. Liplezen, rekenen, lezen en schrijven. Daarnaast had hij de keuze uit drie ambachten: koksmaat, leerling drukker of leerling-bankwerker. De meisjes kregen onderricht in liplezen en naaien. Dat waren de dingen die ze tijdens de lessen leerden. Van elkaar leerden de jongens en meisjes de Taal der Handen en het sprookje van de wereld daarbuiten. Dagelijks moesten de leerlingen twee uur lang kaarsen uitblazen om de letter P te leren vormen en hun lippen bewegen op het ritme van de letters en tekeningen op het bord. Ze keken naar tongen, tanden en lippen — til, pil, gil, wil — maar de woorden, de *echte* woorden, wachtten buiten op de speelplaats. De taal die heimelijk werd uitgewisseld bij het hek, de verboden Taal der Handen, verrijkte de kinderen werkelijk.

Toen Abel een half jaar op school was had hij vrienden en vijanden en hij kende het sprookje van de wereld daarbuiten. Nu was hij Buiten en hij kende voldoende woorden om hem 's nachts uit de slaap te houden en hem te doen terugdenken aan zijn schooltijd. De school was een bedompt grauw en somber gebouw. Licht en kleur zijn verspild aan blinden en aangezien de school ook blinde kinderen opleidde, moesten de Doven het dan ook maar zonder licht en kleur stellen. Het was eigenlijk een wonder dat hij Janice had gevonden in die grauwe, lelijke omgeving.

Janice had goudblond haar en als zij glimlachte, voelde hij zich beurtelings warm en koud worden van binnen. Soms was ze heel snel en soms traag, als water dat in de zon over de rotsen stroomt. Hij voelde zich tot haar aangetrokken en in haar nabijheid veranderde hij, zoals de rivier hem veranderde wanneer hij onderdook — dan werd hij een ander wezen in een andere wereld. Hij schaamde zich omdat hij eigenlijk te oud was voor de school. Hij kwam voor de vakopleiding en nadat hij jarenlang had getracht te leren liplezen en spreken, ontdekte hij nu tot zijn verbazing dat er nog meer mensen zoals hij op de wereld waren. Hij was toen achttien jaar en Janice zestien. Zij was al jaren op school en ze wist vrijwel niets van de buitenwereld. Ze kende de verboden Taal der Handen. Zelfverzekerd babbelde en schertste ze achter de rug van de onderwijzers. Wat had ze het altijd druk met plannen, met vriendinnen, met ruzietjes. Abel, die zich nooit met zijn handen had kunnen uitdrukken in de grote stilte van de boerderij en op de school van de Horenden, vond haar leven ongelooflijk rijk en vol. Binnen drie maanden kende hij de Taal der Handen evengoed als de anderen. Nu kon hij praten en luisteren, verhalen vertellen, geheimen delen, ruzie maken en zich verbazen. Hij was bevrijd door een taal die hij, ondanks oplettende onderwijzers, had geleerd. Voordat hij met Janice ging, scheen zijn taal altijd verband te houden met de plaatsen waar hij die had geleerd. De gebaren schenen te ruiken naar stilstaand water, badkamers en heimelijke seksualiteit. Handen die achter de deur van de voorraadkamer masturbeerden, spraken daar vóór- en nadien van. Tijdens de halfjaarlijkse lessen over de gevaren van zelfbevrediging, als Abel de onderwijzer hoorde spreken over aanraking en wrijving, angst en ontspanning, vroeg hij zich af of de man wellicht over de Taal der Handen sprak.

De jongens en meisjes waren zelden bijeen en hij had Janice al

23

dikwijls gezien voordat hij met haar in contact kwam. Toen ze elkaar een paar maal hadden gesproken, begon hij naar haar uit te kijken en hij ontdekte dat zij soms dienst had in de keuken. Door zijn verlangen naar haar, leerde hij meer dan ooit. Hij begon op de onderwijzers te letten om te ontdekken hoe en wanneer hij het gemakkelijkst aan hun aandacht zou kunnen ontsnappen. Hij onthield op welke tijden er veel mensen in de keuken waren, zodat Janice onopgemerkt kon wegglippen. Het verlangen om bij haar te zijn maakte hem vindingrijk en slim en hij verloor iets van zijn onschuld. Hij ontdekte dat hij gebruik kon maken van meneer Conroys gewoonte 's middags een sigaartje te roken en van het feit dat zijn eigen gewoonten en fouten, zoals te laat komen, uiteindelijk werden aanvaard als een deel van zijn persoonlijkheid. Hij ontmoette Janice buiten, achter de keuken en als het koud was in de hal voor de eetzaal. Hij werd voorzichtiger. Hij vocht niet meer met andere jongens, over zijn leeftijd of iets anders, en hij begon na te denken over woorden en gedachten. Misschien waren er wel woorden voor dingen die je niet kon zien of aanraken en voor begrippen die minder eenvoudig waren dan „ga weg" of „blijf staan". Janice vroeg hem eerst hoe hij dacht over de mensen en dingen die zij kenden en later vroeg ze hem naar zijn wensen en verlangens. Hij dacht dat er een grote leegte binnen in hem was, die dingen van grote betekenis, waar geen woorden voor waren, voelde en zag en dat hij haar wellicht eens zou kunnen vertellen hoeveel verschil hij voelde tussen de wereld die hij zag en de wereld die hem zag.

Van alle meisjes had Janice het meeste belangstelling voor de wereld daarbuiten. Zodra iemand over die wereld sprak kwam ze tot leven. Naar gelang Abel meer woorden leerde, kregen meer dingen betekenis voor hem. En naar gelang meer dingen betekenis voor hem kregen herinnerde hij zich ook meer van vroeger. Ze stelde hem vragen: Hoe was zijn woonplaats? Waren er veel auto's? Hoe gingen de rijke mensen gekleed? Hoe waren hun huizen? Was het prettig op de boerderij? Was het werk zwaar? Ze stelde meer vragen over zijn woonplaats dan over de boerderij en over de Grote Stad wilde zij nog het allermeeste weten. De grote stad was de wereld daarbuiten op zijn best. In de stad was alles nieuw en heerlijk en altijd weer anders. Reizen leek Janice iets heerlijks. Ze hield van beweging en verandering. Abel, die zijn leven in de buitenwereld had doorgebracht, had natuurlijk veel gereisd, van de boerderij naar het dorp en naar de grote stad. In haar ogen was hij dan ook een veelbelovende held en al zijn herinneringen leken haar van het grootste belang.

Gedurende zijn tweede schooljaar waren Janice en hij onafscheidelijk en samen weerstonden ze alle pogingen hen te scheiden. Daarbij maakten ze gebruik van hun doofheid. Ze hielden zich compleet doof. Zij begrepen niets en ze waren het met alles eens. Ze knikten en glimlachten en verzetten zich nooit tegen hun onderwijzers en onderwijzeressen. Ze beloofden beterschap en deden precies wat ze wilden. In april van dat jaar liepen ze samen weg, naar de wereld daarbuiten. Ze gingen naar een kerk die leek op de kerk in Abels woonplaats. Toen de dominee begreep wat ze wilden en merkte dat ze doof waren, schreef hij een naam voor hen op en zo kwamen ze terecht bij een ambtenaar van de burgerlijke stand, die hen zonder pijnlijke vragen te stellen in de echt verbond. Wel moesten ze vier maal de normale prijs betalen voor deze ceremonie. De maandagochtend die daarop volgde gingen ze gewoon terug naar school, alsof er niets was gebeurd. Aangezien het schoolbestuur alle mogelijke roddelpraatjes vreesde, werden ze met rust gelaten en mocht Janice eindexamen doen met haar klas. Wel kreeg ze opdracht onmiddellijk aan haar ouders te schrijven. Ze stelde de brief van dag tot dag uit en tenslotte schreef de directeur zelf aan beide families om hen op de hoogte te brengen van het huwelijk. Toen ze de school verlieten gingen ze naar de boerderij van Abels ouders. De ouders van Janice hadden nóg dertien kinderen. Zij schreven Janice een felicitatiebrief zonder afzender. Abel en Janice reisden per trein. Eindelijk was ze dan in de Buitenwereld.

Ze sperde haar ogen wijd open, zodat haar niets zou ontgaan. Ze wilde alles zien, aanraken, proeven, ruiken en voelen. Ze sprankelde van levenslust . . .

Abel draaide zich om in bed en keek naar haar slapende gezicht. Soms voelde hij iets dat hij niet onder woorden kon brengen. Het had iets te maken met rechters, winkels en mensen. Misschien haatten zij die doofheid van Janice en hem helemaal niet. Misschien waren ze alleen maar onverschillig. Vreemd genoeg was onverschilligheid erger dan haat. Op school werd altijd gesproken over de haat, de spot en de wreedheid van de Horenden. Sommige jongens en meisjes vertelden telkens weer met verontwaardigde gezichten hetzelfde verhaal en tenslotte begreep iedereen dat ze trots waren op de spot en wreedheid die ze hadden ondervonden. Abel kreeg zo langzamerhand het gevoel dat de wreedheid van de buitenwereld niet zozeer het gevolg was van haat als wel van onverschilligheid. Hij beschikte niet over de woorden om dit aan Janice uit te leggen. Deze gedachten speelden slechts vaag door zijn hoofd. Er was nog iets anders wat hij soms bijna meende te begrijpen: de wereld was tegen hen, maar hun onwetendheid omtrent die wereld was nog veel meer in hun nadeel. Ook deze gedachte bleef vaag en was niet in woorden te vangen.

Zijn zorgen bleven hem die nacht kwellen. Al een week lang lag hij iedere nacht wakker en trachtte iets te verzinnen om die schuld te ontduiken — zes duizend dollar — meer nog, als je de rente erbij telde. Ze zouden van de veertien dollar in de week moeten leven, die Janice verdiende. Zijn eigen $7.00 min zeventig cent zouden ze wekelijks opzij moeten leggen om de schuld af te betalen. Met een beetje geluk zouden ze niet in de gevangenis terecht komen. Als ze tenminste niet meer in moeilijkheden kwamen. Maar ze zouden geen geld overhouden voor een beetje vreugde. Iedere zes maanden zouden ze meer geld moeten afstaan om hun schuld af te betalen. En dat alles om een paar vreemden tevreden te stellen, om te voorkomen dat ze zich boos zouden maken. Horenden zijn altijd boos.

Op school hadden ze hem voortdurend voorgehouden dat hij aan het werk moest blijven. Ze hadden hem een vak geleerd, zeiden ze, om hem veilig te stellen en als je werkte was je veilig volgens hen. Naast hem praatte Janice in haar droom, vage onduidelijke gebaren. Ze draaide zich om. Vlak voor het einde van die heerlijke zomer hadden ze een dove man ontmoet, die hun had verteld dat aan de andere kant van de stad een kerk voor Doven was. Eenmaal per week leidde de dominee de dienst in de Taal der Handen. Op school had hij dikwijls horen zeggen dat de kerk het enige deel van de wereld der Horenden was, dat belangstelling had voor de Doven. Janice en hij hadden afgesproken zodra ze konden naar die kerk te gaan, met hun mooie kleren aan en de ring en het horloge. Ze wilden vrienden maken, ontvangen en ontvangen worden. Maar nu zag de wereld er koud en somber uit. De ring, het horloge, hun geld en hun hoop waren verdwenen. Zelfs als ze zich de tramrit naar de andere kant van de stad hadden kunnen veroorloven, zouden ze nog niet gaan. Vrienden waren nu te duur voor hen en ze durfden ook niet meer te hopen. Abel draaide zich om. Eindelijk viel hij in slaap, maar hij droomde een sombere verwarde droom.

3

Janice en Abel vroegen zich die winter dikwijls af of ze in leven zouden blijven. Je kon omkomen van honger en kou en je kon zelfs sterven aan een gebroken hart, had Janice op school gehoord. Eigenlijk verwachtten ze wel de een of andere catastrofe, maar ze bezweken niet. Ze leefden aan de rand van de ondergang en de dagen volgden elkaar in grauwe regelmaat op.

Abel merkte dat meneer Webendorf was veranderd na de rechtszitting. Hij was veel ongeduldiger geworden. Hij glimlachte niet meer tegen Abel en hij stak niet meer vriendschappelijk zijn hand tegen hem op, zoals vroeger. Aanvankelijk hinderde het Abel, maar na een paar weken was hij eraan gewend. Webendorf was een Horende, zei Abel tegen Janice en Horenden waren nu eenmaal wispelturig. Ze knikte afwezig, want ze luisterde niet naar hem. Ze dacht aan de fabriek. Er werkten nog twee Dove meisjes op de pettenafdeling, maar dat had ze Abel niet verteld. Ze had ze zien praten in de Taal der Handen en ze was zo onopvallend mogelijk dichterbij geschoven. Ze moest voorzichtig zijn en geen aandacht trekken. Drie Dove meisjes bijeen, dat zou moeilijkheden kunnen geven. Ze wachtte haar tijd af en toen het ogenblik gunstig was maakte zij een gebaar. Een woord zonder geluid, snel als een gedachtenflits. Een beweging, slechts zichtbaar voor degenen die, zoals zij, waren ingesteld op beweging. Ze knipperden met hun ogen om haar te beduiden dat ze haar gebaar hadden begrepen en in de lunchpauze maakten ze plaats voor haar langs de muur achterin het atelier.

Vanaf dat ogenblik zaten ze in de lunchpauze altijd naast elkaar tegen de vochtige muur waar de andere meisjes niet wilden zitten. Ze zaten dicht bij elkaar, hun handen verstopt achter elkaars rug, en praatten honderd uit. Twee minuten voordat de bel hen scheidde aten ze vliegensvlug hun boterhammen op. Ze haatten die bel. Janice voelde het geluid via haar voeten, haar benen en haar wervelkolom omhoog dreunen tot in haar kaken. Haar tanden klapperden van het geluid, zodat ze op de bel scheen te kauwen. Horenden moesten wel voortdurend bellen en stemmen kauwen. Hoe konden zij in hemelsnaam geluid verdragen, vroeg Janice zich af. Als de bel ging slikte ze vlug het laatste hapje van haar boterham door, wuifde tegen de anderen en keerde terug naar het minder hinderlijke gedreun van de naaimachines in het atelier.

Janice werkte nu acht maanden in het pettenatelier. Ze werkte snel. Ze hoefde niet meer naar haar handen te kijken, die lieten de stof onder de machine door glijden en verrichtten alle noodzakelijke handelingen zonder dat zij zich ermee hoefde te bemoeien. Ze werkte constant door in zeer hoog tempo en na verloop van tijd hoefde ze de machine niet meer stop te zetten. Terwijl haar rechterhand een bijna voltooide pet onder de machine doorschoof, greep haar linkerhand reeds naar de volgende. Toen ze op een zaterdag haar loonzakje opende zat er tot haar verbazing een dollar meer in dan gewoonlijk. Ze schrok. Wie zou dat geld missen en haar van diefstal beschuldigen? Ze ging naar de afdelingschef en hij zei dat het een „semie" of een „premie" of iets dergelijks was. Ze werd nog veel banger en schoof de man een stuk papier en een potlood toe en hij schreef: „Premie — meer loon. Als je meer petten maakt dan de anderen krijg je een *premie*".

„Is er dus niets mis met dat geld? Is het in orde?"

„Ja."

Ze pakte haar loonzakje en liep snel door de koude schemering naar huis. Ze liep om geld uit te sparen voor Abels schuld en als ze thuiskwam was ze volkomen verkleumd en kroop zo gauw mogelijk in bed, want het duurde uren voordat ze een beetje warm werd. Maar deze avond viel de wandeling naar huis haar minder zwaar dan gewoonlijk. Plotseling bleef ze in gedachten staan. Nu had ze geld voor de tram. Maar ze liep weer door. Abel zou zo blij zijn met dat geld. Nu zouden ze misschien buitenshuis kunnen eten, of de was naar de wasserij zenden, of nieuwe schoenen kopen — toen ze rijk waren hadden ze geen schoenen gekocht... Maar als de rechter ontdekte dat ze méér geld hadden, bedacht ze plotseling, zouden ze het misschien moeten afdragen om het in de bodemloze put van Abels schuld te werpen. Zij was Abels vrouw en ze hadden hem tenslotte ook gedwongen haar de ring met de groene steen af te nemen. Weer bleef ze stilstaan, ditmaal met gemengde gevoelens van angst en woede. Waarom de rechter hen wilde kwetsen was zijn geheim, maar nu had zij ook een geheim. Ze haalde het extra geld uit haar loonzakje en stopte het in haar zak. De rechter zou het niet krijgen, het was van haar. Als Abel het wist zou hij het haar afnemen, dan zou de rechter het toch krijgen. Zij moest een manier verzinnen om het geld te gebruiken zonder dat hij het wist. Tot die tijd zou ze het geld verstoppen. Langzaam liep ze verder. Een premie is iets goeds, maar Abel maakt er iets naars van ...

Toen ze de kamer huurden had de hospita gezegd dat ze er niet mochten koken, en toen ze voorzichtig het huis binnenslopen met een klein gasstelletje was ze druk bezig en had ze hen niet gezien. Als ze het gasstelletje niet gebruikten, verstopten ze het, maar de geur van soep of bonen of ragout uit blik konden ze niet verstoppen en ze waren er zeker van dat zij het wist. Gelukkig zei ze er niets van. Nu ze zo arm waren hadden ze nauwelijks geld voor brandstof en na een warme maaltijd hadden ze tenminste een warm plekje in hun maag wanneer zij zich in de ijskoude kamer uitkleedden om naar bed te gaan. Na tafel veegden ze hun borden schoon met oude kranten en kropen zo snel mogelijk in bed om warm te blijven. Soms vrijden ze een beetje en soms gingen ze direct slapen. Om te naaien of te verstellen was het veel te koud. Het noodzakelijkste werk bewaarde zij tot de zondag. Eenmaal per week deed ze de was in de kelder. Nu het winter was werd het vroeg donker. Zij wilden geen elektriciteit verspillen aan gesprekken over het verloop van hun dag, er was toch nooit iets nieuws te vertellen. Daarom gingen ze maar naar bed en lagen in het donker zonder woorden te spellen in elkanders handen, zoals ze vroeger deden, toen ze pas getrouwd waren. Soms vroeg Janice zich af waarom ze Abel niet vertelde van de Dove meisjes op de fabriek. Waarschijnlijk vanwege de koude of het donker. Meerdere malen had ze erover willen beginnen, maar haar handen verstijfden als ze de woorden wilde spellen en er bleef een gevaarlijke stilte tussen haar en Abel. Nu had ze nog een geheim: het geheim van het premiegeld en ze was blij dat ze gezwegen had.

Ze moest een plaats zoeken waar ze het geld kon verstoppen. Het moest een plaats zijn waar Abel en de hospita nooit kwamen. Ze wist dat de hospita in hun kamer rondsnuffelde als zij naar hun werk waren. Dat had haar nooit gehinderd. Maar nu maakte zij zich zorgen vanwege het geld. Ze wachtte tot Abel de trap afging naar de W.C. op de binnenplaats. Toen liep ze naar de kast en haalde haar koffer van de bovenste plank. Het was een zware kartonnen koffer. Het leek precies een leren koffer. Het was een huwelijkscadeau geweest van de Dove meisjes op school. Haar enige huwelijkscadeau. Ze herinnerde zich dat ze haar andere jurk en haar ondergoed had ingepakt om met haar echtgenoot naar de Buitenwereld te vertrekken. Toen was haar leven vol geweest van hoop en verwachting en de koffer was voor haar het symbool geweest van de Buitenwereld. Ze had de koffer goed bewaard. Aan de binnenkant waren twee zakjes. Ze deed het geld in een van de zakjes, zette de koffer terug in de kast en stapte gauw weer in bed. Het geheim gaf haar een veilig warm gevoel van binnen. Alleen als ze aan Abel dacht schaamde ze zich een beetje. Maar iets verzwijgen was niet hetzelfde als liegen. Ze hadden ook nooit tijd om te praten . . . en dan ook nog in het donker . . .

Iedere week vond Janice nu een extra dollar in haar loonzakje.

31

Ze had nog nooit geld gehad om uit te geven of om te sparen. Tot haar verbazing merkte ze nu dingen op die ze vroeger niet had gemerkt. Hoe dikwijls Abel in de kamer was, bijvoorbeeld. Hij was voortdurend in de kamer en ze kon het geld alleen maar verstoppen als hij naar de W.C. ging. Zij ging 's morgens eerder de deur uit dan hij en ze kwam later thuis en dan was hij er altijd. Hij zat naar haar te kijken of hij zat in bed of hij zat te eten of uit het raam te staren. Als ze iets kocht van haar geld zou ze een smoesje moeten verzinnen. Misschien zou ze een nieuwe rok kopen, of warme overschoenen. Ze zou ze ergens moeten verstoppen want als ze met iets nieuws thuiskwam zou het hem zeker opvallen. Hij kende al haar kleren en alle dingen die ze gebruikte . . . En haar ring met de groene steen. Hij had gezegd dat ze die nooit zou terugkrijgen. Ze zou de ring zelf terughalen, zonder dat hij er iets van wist. Die ring was de enige droom die ze nog niet had opgegeven. De rechter en Abel hadden haar ring weggenomen, maar het was nog steeds haar ring. Het was niet eerlijk.

Maar eigenlijk zou ze eerst overschoenen moeten kopen. Als ze door de regen of door de sneeuw naar de fabriek liep, had ze de hele dag koude natte voeten en 's avonds was het nog veel erger want op weg naar huis bevroren haar natte schoenen. Ze probeerde zonder Abel de deur uit te komen op een tijd dat de winkels open waren, maar er kwam steeds iets tussen: de ene keer wilde Abel beslist mee, de andere keer zei hij dat het te koud was om uit te gaan. Ze kwam op de gedachte hem te vertellen dat ze een paar avonden zou moeten overwerken op de fabriek, maar dat was een al te grote leugen. De weken gingen voorbij en het zakje in haar koffer puilde uit van het geld. Toen was het plotseling lente en Abel moest een paar avonden overwerken. Dat was haar kans, maar vreemd genoeg had ze plotseling geen behoefte meer aan de dingen waar ze zo vreselijk naar had verlangd en het premiegeld bleef in het zakje van de koffer. Ze besloot te sparen voor haar groene ring. Wat ze Abel zou vertellen als ze met de ring thuiskwam wist ze nog niet, maar dat was van later zorg.

Abel was trots op Janice. Ze klaagde, ze pruilde, ze was koel en ongenaakbaar, maar ze had hem niet in de steek gelaten. Vlak na het proces vreesde hij dat zij hem zou verlaten. Wist ze eigenlijk wel hoe lang het nog zou duren voordat die schuld was afbetaald? Dit was pas de eerste winter, zo zouden er nog negentien volgen. Ze hadden deze winter maar één maaltijd per dag gegeten, ze hadden hun kamer nauwelijks verwarmd en de eentonige regelmaat van werken en slapen niet onderbroken. Van de zesduizend dollar had hij nu driehonderd vijfentwintig dollar afbetaald. Maar Janice was niet weggegaan. De lichtjes in haar ogen, haar grapjes, haar vrolijke lach en haar vrouwelijke maniertjes waren verdwenen, haar respect voor hem eveneens — maar ze was niet bij hem weggegaan. Ieder dag opnieuw was hij dankbaar en verbaasd als hij haar zag thuiskomen, als ze haar mantel ophing en hem toeknikte. Nu was het lente, de straten waren niet meer glad en iets in de lucht deed hem denken aan het voorjaar op de boerderij. Als hij vroeger aan de boerderij dacht, herinnerde hij zich uitsluitend het zware jachtige werk van de vroege morgen tot de late avond, maar nu waren zijn herinneringen zonnig en warm. Hij dacht aan die lente, nog maar een jaar geleden, toen hij met Janice op de boerderij was teruggekeerd. Hij was een ander mens geworden. Hij had nu woorden tot zijn beschikking. Hij kon denken in woorden. Janice was zo mooi geweest. Zo vol hoop en verwachting. Ze wandelden samen over de heuvels. Ze speelden in het weiland. Ze spelden de namen van de bloemen die zijn moeder voor hem had opgeschreven. Eenmaal waren ze tussen de bloemen in het weiland gaan liggen en ze hadden elkaar geliefkoosd en bemind. Toen begon het te regenen. Hij zei dat hij de dieren naar hun hok moest drijven en zij was weggerend. Haar handen spelden de namen van vogels en dieren achter haar rug. Hij liep haar achterna. Ze zei dat ze geen dier was en hij keek naar haar toen ze het gebaar op haar borst maakte dat dier

33

betekent. Toen hij dat gebaar van haar zag, verlangde hij weer naar haar lichaam en zij wist dat heel goed. Hun communicatie-middel, hun taal, was toen liefde geweest. De taal van de liefde en als hij zijn ogen sloot kon hij de taal van haar handen op zijn lichaam voelen.

Hij dacht aan de winter op de boerderij en aan die dag waarop de winter plotseling voorbij was. Dan zat er plotseling een vogel op een tak voor het raam, een vogel die niet naar eten kwam zoeken, maar zich gewoon een poosje op de tak liet wiegen in de wind. Een week later barstten de knoppen open. In gedachten trachtte Abel die beelden in woorden om te zetten. Hij voelde zijn geest groeien door al die herinneringen. Hij dacht aan de grote plas in het weiland en hij dacht in woorden, zodat hij de herinnering zou kunnen vasthouden en van tijd tot tijd te voor-schijn halen. In het voorjaar duwde zijn moeder haast ongeduldig de ramen open. De lentelucht stroomde naar binnen om de dom-pige benauwde winterlucht uit het huis te verjagen en buiten scheen de stralende gulle gouden zon.

Weldra zou de zon ook hier komen. Weldra zouden Janice en hij genieten van de wandeling naar huis in de zoele avondlucht. Hij zou haar afhalen van de fabriek en misschien zouden ze dan gearmd naar huis lopen, zoals andere paartjes. Hij was tevreden over zijn werk. Hij stond nu aan een grote offsetpers en hij drukte affiches en formulieren voor de wedrennen. Ze werkten de laatste tijd ook met een kleine nieuwe pers. De lonen waren verhoogd, maar dat maakte niet veel verschil voor hem omdat al zijn geld verdween in de afgrond van zijn schuld. Maar het was voorjaar en hij kreeg toch nieuwe hoop, nieuwe moed.

Hij wilde er niet over spreken met Janice, want hij vreesde dat ze dan weer van alles zou verlangen en ongeduldig zou worden. Altijd vroeg ze hem: ,,Hoeveel was het ditmaal? Hoeveel geld hebben ze ditmaal gepakt?" Alsof iemand het geld uit haar han-den had getrokken. Soms wilde hij haar uitleggen wat rente was. Dan zou ze begrijpen wat hen nog te wachten stond en niet

34

langer vragen: „Hoeveel nog?" Maar als hij op het punt stond erover te beginnen, werd hij bang en zweeg. Ze was deze winter dan wel bij hem gebleven, maar dit was pas de eerste winter.

„Ik heb vandaag de hele dag aan de boerderij gedacht," zei hij toen ze hun maal aten van soep uit blik met bonen uit blik. „Voorjaar op de boerderij."

Janice wierp haar hoofd in de nek: „Jouw moeder mag mij niet," zei ze en ze wisten beiden dat het waar was.

„Dat was alleen in het begin zo — vanwege de Taal der Handen. Ze is bang van die gebaren. Toen ik klein was zeiden mijn onderwijzers dat het slecht en raar was." Hij haalde zijn schouders op.

„Ze mag me niet omdat ze zich eenzaam voelt door mij."

„Ze is ook eenzaam. Zij is de enige Horende in ons gezin. Mijn vader en mijn broer en jij en ik . . . Vroeger was *zij* degene die hoorde en toen kwamen jij en ik met onze Taal en voor het eerst van ons leven konden we allemaal samen praten. Toen was zij de Dove — begrijp je wel? — toen wij samen konden praten."

„Ze heeft me eens geschreven dat praten met je handen vies is, zoiets als naaktlopen."

„Ik denk dikwijls aan huis tegenwoordig," zei hij. Ze keek hem aan. Als hij eenmaal begon te praten gingen ze pas laat aan tafel. Dat maakte haar kwaad. Praten had nog nooit iets voor hun opgelost. „Ik herinner me bepaalde dagen op de boerderij en bepaalde dingen," vervolgde hij, „maar van de mensen herinner ik me niets. Ik weet niet wat mijn ouders dachten of zeiden of wensten. Ik weet niet hoe ze waren."

„Je moeder was tegen mij."

Ze nam de soepkommen van tafel en spoelde ze af, zodat ze er de koffie in kon schenken. Woorden vormen was moeilijk, maar als hij zich dingen wilde herinneren, moest hij woorden tot zijn beschikking hebben. Nu herinnerde hij zich dingen van vroeger, uit de tijd toen hij nog geen woorden kende. Hij liet zijn brood onaangeroerd staan. Hij vond het vreemd dat de woorden steeds meer herinneringen bij hem opriepen en dat hij nu meer en dieper voelde dan toen de dingen die hij zich nu herinnerde, werkelijk gebeurden. Hij herinnerde zich het treurige gezicht van zijn moeder. Hij herinnerde zich de geur van de avondlucht en de kou die hij meebracht als hij thuiskwam uit school. „Zij was zo eenzaam, mijn moeder," zei hij tegen Janice. „Toen ik niets kon leren op de school voor de Horenden, was ze niet boos meer, maar verdrietig." En hij herinnerde zich iets van die sombere last uit zijn jeugd.

Terwijl ze wachtten op de koffie zei hij: „Ik wil graag eens naar die kerk. Er zijn daar andere Doven. We zouden geld uit de huishoudpot kunnen nemen om met de tram te gaan. Misschien kunnen we daar vrienden maken . . ."

Hij dacht aan de school voor Doven. Dat kille sombere oord, waar hij tenslotte zijn vrouw had gevonden en schoolkameraden en woorden.

Maar ze schudde haar hoofd. „Wij zijn te arm. Niemand houdt van arme mensen. En in de kerk moet je betalen. Ze gaan rond met een zak aan een lange stok en dan moet je betalen."

„Ik geloof dat alleen de Horenden moeten betalen. In de schoolkapel hoefden wij zondags nooit te betalen."

„Dat is iets anders. In de kerk moet je betalen. Ik wil er niet heen. De anderen zijn rijk, die zullen geen vriendschap met ons willen sluiten. Ik herinner me heel goed wat die Comstock in de rechtszaal tegen jou heeft gezegd. Hij zei dat de Doven hier een hekel hebben aan arme mensen. Ik blijf thuis."

„Oh, maar hij schaamde zich voor ons. Misschien had hij wel slechte ouders." Abel dacht aan de minachtende blik van Comstock in de rechtszaal en aan de haat die uit zijn gebaren sprak. „Alleen zijn handen zijn Doof, voor de rest is hij een Horende."

„Het slechte deel van hem was Horend," zei ze en ze lachten.

Ze dronken hun koffie en spoelden de kommen af. De duisternis had hun handen tot zwijgen gebracht. Over de kerk spraken ze niet meer.

Janice ging tegenwoordig iets vroeger naar de fabriek dan gewoonlijk, zodat ze nog een paar minuten kon lachen en praten met Mary en Barbara voordat ze aan het werk moest. Toen ze die dag op haar plaats ging zitten stond Mary op haar te wachten. Maar ze groette niet en haar gebaren waren hard en stug toen ze zei: „Jij krijgt meer geld dan wij. We weten dat je een premie krijgt. Iedere week." Voordat Janice iets kon zeggen liep ze weg en toen ging de bel. In de lunchpauze ging Janice naar de plaats waar de meisjes altijd zaten, maar de beide anderen hadden verderop een plaatsje gezocht en Janice liep naar hen toe om hun te tonen dat het haar speet en hun te vragen of ze haar wilden vergeven. Ze zeiden niets tegen haar maar babbelden samen honderd uit. Janice zat stil haar boterham te eten met haar rug naar het atelier van de Horenden om hen te beschermen. Ze kon die koude stilte moeilijk verdragen en toen ze 's avonds thuiskwam voelde ze de tranen achter haar ogen prikken. Maar ze kon Abel niet in vertrouwen nemen. Op school had ze ook meegedaan aan dit soort ruzietjes. Maar op school kon je je altijd aansluiten bij een ander groepje. Dit was anders. Nu waren zij drieën alleen tegen de hele wereld. De volgende dag was er niets veranderd en de dag daarna evenmin. Ze kon niet meer slapen 's nachts en ze lag te woelen in bed. Toen hadden de meisjes er genoeg van en mocht zij zich weer bij hen aansluiten. Ze schonken haar vergiffenis omdat ze haar nodig hadden en een week later vroegen ze haar hoe ze het klaarspeelde zo snel te werken.

„Mijn handen zijn niet snel," zei ze, maar ze wilden haar niet geloven. Ze toonde hun hoe ze zonder ophouden konden doorwerken. Hoe ze de stof onder de machine konden doorschuiven zonder de machine ook maar een ogenblik stop te zetten. Ze trokken hun wenkbrauwen op, maar zij zag dat ze haar werkwijze in zich opnamen en aan de premie dachten. Toen de bel rinkelde gingen ze haastig achter hun machines zitten. Zoals gewoonlijk kroop de middag voorbij. De vermoeidheid van de naaisters was haast tastbaar en het leek wel of de klok stilstond. 's Middags hing er een bedompte lucht in het atelier. Volgens Barbara was dat te wijten aan het feit dat iedereen zat te transpireren in een afgesloten ruimte, want de ramen bleven gesloten. „Daarom komt de baas ook 's morgens controleren," zei Mary en ze moesten alle drie lachen. 's Zomers vielen er dikwijls meisjes flauw van de hitte en de stank. Janice had Abel nooit verteld hoe dikwijls ze zich ziek en onpasselijk voelde in die benauwde omgeving. Het had geen zin, want als zij zich over iets beklaagde haalde hij alleen maar zijn schouders op.

De volgende dag, tijdens de lunchpauze, zei Barbara dat ze een plannetje had. Nu zij en Mary ook sneller werkten met die nieuwe methode van Janice, zouden ze alle drie hun tempo zo hoog mogelijk moeten opvoeren. Als ze daarna een verzoek indienden om naar de afdeling te worden overgeplaatst waar de werkkleding werd gemaakt en waar ze veel meer verdienden, zou dat beslist worden toegestaan. Mary was daar niet zo zeker van en Janice zweeg. Die twee hadden haar werkwijze overgenomen en nu deden ze alsof het allemaal hun eigen verdienste was. Nu maakten ze zelfs grote plannen maar het was haar zelfbedachte methode, die twee hadden er niets mee te maken. Ze was zo boos dat ze bijna niet meer met hen kon praten en toen de bel ging nam ze met een zuur gezicht plaats achter haar machine.

Tegen vier uur kreeg Janice last van de bedompte lucht en van kramp in haar schouders zoals gewoonlijk omstreeks deze tijd van de dag. Plotseling kreeg ze een stomp in haar rug. Ze nam haar voet van de pedaal en keek om. Het was Mary. De andere meisjes hadden hun machines eveneens in de steek gelaten en keken allemaal naar de overzijde van het atelier. Snel spelde Mary een B — *Barbara!* Nu stond Janice ook op en draaide zich om. Aan de andere kant van het atelier had zich een kring van mensen gevormd. Plotseling week de kring uiteen en Janice zag dat het Barbara was, daar midden in de kring. Nu hielpen ze haar naar de deur die de afdelingschef openhield. Ze ondersteunden haar, droegen haar half en half en plotseling zag Janice

38

een stukje van haar jurk, die over de grond sleepte. De jurk zat onder het bloed.

„Wat?" vroeg ze, te zeer overstuur om haar gebaren te verbergen.

„Ze werkte te snel," zei Mary. „Haar hand is tussen de machine geraakt."

Janice wendde haar gezicht af, ze voelde zich onpasselijk. Ze zei tegen zichzelf dat Barbara dom was geweest, dat ze niet had opgelet, maar ze wist wel beter. Ze wist hoe moeilijk het was voortdurend je aandacht te bepalen bij het werk dat je handen automatisch verrichtten. Vóór haar stond de machine hongerig te wachten om zich vast te bijten in de stof, om duizenden meters te verslinden en als de hand die de stof leidde een verkeerde beweging maakte, of van vermoeidheid iets te langzaam reageerde, dan zou de machine zich met evenveel genoegen vastbijten in die hand, de vingers naar zich toe sleuren en die eveneens verslinden.

Janice wilde vluchten. Ze keek om zich heen. De meeste meisjes zaten weer op hun plaats en lieten de machines draaien. De afdelingschef stuurde drie meisjes weg om emmers en sponzen te halen en ze maakten Barbara's machine schoon, die onder de bloedspetters zat. Ze veegden ook het bloed af dat als spoor van haar plaats naar de deur liep. Toen keek de chef naar Janice, die nog steeds bevend naar de deur stond te staren. Hij beduidde haar dat ze weer aan het werk moest. Zelfs Mary zat alweer op haar plaats. Janice ging zitten en legde de stof onder de gulzige naald. Ze wist dat de anderen aan het bloed dachten en aan de pijn. Misschien dachten ze zelfs aan de mogelijkheid dat de hand verminkt en lelijk zou zijn. Voor hen waren handen instrumenten om het normale werk te verrichten. Zij sloot haar ogen en zag een paar handen voor zich. Een van ons heeft haar handen bezeerd ... een van ons. Geen handen hebben ... dat betekent stom zijn. Dat betekent dat je nooit meer kunt praten, alsof je dood bent. Een van ons zonder handen ...

4

Het werd zomer en Abel kreeg loonsverhoging want hij was nu in zijn derde leerjaar. Meneer Webendorf liet hem bij zich roepen en samen rekenden ze uit dat Abel nog $ 5.577.28 schuld had. Als alles naar wens verliep, zou de schuld aan het einde van het jaar nog $ 5,528 bedragen. Dankzij meneer Webendorf wist Abel nu precies wat rente was. Hij rekende de rente die hij maandelijks moest betalen uit het hoofd uit en telde die zorgvuldig op bij het bedrag van de aflossing. Van sommige dingen was de rechtbank niet op de hoogte, schreef meneer Webendorf op een briefje voor Abel. De lonen in de drukkerij waren verhoogd en als derdejaars leerling had Abel niet alleen recht op acht dollar per week, maar tevens op extra geld. Op een kerstgratificatie. Meneer Webendorf zei tegen Abel dat hij dit geld apart moest leggen, en dat de rechtbank er niets van hoefde te weten. Aanvankelijk had Abel het aan Janice willen vertellen, zodat zij zich zou kunnen verheugen op een nieuwe jurk of een paar schoenen, maar hij was bang. Als de rechtbank het ontdekte van dat geld zouden ze hem naar de gevangenis sturen. Als Janice iets kocht voor dat geld, zouden de winkelbedienden misschien de rechtbank inlichten. Hij kon beter gewoon doorwerken en afwachten. Hij probeerde het geld te vergeten.

Abel genoot van de zomer. Het was een hele opluchting na de koude winter en hij hoefde geen kolen te kopen voor de kachel. Janice klaagde evenveel over de warmte als ze in de afgelopen winter over de kou had geklaagd, maar Abel hield van de lange avonden en van de zoele zomerwind die door het zware bladerdak van de esdoorns ruiste. Zaterdagmiddags en zondags wandelden ze door de deftige woonwijken van de stad. Daar stonden grote huizen trots te midden van prachtige tuinen. De hele dag wandelden ze arm in arm en ze leefden in een andere wereld. Een droomwereld. Verder was er nog het stadsplan.

Abel had vijfduizend exemplaren van het stadsplan moeten drukken. Meestal controleerde hij zijn werk uitsluitend op drukfouten, maar het stadsplan interesseerde hem, daarom nam hij een afgekeurd exemplaar mee naar huis. Janice en hij bestudeerden het plan. Ze vonden hun eigen straat. Ze vonden de fabriek waar Janice werkte en de drukkerij en zelfs de straat met de prachtige winkels, waar ze de groene ring hadden gekocht en het leeuwtje met de fonkelende rode oogjes. Ze vonden ook het gerechtshof en plotseling zagen ze hoe ontzettend groot de stad was.

„Het doet er niet toe," zei Janice, „wij zijn veel te arm."

„Jij bent bang voor vrienden."

„Niet waar, maar ik wil niet dat de mensen weten hoe arm wij zijn."

„Ik voel me als een man in de gevangenis."

„Je hebt mij ook in de gevangenis gestopt."

„Ik weet het," zei hij, „maar het hoeft toch geen kleine gevangenis te zijn. In de zomer kan het in ieder geval een mooie, grote gevangenis zijn."

„Maar toch een gevangenis — en we zijn nog steeds arm!"

Hij gaf geen antwoord. Met een potlood trok hij lijnen op de kaart en verdeelde de stad zo in wijken. „Deze zomer wandelen we in dit deel," zei hij tegen haar. „Alleen maar in dit deel van de stad."

Ze hingen het plan aan de muur en hij voelde zich opgewekt en tevreden. Dat verbaasde hem. Hij wist dat hij een jaar geleden niet met zo weinig tevreden zou zijn geweest. Dat hij niet zo geduldig zijn genoegen in kleine stukjes zou hebben verdeeld om er langer van te kunnen genieten.

Iedere zondag gingen ze nu op stap om hun stadswijk te verkennen. Het zuidelijk deel bestond uitsluitend uit fabrieken en kantoren. In het westen was de winkelstraat met al die prachtige winkels en nog andere winkelstraten. Maar in het noordoostelijk deel, achter de arbeidersbuurt waar het naar kool stonk, lag een mooie woonwijk met rustige straten waar aan weerszijden bomen groeiden. De huizen waren stevig en mooi met grote overdekte veranda's, waar goed verzorgde kinderen op schommelbanken zacht heen en weer schommelden in de lome zondagmiddagstilte. Iedere zondag keerden ze terug naar deze rustige straten. In hun mooie kleren van verleden zomer wandelden ze op het trottoir. Ze knikten de kindermeisjes toe en ze verbeeldden zich dat ze dadelijk hun eigen tuinhek zouden openen en zich zouden uitstrekken in de schommelstoelen op de veranda van hun eigen huis, waar het dienblad met koele dranken al gereed stond. Ze liepen gearmd, zwijgend, want ze waren verdiept in hun dromen.

Als ze voor het avondeten thuiskwamen in hun benauwde kleine kamertje, kregen ze soms zelfs ruzie om elkanders wensen. Janice wilde een poes, Abel niet. Janice wilde een kindermeisje voor de kinderen, een kindermeisje in een gesteven uniform. Abel niet. Abel wilde twee auto's, Janice niet. Tijdens een dergelijke ruzie weefden hun vingers soms ongemerkt opmerkingen over hun schuld en de rechtbank in het patroon van hun zomerdroom. Dan keken ze elkaar geschrokken aan, hun handen verstarden en er kwam een einde aan het twistgesprek.

Toen de zomer voorbij was haalden ze het plan van de muur en borgen het zorgvuldig op. Ze wilden de verafgelegen stadswijken bewaren tot ze voldoende geld zouden hebben om met de tram te gaan en een broodje te eten ergens onderweg. Het stadsdeel waar de kerk voor de Doven was, zouden ze tot het laatste bewaren. Ze spraken er niet over, maar ze wisten het allebei.

Mary gaf Janice een pond kastanjes voor kerstmis. Ze bracht de kastanjes mee naar huis en ze probeerde niet al te trots te kijken. ,,Van een meisje uit de fabriek gekregen," zei ze alleen maar. Abel was diep onder de indruk. Zij had vriendinnen onder de Horenden! Ze was nog steeds geweldig, ook al glimlachte ze zelden en was ze verbitterd door kou en armoede. Hij was trots op haar omdat ze zo gemakkelijk toegang kreeg tot Die Andere Wereld.

Met kerstmis kwam er ook een brief van Abels ouders:

Mijn beste zoon en schoondochter. Ik neem de pen ter hand om jullie te schrijven hoezeer het ons spijt dat we jullie niets kunnen sturen. Het gaat heel slecht hier bij ons in de Vallei. In de stad trouwens ook. De prijzen zijn zo gedaald, dat sommige mensen helemaal geen geld hebben om zaad te kopen dit jaar. Ze geven de schuld aan de tractors, maar ik geloof dat het de spekulanten zijn. Eakers heeft zijn boerderij moeten verkopen. Yosts ook. Ze gaan naar het Westen. De Mertensen zijn hun boerderijtje kwijt en de jongens werken als boerenknechts hier en daar. Het gezin is uit elkaar. Dit zijn geen zwervers of avonturiers, maar families die hier al sinds mensenheugenis grond bezitten en het doet ons verdriet dat hun zulke verschrikkelijke dingen overkomen. Meneer Pears uit de winkel in het dorp zegt dat het niet alleen in onze Vallei zo slecht gaat maar in de hele Staat en misschien wel in het hele land, met de boeren bedoelt hij. De prijzen zakken met de dag. Je vader en ik willen je niet ongerust maken met deze berichten en in de stad zul je er geen last van hebben. We wilden jullie een paar dollars sturen en iets voor kerstmis, maar nu de zaken er zo slecht voor staan kan dat niet. We zijn blij dat jij een vak hebt geleerd en in de stad kunt werken en dat je hier niet zonder werk rondloopt, zoals een heleboel andere jongens. Je vader en ik missen je allebei. We zijn blij dat jij geen last hebt van de moeilijke tijden. De beste wensen voor kerstmis en we hopen dat jullie een goede winter zult hebben.

Veel liefs van je moeder,
Sarah, Windom Ryder.

Zij lazen de brief tweemaal. Toen haalde Janice haar schouders op en schoof haar stoel achteruit. „Wat heeft het voor zin te schrijven dat je iets niet kunt doen?"

Abel legde de brief neer en schudde zijn hoofd. „Ik herinner me iets dat mijn vader ieder voorjaar deed," zei hij. „Dan liep hij tot de grens van ons land en wij gingen allemaal mee. Hij liep langs de beek naar de rand van het bos . . ."

In gedachten zag hij zijn vader stilstaan bij een vermolmde paal in de omheining. Dat waren beelden uit de jaren voordat hij naar school ging, voordat de Woorden in zijn leven kwamen. Lang voordat hij Janice en de Woorden mee naar huis had gebracht. Abels vader was ook doof. Een man zonder Woorden. Hij kende de Taal der Handen niet. Hij kon zijn bedoelingen uitsluitend kenbaar maken in korte briefjes. Alleen Abels moeder kon de taal van zijn vader verstaan. De buren waren steeds weer verbaasd dat niets op het land aan Matthews aandacht scheen te ontsnappen. Maar nu stond er in die brief dat het slecht ging. Abel maakte zich zorgen. Die brief had hem bang gemaakt.

De volgende dag kocht hij in zijn lunchpauze een kerstkaart met een afbeelding van een tafel beladen met heerlijk eten en een groot vuur in de open haard. Op de achterkant van de kaart schreef hij zijn naam en ook die van Janice. Hij schreef niets over de auto of de rechtbank, alleen maar „Met de beste wensen" en zijn naam, zoals hij dat op school had geleerd. Toen ging hij naar het postkantoor om een postzegel te kopen. Hij voelde zich gewichtig. Er stond een rij mensen met brieven en pakjes voor het loket. Ze stampten op de grond om hun koude voeten te warmen en ze maakten ongeduldige bewegingen omdat ze moesten wachten. Abel stampte ook met zijn voeten en van tijd tot tijd schudde hij zijn hoofd en haalde zijn schouders op in de hoop dat hij een even ongeduldige indruk zou maken als de Horenden.

Die avond zei hij tegen Janice: „Ik moest lang wachten vandaag. Op het postkantoor. Ik heb lang gewacht, want het was belangrijk. Ik heb een kerstkaart verstuurd."

Janice trok haar wenkbrauwen op want ze wilde geen vragen stellen.

„Aan mijn ouders," vervolgde hij.

Haar lippen krulden net als toen ze pas getrouwd waren, toen al haar bewegingen kwieker en soepeler waren. Met weemoed dacht hij terug aan hun zomer die voorbij was.

„Dat is belangrijk. Zij hebben mij naar school gestuurd om een vak te leren."

Ze lag op bed en keek hem aan.

„Heb ik je wel eens verteld van de school waar ik ben geweest vóórdat ik naar de Dovenschool ging?"

„Nee," zei ze en beet op haar nagels.

„Er is veel gebeurd in die tijd," zei hij, „toen ik nog geen Woorden kende".

Hij was die dag vroeg opgestaan om zijn vader te helpen water halen. Hij stond aan de pomp ... hij pompte en pompte. Hij trachtte die ene dag onder woorden te brengen, woorden die hij toen nog niet kende. Hij sprak net zolang over die dag totdat hij hem haast opnieuw beleefde, totdat hij weer aan de pomp stond te zwengelen, net zolang tot het water naar buiten gutste. De dag om hem heen was helder blauw en vrieskoud. Het was een hout-sprokkeldag. Dadelijk zou zijn vader naar de zaag en de bijl wijzen, dacht hij en dan zouden ze samen de heuvel beklimmen naar het bos, om de omgevallen bomen tot houtblokken voor het vuur te zagen. Je had gemakkelijk hout en moeilijk hout en groot hout. Het gemakkelijke hout was zijn werk. Hij raapte losse takken op en rukte de dunne takken van de boom. Dan bond hij ze tot bossen bijeen en legde ze op de slee. Nu hij de Woorden had gevonden rook hij de lucht weer, de lucht van die dag. De blauwe dag die op een houtsprokkeldag leek. Hij wilde Janice het sappige hout laten ruiken. Hij wilde haar de vochtige korrelige houtvlokjes laten zien die van de tanden van de zaag vielen. Hij vertelde haar dat zijn vader naar hem toe was gekomen en „Aaaa" had gezegd. Dat betekende „ga" en terwijl hij het zei, knikte hij met zijn hoofd in de richting van het huis.

45

Zijn moeder had zijn kleren voor de kachel klaargelegd. Zijn zondagse kleren om naar de kerk te gaan. Maar het was geen zondag. Hij wilde zijn moeder beduiden dat het een houtsprokkeldag was, daarom maakte hij zaagbewegingen. Ze lachte, maar ze keek niet vrolijk. Ze vormde met haar lippen een woord dat hij niet kende. Een „Oooo"-woord. Toen kwam het ontbijt. Daarna kuste ze hem en wees met haar hand: „Naar buiten". Daar stond de wagen. Zijn vader zat er bovenop te wachten en trok een „Oooo"-mond. Abel probeerde ook „Oooo" te doen en ze keken elkaar aan maar zijn moeder sloeg haar ogen neer. Zijn moeder was een Horende. Dat wist hij pas later. Toen keek hij omlaag naar zijn mooie kleren. Maar „Oooo" is geen kerkdag. Niet naar de kerk dus? Zij reden niet naar de stad, maar in de tegenovergestelde richting. Ze namen uitsluitend deze weg als ze op bezoek gingen bij de stroopeters. Zijn moeder probeerde hem eeuwig en altijd iets duidelijk te maken of te laten zien, maar hij kon het nooit begrijpen. Zijn moeders mond trachtte hem steeds te dwingen iets te doen of te voelen, maar het bleven altijd raadsels voor hem. Dat vermoeide hem en maakte hem boos. Zijn vader toonde hem niets met zijn mond.

Er liepen kinderen op de weg. Zijn vader liet de wagen stilstaan en wenkte naar hen: „Klim er maar op". Ze klommen op de wagen, steeds meer, totdat er een heleboel kinderen waren. Toen kreeg Abel een idee. Hij was op weg naar de plaats waar zij heen gingen. Hij werd bang. Hij wilde niet naar die plaats. Ze reden verder dan ooit tevoren, ver voorbij het huis van de stroopeters. Toen sloegen ze een zijweg in en stopten voor een gebouw. De bovenste verdieping van het gebouw was van steen.

Een vrouw kwam naar buiten en overal renden en speelden kinderen. Niets dan kinderen. Aan de andere kant van het gebouw hing een kerkklok aan een soort galg. De vrouw liep er heen en trok aan een touw. Abel voelde het klokgelui door zijn lichaam trillen. Zijn tanden klapperden zacht op elkaar en zijn jukbenen trilden onder zijn huid. De kinderen die waren meegereden, sperden hun mond open en sprongen van de kar. Van alle kanten kwamen nu kinderen aanhollen en ze renden allemaal het gebouw binnen.

Zijn vader bukte zich en toonde hem een doos waar eieren in werden verpakt. Hij opende de doos om hem de boterhammen te tonen die erin lagen. Toen gaf hij hem de eierdoos. Daarna duwde zijn vader hem naar de rand van de kar. Hij knikte met zijn hoofd en keek naar het gebouw waarin de kinderen waren verdwenen. ,,Oooo" deed hij met zijn mond en nu wist Abel dat dit Oooo was. Hij sprong van de wagen. Zijn gezicht was koud en hij voelde zich stijf en moe. Met de eierdoos tegen zijn borst geklemd liep hij naar de deur. Toen hij bijna bij de deur was bleef hij staan en keek om. Zijn vader had de wagen gekeerd en hij zag hem wegrijden.

Alles was groot binnen in het gebouw en er waren zoveel dingen dat hij een hele tijd stond rond te kijken. Er hing een zure vochtige, bedompte lucht. Plotseling voelde hij dat hij een plasje moest doen. Hij moest zo nodig, dat het pijn deed in zijn buik. Maar hij bleef stokstijf in die grote hal staan en pas toen hij de eerste druppels voelde, draaide hij zich om en rende weg. Bij de deur van de W.C. botste hij haast tegen een meisje op dat juist naar buiten kwam. Ze trok een vies gezicht en zei iets tegen hem. Maar ze sprak te snel en hij begreep het niet. Toen wees ze naar een *andere* W.C. helemaal aan de overkant van het schoolplein. Er was al een natte plek op de voorkant van zijn broek en hij klemde zijn tanden op elkaar om het in te houden. Het duurde lang voordat hij de andere W.C. had bereikt en voordat hij de grote benen knopen van zijn gulp had losgemaakt. Het was al te laat. Toen hij uit de W.C. kwam wist hij dat hij de hele dag zou treuren om de verloren houtsprokkeldag.

Er was nu niemand meer op het schoolplein. Hij liep terug naar het grote gebouw en opende de deur, want hij wist dat er niets anders op zat.

Alle kinderen zaten in banken en voorin de kamer zat de

47

vrouw aan een lessenaar, met haar gezicht naar de kinderen. Haar lippen bewogen en hij meende dat ze iets van èèè zei. Vlug nam hij zijn pet af omdat hij dacht dat ze „pet" had gezegd, maar iedereen stond op. Met al die ruggen voor zich kon hij de mond van de vrouw niet meer zien. Plotseling gingen ze allemaal weer zitten. De vrouw kwam naar hem toe en bracht hem naar een bank. Ze prikte met haar vinger in zijn borst en daarna wees ze op de bank. Hij hield zijn ogen voor alle zekerheid op haar gezicht gericht. Ze knikte even en sloeg haar ogen neer. Ja, hij kon gaan zitten.

De tijd ging voorbij. Jaren gingen voorbij. Soms was de lucht beladen met onbegrip, soms was er helemaal niets. De kinderen stonden op en gingen weer zitten. Ze liepen heen en weer, sommigen met boeken, anderen met blaadjes papier. Er werd gesproken, maar veel te vlug en hij begreep het niet. Dan bleef hij maar zitten totdat de dingen voor hem werden gedaan of totdat zijn buurmeisje, een spichtig kind zonder wenkbrauwen met wit haar, hem een por tussen zijn ribben gaf. Hij keek dikwijls om zich heen, in de hoop dat hij een sein zou kunnen opvangen. Als zijn rij iets moest doen drukte de vrouw haar tanden in haar onderlip, rolde met haar tong, drukte haar tong tegen haar boventanden en vervolgens tegen haar ondertanden. Zodra dat gebeurde wierp hij snel een blik om zich heen in de hoop te ontdekken, te begrijpen, te voorzien wat van hem werd verlangd, zodat hij het vlug, vlug zou kunnen doen, voordat hij zou worden gestraft, voordat ze hem zouden uitlachen.

Het meisje naast hem beduidde hem dat hij regels moest overschrijven uit een boek: AAAA. Hij voelde zich iets meer op zijn gemak. Nu deed hij tenminste precies als de andere kinderen. Daarna zei de vrouw iets tegen hem, maar hij begreep er niets van, geen woord. Als zijn moeder iets tegen hem zei kon hij er soms wel iets van begrijpen. Nu niet. Niets. Hij dacht aan zijn moeder. Wat was ze lief en knap. Maar nu was ze allang dood. Zij en zijn vader en de boerderij. Plotseling werden alle lessenaars geopend en daarna weer gesloten op een teken dat hij niet kon zien. Sommige kinderen zaten te praten en anderen staken hun arm omhoog. Toen stonden ze op en daarna gingen ze weer zitten en toen, onverwachts, stormde het meisje naast hem de bank uit en alle kinderen holden de deur uit naar buiten.

De vrouw kwam naar hem toe. Ze ging naast hem in de bank zitten en hij moest haar naam zeggen of iets wat erop leek. Hij herinnerde zich dat zijn ouders altijd naar elkanders mond keken. De vrouw nam een machientje van glas uit haar zak en wierp er een blik op. Aan de muur hing ook zo'n machientje van glas, maar veel groter. Ze gebaarde met haar hand dat hij naar buiten moest gaan, naar de andere kinderen. Hij volgde haar blik en haar hoofdknik in de richting van de deur. Toen stond hij op en ging langzaam naar buiten. Hij wilde niet naar buiten. Hij was bang van de kinderen.

De meisjes deden iets met een drooglijn. Ze sperden allemaal tegelijk hun mond wijd open. Hij deed zo vreselijk zijn best om het allemaal te begrijpen dat hij er hoofdpijn van kreeg. Langzaam liep hij verder. Hij bleef aan de rand van het schoolplein want hij wilde de aandacht van de kinderen niet op zich vestigen.

Hij vond het schoolplein prachtig. De aarde was heel fijngestampt door al die kindervoetjes, zo fijn als meel. De aarde was zondoorstoofd en als hij alleen was geweest zou hij een hoge warme berg hebben gemaakt, waar hij met blote voeten doorheen kon lopen. Er was ook een schommel en daarachter stond weer een hoge galg. De touwen van de galg hingen omlaag en de grote jongens klommen erin. Andere kinderen renden achter een jongen aan. Ze draaiden zich om en stoven langs Abel. De laatste jongen duwde hem opzij. Hun lippen bewogen razend snel. Hoe zou hij ooit de lippen kunnen lezen van die vliegensvlugge, uitbundige, wild springende, wervelende kinderen, of van de touwtjespringers of van de nagelbijters die hun hoofd over hun handen bogen? Zijn hoofd bonsde. Kon hij ze maar even laten stilstaan, midden in hun spel, midden in hun sprong, dan zou hij hen in

49

het gezicht kunnen kijken en vragen of ze hun woeste, vrolijke, uitdagende kreten duidelijk wilden vormen met hun lippen, op de manier van zijn moeder.

Toen voelde hij de bel weer in zijn jukbenen trillen. De kinderen hielden op met spelen en ze gingen naar binnen. En daar begon alles weer opnieuw: handen omhoog, handen omlaag, zitten en opstaan. Toen haalden ze allemaal hun lunchpakket voor de dag, en hij dus ook. Het zonnevlekje was van zijn bank verdwenen. De middag ging zó langzaam voorbij, dat hij aan het einde van de middag het begin van de dag allang was vergeten. De kinderen schreven, de kinderen praatten. Soms begreep hij iets, meestal niet. Hij was zo moe en hij werd zo ongeduldig van al die monden. Ze waren zo snel, zo onwezenlijk. Als hij probeerde de betekenis van hun vorm te begrijpen waren ze alweer tot rust gekomen.

Hij tekende iets na, maar hij wist niet wat het was. Hij knipte een ster van papier met acht punten inplaats van zes, en toen de andere kinderen vertrokken en de zon op de muur naast het bord scheen, bleef hij alleen achter met die vrouw. Ze was geen moeder en hij kon haar naam niet herhalen.

Toen hij eindelijk weg mocht, bleek de dag voorbij te zijn en hij stond verbijsterd in de laatste gouden stralen van de avondzon. Hij had het lijden van deze dag dapper gedragen. Hij had niet gehuild en hij was niet weggelopen. Maar nu bleek zijn mooie blauwe zonnige dag ook nog voorbij te zijn en dat was te veel voor hem. Dat verdriet kon er niet meer bij en zijn ogen vulden zich met tranen. Hij keek om zich heen. Hij zocht een plekje waar hij ongestoord zou kunnen huilen . . .

In de verte naderde een wagen. Hij bleef doodstil staan: het kon niet waar zijn. Hij durfde het niet te geloven. De wagen kwam naderbij. Zijn hart bonsde. Zijn vader was teruggekomen! Zijn vader die al zolang dood was! Hij mocht weer naar huis, naar zijn eigen bekende leventje, vader - moeder - de boerderij. Ze hadden hem vergeven. Van pure blijdschap en dankbaarheid begon hij in een kringetje rond te rennen. Maar plotseling bleef hij stilstaan en keek zijn vader eerbiedig aan. Wat was hij groot en sterk, wat was hij geweldig, zijn vader.

De wagen stond stil. Abel verroerde zich nog steeds niet. Zijn vader zag hem. Hij stak zijn hand op en glimlachte tegen Abel. Ze hadden hem vergeven. Vliegensvlug klom hij naast zijn vader op de bok en ze reden weg. Weg van al die nare dingen. Weg van deze vreselijke dag.

Toen ze thuiskwamen vroeg zijn moeder hem van alles over Oooo. Hij glimlachte en knikte omdat het voorbij was. Omdat hij het had overleefd en weer thuis was en omdat vader en moeder niet meer boos op hem waren. Pas toen moeder zijn zondagse kleren weer netjes over de stoel hing begreep hij wat hem te wachten stond. Morgen moest hij weer daarheen. Over- morgen ook. Hij voelde een brok in zijn keel.

Die nacht lag hij stil naar de donkere hemel te staren. Hij had geprobeerd zich in slaap te huilen, maar dat lukte niet. De es- doorn voor het raam bewoog zacht heen en weer. Bij de gedachte dat hij gisteren in dit bed had gelegen zonder iets te vermoeden van alles wat hem te wachten stond, werd hij woedend. Zijn kleine broertje lag naast hem te slapen. Hij schudde aan het bed om hem wakker te maken. Hij wilde hem waarschuwen dat hij niet zo onnozel moest zijn. Het jongetje draaide zich om en sliep door. Eens was hij zelf ook zo goed van vertrouwen geweest, dacht Abel verbitterd.

Vanaf die dag viel de tijd voor hem uiteen in reeksen van vijf en reeksen van twee. Als hij thuiskwam zat zijn moeder op hem te wachten met potlood en papier. Soms schreef hij woorden op, maar alleen de woorden die hij op school had geleerd. De be- tekenis van die woorden begreep hij niet. Zij probeerde hem de betekenis uit te leggen, maar hij begreep haar evenmin. Eerst werd ze dan boos en daarna verdrietig. Het was allemaal zijn schuld, daarom werd hij ook gestraft. Na een poosje werd ze moe, dan kwam er een einde aan de kwelling.

51

Janice was in slaap gevallen. Hij schudde zijn hoofd en kleedde zich snel uit. Hij verlangde naar het warme bed. Hij was moe van het denken. In al die jaren had hij zich het beeld van zijn vader op de wagen, die eerste schooldag, niet meer voor de geest gehaald. Plotseling lieten zijn handen het groezelig overhemd los en begonnen tegen hem te spreken. *School*. Ja, dàt hadden ze natuurlijk die eerste schooldag tegen hem gezegd. Oooo was *school*. Nu, jaren later, nu hij Woorden had in zijn handen, nu begreep hij het pas. Hij glimlachte voor zich heen en maakte het gebaar voor school. Toen schudde hij nogmaals het hoofd. Het was allemaal al zo lang geleden. Maar hij kon zich niet losmaken van de herinnering aan al die monden in zijn leven. Al die monden in de stad, in de winkels, in de drukkerij hadden hun eigen betekenis, hun eigen bedoelingen. Te veel om te begrijpen of om het zelfs maar te willen begrijpen.

Hij keek naar Janice. Ze draaide zich om in haar slaap. Op school was ze één en al leven geweest, bewegelijk, wispelturig en vrolijk. Ze was als het licht, telkens weer anders, maar altijd mooi. Nu was ze ontevreden en altijd moe. Ze at en als ze klaar was met eten veegde ze haar mond af, kroop in bed en viel in slaap met haar kleren aan.

Hij keek eens om zich heen. Op de vensterbank stonden de vuile borden en de aangekoekte pannen van het avondeten. Hij pakte de koffiekommen op, liep ermee naar de wastafel en spoelde ze af. Even dacht hij erover de pannen te wassen, maar hij was boos op Janice. Dat moest zij maar doen, dat was vrouwenwerk. Iedere avond probeerde ze hem en haar werk te ontlopen. Dan vluchtte ze in haar eigen geheime warme dromen, waar hij haar niet kon volgen. Morgen als ze wakker werd zou ze natuurlijk weer zeggen dat ze doodmoe was en na het ontbijt zou ze zich gapend, met de kruimels nog op haar ongewassen gezicht, naar haar werk slepen.

Zonder haar wakker te maken kleedde hij zich uit en spoelde zijn mond. Toen pieste hij in de dakgoot, zodat hij niet de trap af hoefde en de binnenplaats over naar de W.C. Het was bitter koud. Hij sloot het raam en stapte in bed. Ze sliep nog steeds. Ze draaide zich om en liet een warm plekje vrij, waarvan hij dankbaar gebruik maakte. Toen dacht hij weer aan zijn geheim: de kerstgratificatie en met een tevreden glimlach om de lippen viel hij in slaap.

5

Barbara was weer terug in het pettenatelier. Haar hand was genezen, maar ze had een groot litteken en haar spieren waren verstijfd, zodat ze moeizaam sprak met haar handen. Mary en zij knikten elkaar veelbetekenend toe toen ze naar het vermoeide gezicht van Janice keken. Ze maakten een gebaar dat Janice niet kende en giechelden.

„Wat zeg je?"

Weer maakten ze het gebaar en stootten elkaar lachend aan.

„Wat is dat?"

„Zwanger — een baby krijgen. Ben je misselijk 's morgens? Moet je overgeven?"

„Ik ben duizelig 's morgens en ik ben altijd moe."

„En heb je bloedingen?"

„Wat voor bloedingen?"

„*Maandelijkse* bloedingen, domoor!"

„Nee, al een tijdje niet meer."

Blozend wendde Janice zich af. Een meisje zat in een hoekje naast de deur naar hen te kijken. Ze wendde zich weer tot Barbara en Mary. „Iemand zit naar de Doofpotten te kijken," zei ze. „Ik zie een paar ogen boven een boterham uitsteken."

De beide anderen keken vanuit hun ooghoeken.

„Ze is zó nieuwsgierig," zei Barbara, „dat het vlees van haar boterham valt. Haar boterham hangt open, net als haar grote mond."

„Een boterham met tong," zei Mary.

„Ze heeft het ontzettend druk," voegde Janice eraan toe. „Als ze een knoop verliest sluit ze haar blouse met een veiligheidsspeld." Hun handen maakten flitsende gebaren en het meisje staarde hen strak aan.

„Een hele vooruitgang," zei Mary, „want voordien gebruikte ze kauwgom."

54

„En vóór de kauwgom gebruikte ze spijkers."

„Deed dat geen pijn?"

„Haar niet. De spijkers bogen krom op haar harde lijf en dan moest ze ze weggooien."

„Nou, dan heeft ze zeker heel wat geleerd."

„Omdat ze naar ons kijkt. Als ze niet op ons lette zou ze niets weten."

Ze knikten elkaar lachend toe en toen ging de bel.

Janice voelde zich loom en moe in de bedompte namiddag-atmosfeer van het atelier. Langzaam kwam ze overeind en de andere meisjes keken naar haar. Ze wist dat ze soms spottend over haar spraken omdat ze nu niet meer sneller werkte dan zij. Ze was zo trots geweest op haar werktempo, maar sedert Barbara's ongeluk waren zij niet meer zo gebrand op dat hoge tempo. Het was niet zo erg als Horenden hun handen bezeerden, in hun ogen waren handen alleen maar handen, maar voor Doven was dat iets anders.

Janice vreesde dat ze haar wekelijkse premie zou verliezen. Wat zouden maandelijkse bloedingen te maken hebben met kin-deren krijgen? Kwamen babies dan niet uit het Ding van een man? Toen ze het aan de meisjes vroeg, gebaarden ze tegen haar dat ze een domoor was. „Hoe kun je nu ook vergeten wanneer je laatste bloeding was? Weet je dan niet dat je *dat* moet ont-houden?"

„Waarom?"

Maar toen lachten ze haar weer uit.

Als ze Abel nu maar verteld had van haar vriendschap. Dik-wijls stond ze op het punt hem iets te vertellen wat Mary en Barbara hadden gezegd. De premie kwam nu regelmatig, daar zou heus geen einde aan komen als Abel het wist. Maar ze moest haar geheim nu wel blijven bewaren omdat het al een oud geheim was.

Die avond zei ze: „Misschien krijg ik een baby."

„Hoe weet je dat?"

„Als je altijd moe bent krijg je een baby, zeggen ze. En de maandelijkse bloedingen hebben er ook iets mee te maken." Ze sprak snel om hem te beletten vragen te stellen. „De meisjes op school spraken soms over die bloedingen."

„Misschien ben je ziek. Denk je dat je ziek bent?"

„Het gaat om de maandelijkse bloedingen!"

„Wat moet ik beginnen?" schreeuwden zijn handen tegen haar. Hij wierp haar korte snijdende woorden toe. Ze deinsde achteruit. Plotseling werd ze bang dat de woorden zouden ophouden en dat hij haar zou slaan.

„Je moet een eind maken aan de baby! Nu! Waarom ben je eraan begonnen? Waarom ben je eraan begonnen?"

„Ik wist het niet." Ze begon te huilen. „Misschien is het niet —"

„Hoe kan dat nu? Als het kind wordt geboren zal het moeten eten. Wij hebben geen eten voor hem. Het zal sterven. Het zal moeten sterven." Hij draaide zich om en liep de kamer uit. Hij smeet de deur zo hard achter zich dicht dat de muren rondom Janice trilden.

Hij zei niets toen hij terugkwam. Janice vroeg zich af wie haar iets zou kunnen vertellen over babies krijgen, zonder geld van haar te eisen.

De dagen en weken gingen voorbij alsof er niets was veranderd. Janice voelde zich minder moe en viel niet meer in slaap 's avonds. Als ze de vaat had gedaan zaten Abel en zij soms een potje te dammen, of zij deed het verstelwerk, of ze gingen naar bed om te vrijen. Toen ze zwaarder werd liet ze de zijnaden van haar rok uit en sloot de band met een veiligheidsspeld. Daarna met twee spelden en toen met drie.

Een tijdje later, toen ze zich op een avond zat uit te kleden op bed, gebeurde er iets verschrikkelijks. Haar buik begon plotseling op en neer te bewegen. Ze deed haar uiterste best te voorkomen dat Abel er iets van zou merken. Ze hield haar buik zoveel mogelijk in en toen dat niet hielp draaide zij zich om. Maar hij zag het toch. Ze had een nachtpon aan om haar lichaam te verbergen, maar plotseling puilde haar buik naar de linkerzijde van haar lichaam en bewoog wild op en neer. Ze draaide zich snel om, maar het was te laat. Hij werd bleek en rende de kamer uit de trap af naar buiten om te braken in de koude W.C.

Abel begreep niet waarom hij moest braken. Op de boerderij had hij genoeg dieren zien geboren worden en sterven — toen hoefde hij nooit te braken. Daar in die buik groeide werkelijk een kind, een levend wezen. Hij beefde over al zijn leden, hij voelde een duizeling opkomen en bijna was hij gevallen. Ze zou het nooit willen doden. Ze zou het nooit laten sterven. Het kind zou groeien, eten en eten. Ze zouden het warm moeten houden... het zou kleren moeten hebben en een bed... voedsel... geld, dat hij niet had. Wat zou de rechtbank doen? En Janice... Janice zal haar baan kwijtraken, niet meer kunnen werken. Hij hijgde en een nieuwe duizeling beving hem. Hij hield zich stevig vast aan de muren van de W.C. en de zure stank deed hem opnieuw braken. Nood, nodig... monden... Langzaam en regelmatig begon hij op de muren en op de deur van de W.C. te bonken, met harde, geduldige dreunen.

Het duurde niet lang of het licht ging aan in het achterhuis. Hij zag het door de spleten in de deur, met zijn ogen maar niet met zijn verstand. Mensen kwamen naar buiten. Hij kon ze niet zien, maar hij voelde dat ze voor de W.C. stonden te wachten om hem te slaan. Ze stonden natuurlijk te wachten tot hij iets zou doen waarvoor ze hem konden slaan en de politie roepen. Hij sloeg en sloeg op de zijwanden, op de achterwand. Hij trapte met zijn voeten en sloeg zo hard met beide vuisten, dat hij haast achterover viel.

De grond zakte weg onder zijn voeten. Steeds verder zakte de grond weg. Abel viel haast om, maar plotseling begreep hij dat de grond niet wegzakte maar dat de muren van de W.C. omhoog rezen. De mannen stonden om hem heen en tilden de houten muren van de W.C. hoog boven hem uit. Hij kon de heg naast het huis al zien en ook de schaduwen van de mensen. Ze leken op huizen of bomen. Ze haalden hem niet van de W.C., ze haalden de W.C. weg van hem. Ze zouden hem beslist niet herkennen in het donker. Ze tilden de W.C. steeds hoger, totdat er niets meer was om tegen te slaan, behalve de mannen zelf en de duisternis.

Hij zou ze graag willen slaan, maar hij durfde niet. Hij was bang dat ze de muren van de W.C. bovenop hem zouden laten vallen, of dat hij voor de rest van zijn leven naar de gevangenis zou moeten. Daarom bukte hij zich en kroop voorzichtig onder de W.C. uit en tussen de benen van twee mannen door. Hij kroop door een heg tussen twee huizen en lachte hardop.

Het was erg koud. Hij bleef staan en praatte in zichzelf met brede gebaren. ,,Ik wil je niet in mijn huis, dame met je dikke buik. Als je niet maakt dat je weg komt zal ik mijn huis weghalen en je in je nachtpon op een bankje achterlaten.'' Het was zo koud dat de adem hem in de keel stokte. Boven hem stonden de sterren op de plaats waar God ze had neergezet om deel uit te maken van de nacht. Niemand had hem ooit verteld waarvan sterren waren gemaakt en waar ze overdag waren. Er bestonden wel mensen die dergelijke dingen wisten. Dingen van de Wereld. Horenden wisten dergelijke dingen. ,,*Maar*'' — hij liet het woord van zijn wijsvinger rollen — ,,Horenden kunnen geen Doven vangen in de W.C.!''.

Toen hij terugkwam in hun kamer sliep Janice. Ze lag op haar zij, met opgetrokken knieën, zodat haar dikke buik niet te zien was. Haar gezicht was ontspannen en deed hem denken aan de eerste maanden van hun huwelijk. Zuchtend begon hij zich uit te kleden, maar plotseling stonden zijn ogen vol tranen.

Mijn beste zoon en schoondochter,

Ik schrijf om jullie te laten weten dat wij het goed maken. De witte merrie die we al hadden toen jij nog thuis was, heeft een veulen geworpen. We hebben je kerstkaart ontvangen en op de schoorsteenmantel gezet. Tarvis Elder is bij ons geweest en heeft je kaart gezien. Alle bekenden laten je groeten.

Je liefhebbende moeder.

,,We moeten ze schrijven om te vertellen van de baby," zei Abel.

,,Ik wil nu nog niets vertellen. Stel je voor dat er iets gebeurt en we weer op de boerderij terecht komen."

,,We moeten ze binnenkort vertellen dat er een baby komt. Maar als ze het weten komt mijn moeder misschien hierheen. Dan ontdekt ze alles van die rechtszaak."

Ze besloten een brief te schrijven, maar nu nog niet en voordat ze het wisten was het juni. Toen kwam Janice op een middag vroeg thuis. Knarsetandend en kreunend ging ze op bed liggen, de weeën waren begonnen.

Toen Abel thuiskwam vertelde de hospita hem in de gang — met handen, voeten, woorden, blikken en zinnetjes op papier — wat er was gebeurd. Ze had de vroedvrouw geroepen (ze wees op een mens met een zuur gezicht bovenaan de trap). Beide vrouwen waren boos omdat Janice helemaal geen voorbereidingen had getroffen. Er waren alleen maar een paar gezoomde doeken. Ze hadden kranten moeten gebruiken, zeiden ze. *Zij* (met een gebaar op hun kamer) wist helemaal niets van een bevalling. Ze hadden met haar moeten vechten en ze had wild om zich heen geslagen. Ze wilde haar benen niet spreiden, ze wilde niet stil liggen, ze had zich woest heen en weer gesmeten door het bed en gevochten tot zij bang werden dat ze zichzelf iets zou aandoen. En toen . . .

Hij rende de trap op. De kamer was één grote chaos. Het rook naar bloed — een zware dierlijke lucht die hij zich herinnerde van de boerderij. Er hing ook nog een andere lucht die hij wel

59

kende maar niet kon thuisbrengen. Hij zag een bed vol kranten, verder niets.

De beide vrouwen waren hem gevolgd en stonden als politie-agenten in de hoeken van de kamer. Abel staarde naar het bed vol bloed en plotseling zag hij iets tussen de kranten en de be-bloede gescheurde lakens liggen. Hij liep naar het bed. De hospita gebaarde tegen hem en bewoog haar lippen bla-bla-ma-ba-ba, maar hij was te bang om de woorden van haar lippen te lezen.

Hij wendde zich van haar af en schudde de bundel op het bed dooreen. De vroedvrouw trok hem aan zijn mouw. De bundel bewoog onder zijn handen. Hij zag een gezicht. De ogen gingen open. Het was zijn Janice. Ze leefde.

De hospita begon weer tegen hem te praten, maar hij lette niet op haar. Toen schreef ze op een stuk papier wat ze hem te zeggen had: het was een moeilijke bevalling geweest, omdat zijn vrouw zo dom was. De kosten waren vijftien dollar voor de vroedvrouw en tien dollar voor haarzelf. Voor het vernielde beddegoed zou hij twee en een halve dollar moeten betalen. Hij las het briefje en knikte. Toen pas bedacht hij dat hij helemaal geen baby had gezien. Hij maakte het gebaar voor baby en ze wezen op een mand die op de vloer naast het bed stond.

In de mand lag een gerimpeld, rood poppetje. Het leefde. De kleine knuistjes bewogen. Het hield de oogjes stijf gesloten, af-kerig van de wereld, zoals ieder pasgeboren dier. De vroedvrouw tilde een punt van de doek op die over de mand lag en Abel zag dat het een meisje was. Hij zag de afgebonden navelstreng en het buikje bevlekt met bloed.

De hospita was alweer aan het schrijven. Abel dacht dat hij haar beter de baby kon geven, als het zoveel kostte om haar uit Janices buik te halen. Maar hij wist niet hoe hij dat zeggen moest, daarom wachtte hij tot ze hem het briefje overhandigde. Hij was duizelig en hij moest gaan zitten om het te lezen. Ze wilde al dat geld nu direct hebben. Ze moesten ook verhuizen, schreef ze. De kamer was te klein voor drie mensen. Als zijn vrouw wakker werd, stond er in het briefje moest hij haar koffie geven . . . Ze wist heus wel dat ze koffie zetten op de kamer . . . Als de baby huilde moest ze aan de borst. Ze wilde het geld uiterlijk de volgende dag hebben, anders zou ze de politie waarschuwen.

Toen vertrok ze met de vroedvrouw. Hij zette koffie, raapte de natte bloederige kranten op en stopte ze in de kachel.

Janice opende haar ogen. ,,Ik heb een baby," zei ze, en haar ogen dwaalden zoekend over de rommel op het bed. Hij wees op de mand.

,,Is het goed met haar?"

,,Ja, de vrouw heeft gezegd dat je haar moet voeden."

,,Ik vond ze niet aardig. Die andere heeft me geknepen en geslagen."

,,Ze willen geld. Morgen moeten ze het geld hebben, anders roepen ze de politie en laten ze ons in de gevangenis stoppen. We moeten hier weg ook."

,,Is het goed met de baby? Blijft ze leven?"

,,Hoe moet ik aan het geld komen? Misschien moet ik naar meneer Webendorf gaan, want zoveel heb ik niet."

,,Kan ze horen?"

,,Kan wie horen?"

,,Is de baby een Horende?"

,,Natuurlijk."

,,Hoe weet je dat?"

,,Ze is tussen de kranten geboren. Midden tussen de woorden."

Toen het avond werd draaide Abel het licht aan en zag dat de baby wakker was. Hij liep naar de mand, maar omdat hij niet wist hoe hij het kind moest helpen, werd hij bang en wendde zich af. Janice sliep weer maar er lag nog steeds een schaduw van een glimlach om haar lippen. Soms vroeg hij zich af hoe lachen wel zou klinken. Hoe dan ook, er viel nu niets meer te lachen voor hen. De Vreemdelingen, de Horenden die Janice hadden geknepen toen hij er niet was, waren nu gelukkig verdwenen. Hun oude manier van leven was ook verdwenen, tegelijk met die Horenden. En als de baby die zij hadden achtergelaten nu eens een Horende zou blijken te zijn? In dat geval zou hij nooit met het kind kunnen spreken. Horenden zijn Vreemdelingen. Horenden begrijpen nooit iets. Nou ja, dacht hij toen, misschien is het kind helemaal geen Horende. Misschien is het gewoon Doof, zoals wij.

Moe en bang zaten ze bij elkaar. Toen vertelde Janice aan Abel van het geld. Ze moesten dingen kopen voor de baby — luiers en hemdjes — en ze moesten de hospita en die andere vrouw betalen. Aarzelend vertelde ze hem dat het een extraatje voor kerstmis was en dat ze het had opgespaard om hem te verrassen. Zijn eigen geheime gratificatie had hij grotendeels uitgegeven aan eten. Hij kon het niet uithouden op een ontbijt van brood en koffie en een lunch die bestond uit een appel en brood. Als het heel slecht weer was ging hij soms ook wel eens met de tram naar huis. Hij had nog vier dollar over. Hij was boos dat ze hem niets had verteld van die gratificatie, dat ze hem had laten tobben met de gedachte waar het geld voor de baby vandaan moest komen.

Ze sliepen die nacht niet. Ze lagen met open ogen voor zich uit te turen en hun angst was haast tastbaar. De hele nacht lieten ze een kaars branden uit angst dat de baby zou huilen. Janice had geen melk, er kwamen alleen maar een paar waterige druppels uit haar tepels en ze vreesde dat het kind vóór het aanbreken van de dag zou sterven.

De volgende dag bleef Abel thuis. Hij was veel te moe om te werken en bovendien moest hij op het kind passen als Janice sliep. De baby stierf van de honger, maar Janice had nog steeds geen melk. Als ze sliep droomde ze dat het kind doodging. Huilend en bevend werd ze wakker. Vanaf dat ogenblik sliep ze met haar hand op het lichaam van het kind, zodat ze kon voelen als het huilde. Dat bleek de oplossing te zijn, nu konden ze tenminste slapen.

Als het kind huilde schrok Janice ogenblikkelijk wakker van dat trillende lichaampje onder haar hand. Dan probeerde ze de baby weer te voeden, maar dat lukte nog steeds niet en het kind zoog ook nog niet zo goed.

Toen Abel sliep haalde Janice het premiegeld uit de koffer. Het leek een heleboel, toen ze het hem de volgende morgen overhandigde, maar buiten de huur moesten ze zevenentwintig dollar en vijftig cent betalen aan die vrouw, en ze moesten een nieuwe kamer zoeken. Van het premiegeld van al die weken, zou niets overblijven.

Die avond bracht Abel het geld naar de hospita. Toen hij weg was begon Janice na te denken over een naam voor het kind en ze besloot dat het Margaret Ryder zou heten. Op school had iemand eens tegen haar gezegd dat Margaret een heel mooie naam was. Abel kwam terug en zei: „Ze wil dat we weggaan. De baby huilt."

„Waarheen? Waar moeten we heen?"

„Ze zegt dat we tot het einde van de maand kunnen blijven."

„Ik wil naar Berard Street verhuizen." (Dat was de straat met de bomen en de wit geschilderde huizen met grote veranda's, waar ze die zomer hadden gewandeld.)

„We gaan in de buurt van mijn werk wonen," zei hij. „Moody Street of Bisher, of iets dergelijks. Binnenkort. Ik moet binnenkort een kamer vinden. Toen ik haar het geld had gegeven, schreef ze dat ik meneer Webendorf en de anderen op het werk iets moest geven. Ik moet ze sigaren geven."

„Dat kan toch niet? Je hebt niet goed op haar lippen gelet."

„Ze heeft het opgeschreven. Ze lachte, maar niet gemeen. Ze weet het zeker."

„Denk je dat het waar is? Misschien zegt ze het om ons te plagen."

„Misschien hoort het zo. Ik denk dat het een gewoonte is, zoals kerstmis."

„Misschien lachen ze ons uit als je dat doet."

Abel keek een beetje onzeker voor zich uit, maar toen glimlachte hij en knikte. „Ja, ik weet het weer. Pickard, die aan de zetmachine staat heeft het ook eens gedaan. Je geeft de anderen een sigaar en zij geven jou een hand en lachen tegen je."

„Hoeveel dan?"

„Zeven."

„Hoeveel kosten sigaren?"

„Wat denk jij?"

„Ik weet het niet ... voor iedereen ... Moet je dat beslist doen?"

„Als ik het niet doe zullen ze denken dat Doven niet weten hoe het hoort."

„Morgen moet je de rest van het geld uit de koffer maar nemen," zei ze.

De volgende dag ging hij weer naar zijn werk. Hij vertrok vroeg, blij dat hij hun bedompte kamertje kon ontvluchten, waar alles in het teken stond van de baby.

Hij liep een klein sigarenwinkeltje binnen en stond versteld van de prijs van sigaren. Toen herinnerde hij zich dat Pickard niet gewoon iedereen een sigaar in de hand had gedrukt, maar dat hij was rondgegaan met een heel kistje sigaren en dat de mannen naar wens één of meer sigaren hadden mogen nemen. Zelfs het allergoedkoopste kistje sigaren kostte meer dan Janice en hij uitgaven aan eten voor een hele week. Blijkbaar stelde niet alleen de wet bepaalde eisen aan hem, maar ook de drukkerij. Abel was zo woedend dat hij even doodstil moest blijven staan voordat hij zichzelf weer meester was. Toen zuchtte hij diep en wees op een kistje sigaren. De winkelier knikte en pakte het kleurige kistje in. Toen Abel aan al dat geld dacht, brak het koude zweet hem uit.

Na de lunch ging hij rond met zijn kistje sigaren, n̄ als

Pickard had gedaan. Hij merkte dat de Horenden het wiegende armgebaar voor baby heel goed begrepen. De mannen sloegen hem op de schouder en lachten hem toe, net zoals ze Pickard hadden toegelachen. De meesten namen twee sigaren. Ze roken eraan en staken er een op. De andere stopten ze in hun zak voor later. Het nieuws ging als een lopend vuurtje rond en als ze hem zagen aankomen, draaiden de mannen zich om en glimlachten tegen hem. Tot zijn verbazing was hij een beetje trots.

Janice lag op bed en probeerde te rusten. Ze werd zenuwachtig van die kamer vol dozen, kleren, lappen en drogend wasgoed. Het stonk naar vuile luiers en de zachte lappen in de mand van het kind begonnen ook al onfris te ruiken. De hospita had haar een emmer gegeven om de vuile luiers in te doen, maar ze zou de emmer met luiers naar de kelder moeten dragen om te wassen, of naar de binnenplaats. Dan zou ze het kind ook mee naar beneden moeten nemen, want ze was bang dat het wakker zou worden en huilen als zij er niet was. Ze voelde zich nog te slap voor dat werk. Ze werd al moe bij de gedachte alleen. Ze verlangde naar een wandeling in de frisse lucht, weg van die stank en die vier muren die haar beklemden.

Even vóór de middag stak de hospita haar hoofd om de hoek van de deur en zei dat Janice even beneden moest komen. Janice begreep er niets van. Ze kende niemand in de stad, ze verliet de kamer uitsluitend om naar haar werk te gaan. Maar de hospita bleef aanhouden. Janice trok een werkjurk van school aan. De woorden *Staatsschool voor Doven en Blinden,* die op de voorzijde van de jurk waren geborduurd, had ze zorgvuldig uitgetornd, maar ze waren nog steeds zichtbaar omdat de stof op die plaats minder verbleekt was.

Janice wierp een blik op Margaret, die rustig sliep in haar mand, toen bond ze haar haren vast met een touwtje en ging voorzichtig de trap af.

In de woonkamer stond een lange man, met zijn rug naar haar

toegewend voor het raam naar de irissen in de achtertuin te kijken. Grote blauwpaarse bloemen met dikke, vlezige bladeren. Zij hield niet van die bloemen. De man draaide zich om en zijn mond vroeg, ,,Mevrouw Janice Ryder?''

Ze knikte.

,, . . . dagen oude . . . baby?''

Ze knikte een beetje aarzelend.

,,Ik . . . voor geld.''

,,Wah' zeiju?'' vroeg ze.

,,Ik kom . . . voor geld.''

Alles draaide voor haar ogen.

Toen ze weer tot bewustzijn kwam lag ze op bed in haar eigen kamer. Ze begreep er niets van. De hospita zat op een stoel haar nagels schoon te maken. Ze trok een boos en ongeduldig gezicht. Toen Janice probeerde overeind te komen, wees ze naar iets dat naast haar lag op het hoofdkussen. Het was een briefje.

Geachte mevrouw Ryder,

Het spijt me dat ik U heb laten schrikken. Uw hospita vertelde me dat U doof bent, dat hebben ze mij niet gezegd in de fabriek. Ik kom met een voorstel van de vakvereniging. Als U Uw werk zou willen hervatten, kunnen wij U misschien helpen. Er zijn bepaalde voorzieningen voor werkende moeders. Mocht U hiervoor belangstelling hebben dan verzoek ik U naar het kantoor van de vakvereniging te komen. Het adres is Bisher Street 52.

Zijn naam stond onder de brief.

Janice sloot haar ogen. Ze beefde. ,,Ik kom met een voorstel'' had hij gezegd, en niet ,,ik kom voor geld''. Misschien wilde hij helemaal geen geld. Ze begon te huilen zonder te weten waarom. Toen kwam de hospita weer binnen en legde een briefje voor haar neer. Voordat ze vertrok wees ze boos op de mand van de baby. Het kind was vuurrood van het huilen en een vieze geel-groene brij puilde uit de dunne luier. Steunend kwam Janice overeind om haar te verschonen. Behalve de was van de baby zou ze vanavond ook hun eigen was moeten doen.

Ze legde de baby aan haar borst en ze voelde iets prikkelen toen het kleine mondje zich vastgreep en gulzig begon te zuigen. Grote witte druppels vielen uit de tepel van haar andere borst. Haar baarmoeder trok zich samen en scheen een sein te geven aan haar borsten, die zich uitzetten en reageerden met overvloed. Er bestond blijkbaar een geheimzinnig verband tussen die delen van haar lichaam, een ritme waar zij nu deel van uitmaakte. Doof of niet, zij voelde het ritme in haar lichaam en in het lichaam van haar kind.

Toen de baby had gedronken en sliep, las ze het briefje van de hospita:

Ik heb aan Uw man gezegd dat U hier niet langer kunt blijven. U mag de mand voor de baby houden en de doeken ook, maar U moet ze nu wel eens wassen, want ze stinken. Die man van de vakbeweging heeft U naar boven gedragen. Ik houd niet van dergelijke grapjes. U moet aan het einde van deze week mijn huis verlaten.

Ze maakten gebruik van hun doofheid. Ze glimlachten en deden alsof ze niets begrepen. Zodoende konden ze nog een week langer blijven, maar intussen deden ze hun uiterste best een andere kamer te vinden. Tenslotte had Abel iets gevonden boven een leegstaande winkel in een lange straat, dichtbij de drukkerij. Het was een drukke winkelstraat, vol mensen en Abel meende dat het in het centrum van de stad moest zijn. Hij dacht dat Janice zou genieten van al die drukte en dat ze heel tevreden zou zijn met de twee kamers die hij had gevonden. Er waren nog maar twee appartementen boven hen.

De straat heette Vandalia Street. Abel wist niet dat iedereen die in Vandalia Street woonde voor een immigrant werd aangezien, een van de vele gelukzoekers. Op de zolders in Vandalia ritselde het van de kakkerlakken. Er zaten ratten in alle hoeken en gaten en er was geen politie-agent in de omtrek te bekennen. De huizen waren niet beveiligd tegen brandgevaar en de huur was hoog, maar Abel was blij dat hij zo dichtbij de drukkerij en de fabriek kamers had gevonden. Nu hoefden ze 's winters niet zo lang in de kou te lopen. De huisbaas was blij dat zijn nieuwe huurders doof waren. ,,Uitstekend!" zei hij, ,,Doofstommen geven in ieder geval geen luidruchtige feestjes."

Maar ze hadden geen meubels en als ze de huur wilden betalen zou Janice weer aan het werk moeten. Vóór de bevalling had de afdelingschef haar een briefje meegegeven. Op dat briefje stond dat ze om *Thuiswerk* kon vragen als ze dat wilde. Zodra Janice zich iets beter voelde ging ze samen met Abel naar die aardige man van de vakbeweging, die haar zijn hulp had aangeboden.

Tot hun verbazing werd de vakbondsman woedend toen ze hem van het stukwerk vertelden dat Janice thuis zou kunnen doen. Hij vertelde hen dat het slecht was, uitbuiting van de arbeider, noemde hij het. Janice schreef op een briefje dat zij ervaring had, dat ze zelfs lange tijd een premie had gekregen, en dat ze haar machine door en door kende. Ze zou die machine heus niet stuk maken. Ze zou er goed voor zorgen en ze kon heus heel snel werken. Maar hij schoof haar briefje terzijde en schudde het hoofd. Toen schreef ze dat ze begreep wat hij bedoelde. ,,Ik begrijp het. Veel meisjes verwonden zich omdat ze onvoorzichtig zijn. Soms komen er blauwe vonken uit de machine, dat komt omdat de elektrische snoeren oud zijn. Ik zal heus heel voorzichtig zijn thuis."

Hij probeerde haar uit te leggen wat dat systeem van stukwerk thuis betekende. Hij zei dat het een soort slavernij was. Dat ze alleen al voor de huur van de machine twee dagen hard zou moeten werken. Janice en Abel keken elkaar aan. Dat betekende dat er nog vijf hele dagen zouden overblijven om voor zichzelf te verdienen — en dat ook nog thuis. Ze zou Margaret kunnen voeden en verzorgen en ze zou veel minder kleren nodig hebben . . . Ze bedankten de boze man van de vakbeweging en gingen naar de fabriek waar Janice haar handtekening zette onder het een of ander contract. Tot haar vreugde zag ze dat er nieuwe machines waren voor dit werk zonder elektrische snoeren.

Toen het donker was brachten Abel en Janice de machine, verborgen onder een deken, naar hun nieuwe appartement. Die man van de vakbeweging was wel erg boos geweest. Misschien was het bij de Wet verboden een dergelijke machine in huis te hebben. Ze konden het beter aan niemand vertellen. Ze zetten de glanzende nieuwe machine in de achterkamer. Verder stond er niets in die kamer. Ze brachten hun kleren en de baby naar hun nieuwe kamers, en als ze naar de naaimachine keken lachten ze elkaar toe als samenzweerders.

Op de eerste avond in hun nieuwe kamers, bleef Abel na het avondeten op de grond zitten. Vóór hem stond zijn sigarenkistje, waarin hij nu belangrijke paperassen bewaarde. Steunend op het kistje schreef hij aan zijn ouders: „Wij hebben een baby. Het is een meisje. Ze heet Margaret Ryder. We zijn verhuisd naar Vandalia Street 1522."

Hij vouwde de brief op en legde hem zolang in het kistje totdat hij naar het postkantoor zou kunnen gaan om een envelop en een postzegel te kopen. Hij zag het stadsplan in de doos liggen en ontvouwde het. Hij wilde het aan de muur hangen, want nu woonden ze in Wijk 3, dichtbij het centrum van de stad. Hun zomer zou weldra beginnen.

„Ik wil maar een beetje wandelen," zei Janice. „Ik ben moe van de baby en ik zal haar moeten dragen."

„Laten we naar die straat gaan met de mooie huizen. We kunnen het kind meenemen."

„Mijn jurk is te nauw geworden, ik heb niets om aan te doen!"

„Zodra we weer een beetje geld krijgen."

„Nu kan ik zondags werken!"

„Binnenkort begin ik aan mijn vierde leerjaar, dan krijg ik wat meer geld."

„Ik heb de hele zondag," zei ze, „om de tijd in te halen die ik verlies met de verzorging van de baby."

„Ik wil deze zomer een heleboel wandelingen maken. In deze wijk."

„En 's avonds kan ik ook werken," zei ze. „Ze geven nog steeds een premie als je meer doet dan de anderen."

Ze wierp een blik op de machine en de stapel geknipte petten. Ze had er de hele avond verlangend naar zitten kijken en hij wist dat ze popelde van ongeduld om te beginnen. Om aan het glanzende wiel te draaien en te proberen of ze haar hoge tempo nog niet had verloren. Hij kende dat verlangen maar al te goed. Als hij aan de drukpers stond werd hij ook beheerst door de wens het ritme op te voeren, de bedrukte vellen papier steeds sneller uit de machine te zien rollen. Bovendien betekende iedere pet die klaar was, twee of vijf centen meer en naarmate de stapel voltooide petten toenam, werd het bedrag groter.

Hij vroeg zich af waarom de vakbondsmensen zo boos waren over dat stukwerk. Ze redeneerden en redeneerden, maar Horenden deden nooit iets anders dan redeneren. Hun monden stonden nooit stil en al die redeneringen kwamen bij de rechtbank terecht en bij de politie en dan moest je betalen voor auto's die je niet had en redenen die je niet begreep.

Janice wierp weer een steelse blik op de naaimachine. Hij nam zijn vinger van het stadsplan en zei een beetje geërgerd: „Vooruit, ga maar werken. Ga maar achter die machine zitten."

Ze hadden haar op de fabriek zelfs een tafel gegeven om de machine op te zetten. Ze legde de geknipte petten naast zich op een kartonnen doos die ze op straat had gevonden. Toen nam ze plaats op een kist voor de machine en terwijl ze met één hand de draad in de naald deed en de spoeldraad omhoog trok, schoof ze met haar andere hand de eerste pet onder de machine. Een beetje verbaasd zat hij naar haar te kijken. Hij had haar nog nooit zo handig en toegewijd bezig gezien. Ze kende de machine door en door en de bewegingen van haar vingers waren vlug en zeker. Toen begon ze te stikken en hij voelde het getril van de naaimachine in zijn botten.

Margaret bewoog in haar mand in de hoek van de kamer. Abel ging naar haar kijken en liep terug naar de naaimachine. „De baby huilt."

Aarzelend kwam de machine tot stilstand: „Ik heb haar een uur geleden gevoed."

„Toch huilt ze."

Janice stond op en liep naar de mand. „Nu niet meer."

Ze ging weer achter de machine zitten, ongeduldig om verder te gaan. Het wiel snorde en in de hoek begon de baby weer te huilen en te trappelen. Abel nam het kind uit de mand en kwam naderbij. Nu begon het nog harder te huilen. Hij legde zijn hand op Janices schouder. Ongeduldig keek ze op.

„Er is iemand in deze kamer die alles kan horen," zei Abel langzaam en gelaten.

6

Margaret groeide op met het geluid van haar moeders naaimachine. Dit snorrende geluid vormde de begeleiding van hun
gezinsleven. Alleen tijdens de maaltijden en in de paar minuten
die nodig waren om naar de W.C. op de gang te gaan, zweeg
de machine. Margaret leerde haar moeders stemmingen peilen
naar het geluid en het tempo van de naaimachine en als een
naald brak en er een nieuwe moest worden ingezet, hield ze
haar adem in vanwege de verschrikkelijke stilte. Pas als de
machine weer snorde haalde het kind opgelucht adem. Op zondag dwong Abel de machine tot zwijgen. Dan maakten ze samen
een wandeling, maar Janice ging eigenlijk tegen haar zin mee en
was niet tevreden voordat ze weer achter haar machine zat.

Toen Bradley werd geboren zweeg de machine anderhalve dag.
Margaret werd zó bang dat ze huilend met haar vuistjes op de
vloer sloeg en de machine smeekte haar moeders leven te redden.
Slechts als de machine snorde was het gezin veilig en de wereld
zonder gevaren voor haar.

Ze leefden volgens een vaste regelmaat, die nooit door iets
werd verstoord. Iedere avond kwam Margarets vader op dezelfde
tijd thuis. Dan liep hij naar de gootsteen en boende zijn handen
met puimsteen. Ondanks het geboen bleef er altijd wel een beetje
drukinkt in de vouwen van zijn handen achter. Daarna stak hij
zijn hoofd om de deur van de achterkamer en knikte tegen
Janice. Zonder de machine stop te zetten knikte ze terug. Dan
ging hij zitten, haalde zijn tabak en zijn vloeitjes voor de dag en
rolde zorgvuldig een sigaret. Langzaam, met een uitdrukking van
tevredenheid op zijn gezicht, rookte hij. Tegen de tijd dat de
sigaret op was zweeg de machine en kwam Janice de tafel
dekken. In die tijd praatte Abel met Margaret en vroeg hij
haar of ze een prettige dag had gehad. Ernstig en beleefd

beantwoordde Margaret zijn vragen en altijd zei ze dat ze een prettige dag had gehad. Dat hoorde nu eenmaal bij het dagelijks ritueel.

Soms moest Janice naar Vlamiki, de neger die een kruidenierswinkel had op de hoek van de straat. Als ze weg was speelden vader en dochter samen. Ze maakten grapjes in de Taal der Handen en dikwijls moesten ze lachen om de gekke dingen die ze tegen elkaar zeiden. Margaret had de Taal der Handen van Abel en Janice geleerd. Het repertoire van haar gebaren was even beperkt als dat van hen, maar haar gebaren hadden een kinderlijke charme en Abel genoot zelfs van haar fouten. Soms vertelde hij ze aan Janice, dan glimlachte hij vertederd en schudde zijn hoofd om een verkeerde handbeweging van Margaret die een woord van mening deed veranderen of een hele zin onbegrijpelijk maakte.

Als Janice binnenkwam staakten ze hun spel zonder precies te weten waarom. Als ze melk meebracht wachtte Abel tot ze bezig was, dan knipoogde hij tegen Margaret en opende voorzichtig de fles. Hij gaf Margaret de dop van de melkfles, waarop zich een laag room had afgezet. Dan rook zij de bloemen en de klaver die de koeien hadden gegeten. Glimlachend keek hij toe hoe zij langzaam de room van de dop likte. Als Janice zich omdraaide stond de fles melk onaangeroerd op tafel. Na het eten begon de machine weer tevreden te snorren, terwijl Margaret en haar vader de vaat deden.

Iedere zaterdag gingen ze de petten naar de fabriek brengen en een nieuwe stapel werk halen. Daarna liepen ze naar huis door de drukke straten, vol mensen en geuren. Langs de visboer met zijn kar, de man die linten verkocht en de voddenman. Overal waren kinderen. De stegen krioelden van de kinderen. Als het mooi weer was, stalden de winkeliers hun koopwaar uit op het trottoir en altijd zaten er kinderen tussen de rekken met tweedehandskleren en op de veren bedden van het pandjeshuis.

Janice haalde haar neus op voor die haveloze verwaarloosde

kinderen, maar ze wist heel goed dat ze Margaret en Bradley niet van de straat kon houden. Ze leerden snel waar de plaaggeesten waren en waar het veilig was. Ze wisten wanneer Karoli of Bubu in aantocht waren en maakten dat ze weg kwamen. Na korte tijd herkenden zij de stem van Fanti met de Hazenlip uit duizenden. Ze konden zich razendsnel verplaatsen en verstoppen. Ze spraken uitsluitend uit zelfbehoud, maar niet meer dan nodig was.

Toen Bradley oud genoeg was om te praten en door De Straat begrepen te worden, leerde Margaret hem snel af de Taal der Handen op straat te gebruiken. Toen ze hem vol vertrouwen de bekende gebaren van thuis zag maken tegen een ander jongetje, stortte zij zich op hem en gaf hem een harde klap. Toen ze zeven jaar was kon zij zich de tijd niet herinneren dat ze de Taal der Handen Buiten had gebruikt en was uitgejouwd en uitgelachen. „Hou je handen in je zakken!" schreeuwde ze tegen haar verblufte broertje. Zij wist maar al te goed hoe hun Echte Woorden overkwamen op mensen die ze niet begrepen. Toen Bradley van zijn verbazing en schrik was bekomen leerde hij weldra wat Margaret al wist; dat de Echte Woorden, de vertrouwde woorden door de Wereld niet werden geaccepteerd of begrepen. Dat de Wereld slechts de gevaarlijke, halfbegrepen taal der monden toestond.

Abel had zijn 6-jarige opleiding beëindigd. Hij was nu een volleerd drukker. Hij kon alle soorten lithografieën maken en offset drukken en hij kon met iedere drukpers overweg. Maar zijn schuld was nog steeds ontstellend groot ondanks het feit dat hij een enorm bedrag had afbetaald. Langzaam drong het tot hem door dat hij, ondanks die schuld, op een bescheiden manier vrij en onafhankelijk zou kunnen zijn. Hij was een bekwaam vakman — dat wist hij. Hij wist eveneens dat meneer Webendorf hem na al die jaren nog steeds als een dwaas beschouwde. Hij was op de drukkerij gebleven omdat meneer Webendorf zei dat niemand een dove arbeider met schulden zou aannemen. Maar nu wist Abel niet meer zo zeker of meneer Webendorf wel gelijk had. Hij zou het toch in ieder geval kunnen proberen. Het vooruitzicht van een nieuwe strijd met de Wereld, met onbekende Horenden was beangstigend en opwindend tegelijk.

In de loop der tijd was hij tot de conclusie gekomen dat de Drukkerij Webendorf niet het soort werk maakte dat hem lag. Op weg naar huis was hij wel eens een boekwinkel binnengestapt, waar hij mooie tijdschriften had gezien en prentenboeken in tweekleurendruk of zwart-wit. Eens had hij in de etalage van een boekwinkel een prachtige serie fotocopieën van foto's gezien. Hij zou graag willen weten waar die foto's waren gedrukt, maar hij durfde het niet te vragen. Het was uitstekend werk, dat kon hij wel zien. Ergens drukte iemand op een manier waarvoor zijn collega's in de drukkerij ongeduldig de schouders zouden ophalen. Hij wist dat meneer Webendorf erop rekende dat hij altijd zou blijven. Misschien zou hij later voorman worden of speciale karweitjes mogen opknappen. Zelf had hij tot nu toe ook gemeend dat hij niet van werkgever zou veranderen, maar tegenwoordig dacht hij na over de vele verschillende druktechnieken en de variaties die mogelijk waren.

Hij begon een hekel te krijgen aan de grove affiches en advertenties die hij moest drukken. Tegenwoordig bleef hij tijdens de zondagse wandeling bij kiosken staan om de tijdschriften te bekijken. Hij bewonderde het prachtige drukwerk, de rijke kleuren en het vakmanschap van die drukkers. Zonder acht te slaan op de mopperende man in de kiosk bestudeerde hij nauwkeurig de gladde glanzende pagina's. Hij vertelde Janice welke gedachten hem bezighielden, maar zij begreep het niet.

„Je verdient nu vierendertig dollar per maand. We moeten de schuld afbetalen. Daarna kunnen we verhuizen uit deze smerige buurt."

„Ik wil alleen maar voor een andere drukkerij werken," zei hij.

„Misschien wil niemand je aannemen."

„Ik zal ze mijn werk tonen. Ik maak goed werk."

„Ze zullen je beetnemen. Horenden doen nooit wat ze zeggen. Ze zullen je beetnemen!"

„Dat doen ze nu ook een beetje."

„Ja, maar hier weet je tenminste hoe ze je beetnemen en hoe erg. In een nieuwe betrekking weet je dat niet — het is veel te riskant."

Ze was bang. Hij keek haar verbaasd aan. Was dit zijn vrolijke, levendige Janice van de Wereld, van de Buitenwereld, die van reizen hield, van beweging en verandering? Tegenwoordig zat ze de hele dag in de achterkamer kilometers stof te voeren aan haar naaimachine. Nu wilde ze niet meer uit op zondag, was ze bang om tijd, geld en daglicht te verkwisten, die ze beter zou kunnen gebruiken achter haar machine. De verandering in haar had zich zo geleidelijk voltrokken dat hij er niets van had gemerkt, dat hij niet wist op welk moment die angstige spanning in haar spieren en in de vezels van haar lichaam was gekropen en tenslotte haar geest had afgestompt. Hij keek naar zijn vrouw die met een verongelijkt gezicht aan tafel zat koffie te drinken en hij zag dat die enkele jaren van zwoegen achter de naaimachine haar zozeer hadden misvormd, dat haar jurk strak zat over haar schouders en los over haar borst hing. Haar borstkas was hol en haar borsten nauwelijks zichtbaar onder de jurk. Een ogenblik lang haatte hij haar om de blijvende littekens die hij haar had toegebracht door zijn schuld.

Ze zag dat hij naar haar keek en ging rechtop zitten, maar ze kon haar hals en schouders nauwelijks strekken. Die poging maakte het alleen maar erger.

„Ik wil er niet meer over praten," zei ze, nog steeds bevreesd. „We moeten vandaag het werk afleveren aan de fabriek."

Op zaterdag brachten ze de petten die zij had gestikt naar de fabriek. Janice zag Barbara en Mary nooit, maar ze vreesde nog steeds dat Abel haar vroegere vriendschap met de meisjes zou ontdekken. Die onoprechtheid van toen was nu bedolven onder jaren van zwijgen. Ze kon er nu nooit meer over praten en hij zou het haar nooit meer kunnen vergeven. Maar dat was ook niet nodig. Tenslotte was de Wereld een Horende Wereld. Wat niet in een woord werd gevangen bestond niet en was zonder betekenis. Hoewel Abel iedere week met een hoofdknik het loonzakje aannam dat zij hem overhandigde, wist ze heel goed dat hij begreep dat ze zoveel geld voor zichzelf achterhield als ze durfde. Zij hield geld achter en hij wist het, maar omdat het Woord niet tussen hen was gevallen, bestond het feit niet, kon het hen niet deren.

Iedere zaterdag verliep volgens hetzelfde patroon. Abel liep naar de slaapkamer om de doos met petten te halen. Nog steeds was hij verbaasd over de grote hoeveelheid. Hij zou niet bij benadering kunnen zeggen hoeveel petten Janice al had gemaakt in al die dagen van al die weken van al die maanden van de afgelopen vijf jaar. Het moest wel een berg, een lawine van petten zijn. In gedachten staarde hij voor zich uit, maar toen zag hij dat Janice naar hem gebaarde dat hij voort moest maken.

Ze stak het papiertje in haar zak waarop ze had geschreven hoeveel klossen garen ze had gebruikt en hoeveel ze de volgende week zou nodig hebben. De kinderen stonden al beneden te wachten. Omdat Abel zaterdags vrij nam, zodat hij Janice kon helpen, liet meneer Webendorf hem iedere dag een half uur langer werken om de tijd in te halen. Vandaag genoot hij van de buitenlucht ondanks de zware doos, de overbekende wandeling en zijn angst om de kinderen. Het waren stadskinderen, ze letten niet voldoende op het verkeer, en lieten zich afleiden door alle geluiden om hen heen.

Het was een stralende dag. Een frisse wind blies over de handkarren en de mensen die er achter liepen. De normale stank van ranzige olie, urine uit de stegen, vochtige muren, ratten en armoede was verdreven. Zij liepen tot de hoek van de straat en sloegen de steeg in die langs de winkel van Vlamiki liep. Met

Bradley aan de hand ging Margaret de achterdeur binnen. Ze vroeg niets, maar wachtte tot ze werd opgemerkt. De man zag haar staan. Hij zei niets tegen haar, maar draaide zich om en riep tegen zijn oude zuster: ,,Hé, Julia! Daar zijn de Doven voor de handkar!" De vrouw ging de kar halen. Ze zei nooit iets tegen Margaret omdat ze meende dat het meisje eveneens doofstom was, maar toen het kind de kar naar buiten duwde, hield ze de deur voor haar open. Voordat Margaret vertrok legde ze de huur voor de kar netjes in de geopende hand van de oude vrouw. Daarna knikte ze beleefd, zoals het haar was geleerd, en duwde de kar naar buiten. Abel zette zijn zware doos op de kar en Janice haar beide kleinere dozen en ze gingen op weg.

Ze moesten acht blokken lopen naar de fabriek, maar ze durf-den niet met de kar door de drukke winkelstraat te gaan. Daar-om liepen ze door stegen en zijstraten en weldra waren ze uit de drukke straten vol winkelende mensen. Bradley klom op hekken en stoepen en had binnen een paar tellen zwarte vegen op zijn gezicht. Margaret werd boos op hem en Janice zette hem in de kar.

Een blok vóór de fabriek sloegen ze linksaf een steeg in die naar de zij-ingang van de fabriek leidde. Ze gingen altijd de zij-deur in en met de goederenlift naar de afdeling waar het stuk-goed werd geteld en gecontroleerd. De controleuses waren hard-werkende onvriendelijke vrouwen die het werk zwijgend en met norse gezichten in ontvangst namen. Ze telden en maten iedere vijftigste pet na. Iedere twintigste pet werd aan een nauwkeurig onderzoek onderworpen. Geen enkele pet werd afgekeurd deze week. Dat overkwam Janice trouwens maar zelden. Ze overhan-digden Janice een kaart met het totaalbedrag erop dat ze deze week had verdiend. Daarna gingen ze naar de afdeling waar de petten werden geknipt.

De afdelingschef nam de kaart in ontvangst en trok een bedrag voor de huur van de machine en voor het materiaal dat Janice in de komende week zou gebruiken, van het totaalbedrag af. Daarna gaf hij haar een andere kaart waarop het bedrag stond dat ze werkelijk had verdiend. De premie was er altijd bij en hij glimlachte tegen haar, alsof hij trots was op haar prestatie. Intussen werd de voorraad voor de komende week op de kar geladen. Ze zag dat ze ditmaal het model kreeg met het klepje — daarvoor kreeg ze per tien stuks vijfentwintig cent meer betaald.

Ze liepen naar de lift, Abel duwde de kar. Nu moesten ze nog het geld halen aan de kassa en daarna konden ze naar huis. Vroeger was dat heel eenvoudig, maar de laatste tijd werd het een ware kwelling. De laatste weken kwamen er voortdurend vakbondsleden naar hen toe, als ze bij de kassa stonden te wachten op hun geld. De mannen zetten de doelstellingen van de vakbond uiteen en smeekten de thuiswerkers geen stukwerk meer aan te nemen. Ze trokken de thuiswerkers aan hun mouw, maar Abel en Janice konden hun woorden niet begrijpen omdat ze hun mond zo wijd openden en zulke vreemde gezichten trokken. Ze waren bang van hun boze opgewonden gezichten en ze schaamden zich voor die mensen, die zich zo schandelijk gedroegen.

Na een bezoek aan het kantoor van de kassier konden ze het gebouw uitsluitend via de hoofdingang verlaten en ze zagen tot hun schrik dat er vandaag meer vakbondsleden buiten stonden te wachten dan anders. De zure oude caissière met haar rode pruik, werd door twee agenten bewaakt. Ze griste de kaart uit Janices hand en telde het geld uit. Ze stak hen de envelop door het loket toe en zei iets. De Ryders glimlachten automatisch en knikten met hun hoofd, zoals het Horenden betaamt. Toen liepen ze naar de uitgang.

Tussen de hoofdingang en de poort was een kleine binnenplaats. Langzaam liepen ze naar de poort. Abel duwde de kar met Bradley er op en het materiaal voor de komende week. Van twee kanten drongen de mensen op. Hun dreigend opengesperde monden en woedende gezichten voorspelden niet veel goeds. Sidderend, dreigend hing de stilte om hen heen. Nu waren ze door de poort en tussen de mensen. Ze balden hun vuisten

79

tegen Janice en overal om zich heen zag ze woedende, dreigende gezichten. Enkele vrouwen deden een uitval naar de handkar, maar werden tegengehouden door de anderen. Handen klauwden in de lucht en spraken een taal die de Doven niet konden verstaan. In de kar huilde Bradley van angst. De vakbondsleden achtervolgden hen, maar toen kwam er weer iemand door de poort en ze vergaten de Ryders voor dit nieuwe slachtoffer.

Janice en Abel zetten het op een lopen. Ze holden de steeg in aan de overkant van de straat en vandaar renden ze door allerlei andere kleine donkere steegjes. Eindelijk stonden ze buiten adem stil. Abel tilde Bradley uit de kar en drukte hem dicht tegen zich aan. Janice stak haar haar vast en streek haar jurk glad. Ze transpireerde en haar gezicht was vuurrood.

Ze keek naar Margaret die zich achter de benen van haar vader had verstopt. Het kleine meisje was spierwit en beefde over haar hele lichaam. Zij heeft het natuurlijk gehoord — zij heeft hun woorden verstaan. Abel zette Bradley op de grond zodat hij kon spreken: „Heb je gehoord wat ze zeiden?" Ze klemde zich aan zijn been vast en drukte haar gezichtje angstig huilend tegen zijn broekspijp. Boven haar hoofd keken de ouders elkaar aan.

„Wat moeten we doen?"

„Ik weet het niet. Ze zijn gek. Ze willen ons de geknipte petten afnemen en ze weten niet eens hoe ze die in elkaar moeten zetten."

„Wat willen ze van ons?"

Hij keek naar Margaret. „Zij weet het. Zij heeft het gehoord." Janice ging op haar hurken zitten en probeerde Margaret weg te trekken van Abels been. Huilend klemde het kind zich vast totdat ze tenslotte werd losgerukt en hun vragen over zich heen moesten laten komen.

„Vertel ons wat ze zeiden."

„Ik weet het niet."

„Jij hebt ze verstaan. Zeg op, wat riepen ze."

Abel nam Janice bij de arm. „Laten we liever eerst naar huis gaan. Misschien zoeken ze ons nog. Ze is bang. Kom, we gaan naar huis."

Ze hadden de kar teruggebracht naar de winkel, de geknipte petten en de klossen garen lagen gereed, maar de naaimachine, het hart van het gezin, zweeg. In die dodelijke stilte stond Margaret voor haar ouders. Ze was zó bang dat ze niet meer kon nadenken. Haar hoofd was leeg. Ze wachtten op haar antwoord. De woorden van die woedende mensen, dáár ging het om. Als ze die woorden kenden, dan zouden ze het raadsel kunnen oplossen, dan zouden ze weten wat hen te doen stond — maar welke woorden hadden ze gesproken? Margaret probeerde het zich te herinneren. Het waren woorden van haat geweest, onbekende woorden. Een vrouw had geroepen: „Jullie nemen onze kinderen het brood uit de mond".

„Ze zeiden dat wij brood van ze afpakken."

„Denken ze dan dat we brood hebben in die pakken op de kar? Denken ze soms dat we de lunchpakketten van de arbeiders stelen?" Ongeduldig bewoog Abel zijn handen.

„Waarom zouden ze dat zeggen?" vroeg Janice.

„Ik weet het niet, maar ik geloof dat het iets met uw naaiwerk te maken heeft," zei Margaret aarzelend. Het was niet de eerste maal dat ze verstrikt raakte in woorden. Hulpeloos en eenzaam, Doof en Niet-Doof, was ze er zich soms vaag van bewust dat de Woorden, die haar ouders zo fel begeerden, naast hun vaste betekenis ook nog een andere, wisselende betekenis hadden. Een woord kon een realiteit in de Wereld beduiden, maar tevens een idee, in het geheim overeengekomen op een samenkomst waarvoor iedereen was uitgenodigd, behalve haar ouders en zijzelf. Iedereen was zelfverzekerd omdat hij die geheime betekenis kende, alleen zij voelden zich onzeker, buitengesloten.

„Is brood brood, of stof om petten van te maken?" hield Janice vol. „Wisten ze dan niet dat het petten waren? Kun je petten eten? Nee! Waarom zei die vrouw dat wij brood stalen?"

„Ik weet het niet." Margarets handgebaren waren vaag en aarzelend.

Abel legde zijn hand op haar hoofd. „Wees maar niet bang," zei hij. „Het is een mooie dag vandaag. Vandaag blijven we niet thuis. Vandaag zijn we niet bang. Vandaag — nu — gaan we allemaal samen in de tram. Ik heb gisteren ontdekt waar de Dovenkerk precies is en daar gaan we vandaag naar toe."

Janice sputterde tegen. Ze moest werken. Of dacht hij soms dat ze het werk van vandaag morgen zou kunnen inhalen? Trouwens, wat moest ze aan? En de kinderen hadden ook alleen maar versleten lompen aan hun lijf waarvoor zij zich schaamde. Als twee kemphanen stonden Janice en Abel tegenover elkaar, ze ademden zwaar en hoorbaar in de stilte. Ze knarsetandden en smakten met hun lippen. Hun gezichten waren rood en verwrongen van woede en hun handen schreeuwden zó hard dat Margarets hoofd pijn deed van die harde onuitgesproken woorden.

„Begrijp je het dan niet?" schreeuwde Abel. „Thuiswerk wordt veel te gevaarlijk. Binnenkort zal er geen thuiswerk meer zijn en wat dan? Wie zal ons dan helpen? Niemand kent ons. Wil jij dan misschien van honger sterven?" Met een verbitterd ongeduldig gebaar greep hij zijn vrouw bij de arm en trok haar de deur uit. Ze sloeg hem op zijn rug en op zijn nek, zette zich schrap en hield zich vast aan de deurpost. Hij duwde haar weg van de deur en trok haar daarna vlug naar buiten. Met een boos gebaar rukte zij zich los, wierp hem een woedende blik toe en sjokte verongelijkt naar beneden.

Schichtig en bang liepen Margaret en Bradley hand in hand achter haar aan. Deze ruzies tussen hun ouders vonkten plotseling en onverwachts op. Het waren heftige ruzies die vergezeld gingen van slagen en rauwe keelgeluiden. En als de heftigheid was verdwenen bleef de diepe verbittering, die nog veel erger was.

7

Ze moesten driemaal overstappen. Ze reden met de tram door
straten met grote warenhuizen en winkels, straten met lange rijen
huizen, allemaal eender, langs een park waar ze overstapten en
in een andere richting verder reden, langs een lange laan met
bomen waar alle huizen verschillend waren, houten huizen, bak-
stenen huizen, hoge smalle en lage brede huizen. Het gezin zat
netjes rechtop, de handen gevouwen in de schoot, gezichten in de
plooi. Zij probeerden andere gezinnen te imiteren. Ze reden door
een straat met grote huizen, die half schuil gingen achter hoge
bomen. Margaret vroeg zich af waar de mensen waren. Zij was
gewend aan stegen vol wasgoed en gezichten achter de ramen.
Straten die krioelden van mensen, karren, vuil en lawaai. Er hing
niets tussen deze huizen, de ramen staarden als blinde ogen voor
zich uit en op de trottoirs liepen een stuk of wat voetgangers,
meer niet. Hier en daar speelden een paar kinderen, nogal lusteloos en verveeld, meende Margaret. Af en toe liep iemand voorzichtig van de ene plaats naar de andere. Er waren auto's en
bestelwagens op straat, maar geen mensen, geen karren, kranten,
rommel, vloekende mannen en vechtende kinderen. De lege
tuinen leken geweldig groot, en de huizen overschaduwd door
statige oude bomen, hadden iets geheimzinnigs, iets onpeilbaars.
Dat was waarschijnlijk het verschil tussen rijk en arm.

Ze stapten uit en wachtten bij de tramhalte op een andere
tram. Het rook daar heerlijk naar warm asfalt, koele bomen,
paarden en auto's. Abel en Janice haalden diep adem, de kinderen imiteerden hen. De Wereld-Daar-Buiten was zo rustig en
beschaafd, zo keurig en schoon.

In de verte naderde hun tram. Ze stapten in en reden door
nog een andere stadswijk. Toen stapten ze uit en volgden Abel
naar de overzijde van de straat. Ze liepen nog twee blokken en

kwamen bij een groot gebouw, de kerk, zei Abel. Ze gingen niet naar binnen, want het was nog te vroeg. Langzaam liepen ze langs de kerk tot aan de hoek van de straat en weer terug. Abel was kennelijk zeer ingenomen met zichzelf en met alles om zich heen. Janice wierp hem zure blikken toe, maar hij sloeg er geen acht op.

Toen het tijd werd gingen ze het portaal van de kerk binnen. Ze voelden zich beschermd tussen die muren en durfden weer te praten. Na een tijdje kwamen er meer mensen.

De vrouwen waren prachtig gekleed. Ze droegen zachte soepele japonnen, als bloemblaadjes, en bijpassende schoenen, hoeden en tassen. Sommigen waren in het wit gekleed, met witte schoenen en witte handtassen. Margaret had nog nooit witte schoenen gezien. De vrouwen leken op bloemen en Margaret werd een beetje misselijk en duizelig van hun parfum. Bradley was nergens meer te bekennen, maar zij had zoveel te kijken dat ze hem vergat.

Het portaal van de kerk was nu vol mensen die allemaal druk praatten, in een bijna volmaakte stilte. Af en toe werd deze luidruchtige stilte verbroken door een lach of de roep van een kind, schuifelende voeten en ruisende rokken, meer niet.

Margaret ging schuil achter gebloemde ruggen en heupen. Ze keek om zich heen, maar zag haar ouders niet meer. Langzaam baande zij zich een weg naar de andere kant van het portaal. Plotseling zag ze Janice en Abel vlak voor zich en voor het eerst van haar leven bekeek ze haar ouders als vreemden. Ze waren totaal veranderd in haar ogen — haast onherkenbaar. Haar vader zag er onbehouwen en onverzorgd uit in zijn werkkleren, haar moeder maakte een norse indruk, met haar voorovergebogen schouders en haar harde gezicht. Alleen zij zagen er verhit, moe en teleurgesteld uit, als een ongewenste vlek op het patroon van frisse goedverzorgde vrouwen en keurige welgestelde mannen. Af en toe groette iemand haar ouders, kort en vormelijk — hun gebaren waren elegant en beschaafd. Margaret voelde dit intuïtief. Ze zag veel handgebaren die ze niet kende en de ge-

84

baren waarvan haar ouders zich ook bedienden, maar dan hard, abrupt en stuntelig tegelijk, werden hier tot vloeiende elegante bewegingen.

Ze voelde zich vreselijk schuldig omdat ze haar ouders als vreemden had beschouwd. Ze liep naar hen toe en probeerde ze een hand te geven. Ze wilde weer bij hen behoren, een deel van hen zijn. Nooit meer wilde zij hen met de ogen van een vreemde beschouwen. Abel knikte met zijn hoofd dat ze Bradley moest zoeken en gehoorzaam deed ze wat haar werd gevraagd.

Plotseling werden de grote deuren van de kerk geopend en de mensen stroomden naar binnen. Ademloos staarde Janice naar al die pracht en praal. Rijen glanzende houten banken stonden tegenover de verhoging waar de dominee zou komen te staan. Daar stonden ook brandende kaarsen in glimmende kandelabers en een groot gouden kruis hing tegen een paars fluwelen gordijn. Alles glansde en schitterde en het gouden kaarslicht verspreidde een zachte gloed. De mensen gingen op hun vaste plaatsen zitten, groetten vrienden en bekenden en converseerden nog steeds opgewekt in hun rijke vloeiende gebarentaal. Ze durfden haast niet naar binnen te gaan en zich tussen die mensen te begeven die blijkbaar zoveel wisten en zich op hun gemak voelden in deze kerk. Abel en Janice bleven in het portaal staan kijken, totdat Bradley voor hen uit de kerk in holde. Zijn vader greep hem bij de hand en aarzelend gingen ze de schitterende kerk binnen. Achterin waren nog veel lege banken. Snel glipten ze een bank in en keken schichtig rond, bang dat ze een fout hadden gemaakt. Gespannen, stijf rechtop, zaten ze te kijken naar de conversatie die heen en weer vloog. Naar de aandachtige, expressieve, glimlachende gezichten vóór hen.

Janice keek naar een jongeman, schuin voor haar. Hij leunde uit zijn bank en sprak met een meisje dat vanuit een bank aan de andere kant van het middenpad tegen hem glimlachte. Ze wisten niet wat er om hen heen gebeurde, ze hadden uitsluitend oog voor elkaar. Hun handen bewogen in eenzelfde ritme. Teder en verlangend vertelden ze elkaar kleine onbelangrijke alledaagse dingen. „Mijn zuster heeft een nieuwe mantel." „Ga je donderdag ook mee picknicken?" „Hoe gaat het met je moeder?"

Janice zag hoezeer die twee jonge mensen in elkaar opgingen. Niet God bracht hen iedere zaterdag naar deze kerk, maar hun handen, verlangend en ongeduldig om de eenvoudigste woorden te wisselen in de Echte en Natuurlijke Taal. Met een vage afgunst in haar hart, dacht Janice terug aan de tijd toen zij ditzelfde onstilbare verlangen had gekend. Toen ze vol spanning wachtte tot Abel naar haar Woorden zou komen kijken. Toen een onweerstaanbare macht haar ertoe dreef alle kleine, onbelangrijke gebeurtenissen van de dag met hem te delen. Toen zijn ogen oplichtten van begrip en hij stamelend antwoordde met zijn pas verworven gebaren. Nu zat hij daar naast de kinderen, ongevoelig voor het feit dat zij zich schaamde voor hun armoede. Ze roken zelfs naar dompige achterbuurten, naar armoede. Zij schaamde zich voor deze mensen, ondanks het feit dat zij Doof waren en de Ware Taal spraken.

Toen kwam de predikant uit een zijdeur voorin de kerk. Hij ging achter een hoge smalle tafel staan en begon tegen hen te spreken. Zijn gebaren waren langzaam, plechtig, duidelijk en vol klinkers. Deze Taal was beslist niet in donkere hoeken en douchehokken geleerd. Deze Taal der Handen deed Janice denken aan de woorden van de rechter, zoals ze die van de handen van Comstock had gelezen. De vloeiende lijnen, het prachtige ritme, het opvallende evenwicht van de gebaren van deze predikant, wekten een grote bewondering bij haar op. Ze kon haar ogen niet van hem afwenden. Nooit had zij kunnen vermoeden dat spreken zo mooi kon zijn en vol ontzag bedacht ze dat dit haar Taal was, de Taal van haar gebrek. Hij sprak over iets dat hij de Onzichtbare Dingen noemde, de wensen van Christus voor de mensheid en de plichten van die mensheid. Toen hij zweeg ontwaakte Janice uit haar vervoering. De predikant zegende hen en daarna baden ze samen in navolging van zijn gebed. Bevend nam

Janice de rijke, prachtige Woorden uit zijn handen aan.

Maar toen de dienst voorbij was, bleef er niets over dan hun eigen armoede. De kerkgangers dromden naar buiten. Ze spraken met elkaar over onbekende mensen en dingen en ze negeerden de nieuwelingen met hun stuitende armoede. Haastig sleurde Janice de kinderen achter zich aan. Ze holde bijna door het voorportaal en de trappen af, waar groepjes mensen stonden te praten. Buiten, voor de kerk, keek ze wanhopig om zich heen. Abel was nergens te bekennen. Steeds meer mensen kwamen naar buiten en bleven in de zon staan praten. Ze kon zich nergens verbergen, ze kon niets doen om haar eenzaamheid te ontlopen. Met vlugge nerveuze gebaren begon ze te mopperen tegen Margaret. Het kind werd bang en stuntelig van haar gestamel.

,,Waarom heb je ons niet verteld wat die mensen vanmorgen over ons zeiden? Jij laat ons mooi in de steek! Je past ook niet op Bradley. Ze hadden hem wel kunnen meenemen zojuist, alleen omdat jij te lui bent om op hem te passen!''

Margaret begreep intuïtief dat dit standje uitsluitend bedoeld was om haar aan het praten te krijgen. Maar ze wist niet wat ze moest antwoorden. Zenuwachtig speelde ze met haar vingers en zweeg. Janice bleef maar mopperen en langzaam voelde het kind een wrok in zich opkomen. Ze wendde haar blik af, ze wilde niet langer naar het harde boze gezicht van haar moeder kijken.

Aan de overkant van de straat stonden een paar kinderen naar hen te staren. Verbaasd en nieuwsgierig keken ze naar die vreemde mensen die rare gezichten tegen elkaar trokken en met hun handen gebaarden. Grote mensen trokken nooit zulke rare gezichten buiten op straat. Margaret zag de kinderen kijken en staarde ze boos aan, maar dat had geen enkel effect. Ze bleven nieuwsgierig staan kijken. Margaret had ze graag iets naar het hoofd gegooid.

Bradley werd ongeduldig. Hij stond te trappelen en riep hard dat hij moest plassen. De Horende kinderen van de kerkgangers draaiden zich nieuwsgierig om en keken hen aan. Bevend van schaamte nam Margaret hem bij de hand en sleurde hem mee om de hoek van de kerk. Ze slopen een achtertuin binnen en Bradley plaste tegen een boom. Langzaam liepen ze terug. Margaret talmde zoveel ze kon. Ze wilde niet voor de kerk staan.

Toen ze terugkwamen was Abel er en de meeste kerkgangers waren vertrokken. De nieuwsgierige kinderen aan de overkant van de straat waren ook verdwenen.

Abel was opgewekt en kennelijk heel tevreden over dit uitstapje dat hij had bedacht. Janice scheen nog stugger en zuurder dan gewoonlijk. Op weg naar de tram zag Margaret haar moeder zenuwachtige onherkenbare handgebaren maken achter haar handtas. Ze liep boos te mompelen en van tijd tot tijd bewogen haar lippen, zonder een woord te vormen. Bij de tramhalte klauwden haar handen plotseling tegen Abel. „Waar was je eigenlijk?"

„Ik stond met een man te praten."

„Je hebt ons daar voor die kerk alleen laten staan. Iedereen keek naar ons. Ze dachten natuurlijk dat we bedelaars waren. Heb je die mensen niet naar ons zien kijken?"

Abels gebaren waren rustig, maar hij strekte zijn schouders op een wijze die Margaret niet kende en zijn handen schenen te zingen.

„Ik heb met de predikant gesproken. Er zijn vijf drukkers in deze gemeente. Toen ik met ze sprak begrepen ze wat ik bedoelde. Ik heb gezegd dat ik een andere baas zoek. Hij zei dat hij mij de volgende week zal voorstellen aan een paar mensen die me misschien kunnen helpen. Het is een aardige man, die predikant. Hij is niet doof. Zijn vrouw is doof."

„Als hij niet doof is, waarom zou hij zich dan uitsloven voor Doven? Hij kan toch horen? Pas maar op, misschien probeert hij geld uit je te slaan. Die kerk bevalt me niet. Die mensen staan me niet aan!"

„Dat spijt me voor jou," zei hij luchtig, „want volgende week gaan we er weer heen. De predikant heeft gezegd dat onze kleren helemaal niet belangrijk zijn. Ik heb geen mens meer gesproken sedert ik van school ben. Ik heb behoefte aan vrienden."

Ze begonnen te kijven en ze waren zo opgewonden dat ze zelfs in de tram niet ophielden. Margaret staarde naar buiten. Naast haar vocht Bradley tegen de slaap. Tegenover haar zaten haar ouders heftig te gebaren en te schelden. In hun opwinding vergaten ze waar ze zich bevonden. Ze gingen volkomen op in hun ruzie. Margaret dacht dat de mensen in de tram Bradley en haar misschien niet voor de kinderen van die mensen zouden aanzien. Misschien meenden ze wel dat zij bij een ander gezin hoorden met mooie, gelukkige, Horende, onbezorgde ouders.

Bradley's hoofd viel op Margaret's schouder. Ze dacht aan de kerkdienst en aan de predikant die met zijn mooie handen over God had gesproken en over liefde. Ze trachtte een woord te bedenken waarmee ze de schoonheid van die handen zou kunnen omschrijven. „Het was," mompelde ze voor zich heen, „als de liefde zelf." En toen ze het had gezegd wist ze niet meer of ze die woorden met haar mond of met haar handen had gevormd.

8

Ze gingen nu iedere week naar de kerk en weldra waren de overige kerkgangers aan hen gewend en knikten hen toe als ze de kerk binnenkwamen of verlieten. Toen Janice begreep dat Abel ditmaal zijn zin zou doorzetten, besloot ze die kerk onder de duim te krijgen zoals ze de fabriek onder de duim had gekregen, langzaam, onversaagd en onbarmhartig. Van het geld dat zij had gespaard kocht ze nieuwe kleren voor het hele gezin. Margaret kreeg een wit linnen jurk, zó stijf dat ze zich als een insect in zijn schild voelde. De jurk kreukte verschrikkelijk. De stof voelde klam tegen haar huid en de onafgewerkte naden prikten om haar middel en langs haar hals. Ze kreeg ook lange witte kousen en stijve zwarte schoenen en iedere zaterdag, voordat ze op pad gingen, werd Margarets dikke kastanjebruine haar glad achter haar oren getrokken en zó stijf gevlochten dat ze nauwelijks met haar ogen kon knipperen. Bradley kreeg een zwarte kniebroek en eveneens lange kousen. Onder zijn jasje droeg hij een hard gesteven overhemd en een gesteven strikdasje. Janice droeg een gebloemde zomerjurk zoals ze de vrouwen in de kerk had zien dragen. De jurk paste niet goed bij haar vale teint en maakte haar verlepter en zuurder dan gewoonlijk. Abel wilde het soort kleren dat hij in die lang vervlogen rijke zomer had gedragen, maar Janice wilde daar niet van horen en zocht net zolang tot ze een kostuum voor hem vond dat leek op de kostuums van de mannen die elkaar bij de kerkdeur begroetten. Boos en met grote tegenzin had ze die kleren voor haar gezin gekocht en iets van haar onaangename stemming scheen aan die kledingstukken te kleven want als zij ze droegen voelden zij zich ongemakkelijk en de ruzies waren niet van de lucht. Maar het was hun kerkkleding, een soort harnas tegen deze nieuwe vijand, de kerk.

Op een dag verschenen twee mannen aan de deur van hun

appartement. Zij duwden Janice een papiertje in de hand en haalden vervolgens de naaimachine en de tafel weg. Janice liet Margaret het briefje lezen, waaruit bleek dat de mannen van de fabriek waren en dat ze de machine kwamen halen, maar dat kon ze zelf ook wel zien. Janice duwde het bange meisje voor zich uit en beduidde haar dat ze iets moest doen, dat ze de mannen met woorden moest beletten de machine weg te halen. Hoe zouden ze anders in leven kunnen blijven? Ze had altijd de huur betaald voor de machine. Ze werkte het beste van alle huisnaaisters. Wie had haar dit aangedaan? Wie had leugens over haar verspreid?

De man die de tafel droeg, zette die even neer. Hij wees op het briefje en schreeuwde en gebaarde net zolang totdat Margaret het begreep. Het was afgelopen met het thuiswerk. De vakbonden waren er op tegen en de fabriek kon de huisnaaisters niet langer beschermen tegen hun woede. Als haar moeder wilde werken, zou ze weer in vaste dienst moeten gaan. Vast werk aan de fabriek betaalde iets beter en ze zou geen huur meer hoeven te betalen voor de machine. Toen Abel thuiskwam vond hij Margaret en Janice in tranen. Toen hij het verhaal hoorde, begreep hij dat Janice weer naar de fabriek zou moeten, er zat niets anders op. Het vertrouwde gesnor van de naaimachine verdween uit huis en Janice eveneens. Ze verliet het huis in de vroege grijze ochtend en keerde pas terug als het al donker was. Margaret moest thuisblijven bij Bradley in de onheilspellende stilte van de achterkamer.

Ze was toen zeven jaar. Het merendeel van haar straatvriendjes en vriendinnetjes ging nu naar de oude grijze school in Bisher Street. Viermaal per dag zag ze de kinderen langslopen op weg naar of van school. Als het koud was bleven Margaret en Bradley binnen. Dan slenterden ze verveeld van de ene kamer naar de andere en de dag duurde een eeuwigheid. Soms holden ze de trap op en af en speelde verstoppertje in de gangen totdat de buren kwaad werden. In januari werd de leegstaande winkel onder hen verhuurd. Vijf handkarren vol prachtige dingen werden voor de deur afgeladen en binnen in de winkel liep meneer Petrakis, de nieuwe eigenaar, zenuwachtig heen en weer. Margaret en Bradley vonden het nieuwe pandjeshuis iets geweldigs. Urenlang stonden ze aan de deur naar binnen te staren, maar toen ze eenmaal hadden kennisgemaakt met meneer Petrakis, mochten ze in de winkel komen. Ze raakten niet uitgekeken op de oude sleutels, muziekinstrumenten, kleren, klokken, lampen, juwelen en dingen waarvoor geen naam te bedenken was. Eerst waren ze bang voor meneer Petrakis, maar hij had er geen bezwaar tegen dat ze in zijn winkel kwamen. Het waren rustige kinderen. Ze raakten zelden iets aan en ze gooiden nooit iets om. Aanvankelijk meende hij dat ze achterlijk waren. Ze waren op hun hoede voor iedere beweging. Het leek wel of ze steeds bedacht waren op gevaar. Ze leken op kleine oude mensen, ernstig, beleefd en een beetje schichtig.

Als het mooi weer was liepen ze hand in hand op straat. Soms slenterden ze langs de school, dan speelden ze dat ze ook op school waren en even naar buiten moesten om een boodschap te doen. Margaret hoopte vurig dat de mensen op straat haar voor een schoolkind zouden aanzien. Eigenlijk zou ze een paar boeken onder haar arm moeten dragen als ze langs de school liep, dat zou nog veel echter lijken. Maar er waren geen boeken in huis en meneer Petrakis had ook geen boeken in zijn winkel. Op school kregen de kinderen boeken. Ze brachten ze mee naar huis, ze gooiden ze hoog in de lucht als ze langs liepen en legden er blaadjes in met woorden die ze zelf hadden geschreven. Soms probeerde zij na schooltijd met de kinderen te spelen. Dan drentelden Bradley en zij naar een groepje spelende kinderen en bleven staan kijken in de hoop dat ze zouden mogen meedoen. Maar haar vroegere vriendinnetjes waren vervuld van hun nieuwe leven, waaraan Margaret geen deel had. Onder het touwtjespringen praatten ze over mevrouw Dubin en juffrouw Parks en Margaret voelde zich buitengesloten. Soms lieten Mary, Catherine en Lila haar wel eens meedoen, maar dikwijls speelden de kinderen uit haar straat nu ver weg in andere straten bij andere schoolvriendinnetjes. Dan moest Margaret ze gaan zoeken met een drenzende Bradley achter zich aan. Eerbiedig stonden Bradley en zij dan te luisteren naar de verhalen van deze uitverkorenen.

„Mevrouw Lettiri slaat nooit met de liniaal, zij slaat met de plak!"

„Mevrouw Dubin heeft ook een plak en ze slaat er verschrikkelijk hard mee!"

Margaret luisterde ademloos naar die verhalen en als ze langs de school liep luisterde ze of ze een kind hoorde schreeuwen dat met de plak kreeg.

Op een dag in maart riep meneer Petrakis Margaret bij zich in de winkel.

„Er is vandaag een man in de winkel geweest," zei hij. „Hij zei dat hij Inspecteur van het Onderwijs was." Hij keek haar aan terwijl hij tegen haar sprak, dat deden Horenden niet dikwijls. Zij gaf geen antwoord. „Hij vertelde me dat iemand hem jouw naam had opgegeven. Moet jij niet naar school?"

„Ik kan niet. Ik moet thuisblijven bij mijn broertje."

„Zeg maar tegen je ouders dat die man is geweest. Misschien komt hij terug en dan krijgen ze moeilijkheden."

Bradley en zij wilden juist buiten gaan spelen, maar nu was dat plotseling gevaarlijk geworden. Ze knikte tegen meneer Petrakis en sleurde Bradley achter zich aan de trap op naar hun appartement. Een week lang waagden zij zich niet op straat, maar de Inspecteur kwam niet terug. Margaret had niets aan haar ouders verteld. Ze wist zelf niet precies waarom ze het voorval had verzwegen. Ze wilde dolgraag naar school, ze voelde zich eenzaam, buitengesloten, klein en dom, omdat zij niet naar school ging zoals de andere kinderen van haar leeftijd, maar ze kon er zich niet toe brengen het voorval thuis te vertellen. Een tijdlang was ze bang dat de Inspecteur zou terugkomen om haar

93

in de gevangenis te stoppen, maar toen werd het zomer en vergat ze haar zorgen.

Het was avond. Een avond in juli. De kinderen waren de hele dag binnen geweest vanwege de regen. De regen kletterde met eentonige regelmaat, in dikke stralen op straat. De goten waren boordevol en het vuil dreef over de trottoirs. Water sijpelde tussen de sponningen van de ramen door naar binnen en de verveling van de kinderen veranderde in angst. Abel was nog steeds niet thuis. Hij was nog nooit zo laat thuisgekomen. Janice kwam thuis en keek geërgerd om zich heen, maar de kinderen waren zó druk en nerveus na deze lange saaie dag, dat ze niet konden stilzitten en gillend van de ene kamer naar de andere holden. Af en toe zagen ze beneden, in het licht van de straat-lantaarns een man lopen die op Abel leek, maar als de man langs hun deur liep en de hoek omsloeg, wisten ze dat het Abel niet was. Af en toe ratelden karren langs, daarna werd het weer stil op straat. Het was nu helemaal donker buiten en de kinderen waren bang en stil geworden. Toen ze thuiskwam had Janice boos het licht in de keuken aangedraaid. Nu zou ze alles zelf moeten doen! „Waar is vader?" . . . „Ik weet het niet," zeiden ze met vlugge nerveuze gebaren. „Dan zal ik maar voor het avond-eten gaan zorgen," en zuchtend van moeheid ging Janice aan de slag. Als ze boos was smeet ze de pannen op het vuur en de borden op tafel, maar ditmaal vonden de kinderen dat een ge-ruststellend lawaai.

Doornat en stralend kwam Abel tenslotte thuis. Zodra hij de deur achter zich had gesloten begon hij te praten. „Ik heb van-daag ontslag genomen bij Webendorf. Ik heb mijn werk laten zien aan die boekdrukker en hij zei, ja, ja, en ik ben aangeno-men. Mijn nieuwe baas heet Cotter. Het is een mooie drukkerij. Ze drukken twee kunsttijdschriften. Heel mooi." Zijn handen zwegen. Hij zocht naar woorden. Hij wilde hen vertellen hoeveel beter, hoeveel prettiger zijn werkkring zou zijn, nu hij mooie kleurenplaten zou mogen drukken, inplaats van toegangsbiljetten voor de kermis, zoals hij bij Webendorf had moeten doen. Bradley begon te huilen van opluchting omdat zijn vader er weer was en onder het huilen plaste hij in zijn broek. Janice deed hem zijn natte broek uit en Margaret ging zijn andere broek halen. Janice wilde de droge broek van haar aannemen, maar Bradley drukte zich tegen zijn zusje aan. Margaret zag de blik van jaloezie in haar moeders ogen gevolgd door een uitdrukking van verdriet. Janice draaide zich om en liep naar het fornuis. Abel praatte nog steeds over de nieuwe drukkerij, de nieuwe pers, zijn nieuwe baas en Margaret knikte om hem te tonen dat ze naar hem luisterde.

Toen hij over zijn schuld sprak die nu, na al die jaren nog steeds elfhonderd dollar plus rente bedroeg, had meneer Cotter bedenkelijk gekeken, maar Abel had hem verzekerd dat zijn werk daar niet onder zou lijden. Soms bracht hij misdrukken mee naar huis; foto's van vrouwen in prachtige japonnen, een kalender met schitterende afbeeldingen van landschappen en een paar naaktportretten, die Janice onmiddellijk weggooide. Hij probeerde haar uit te leggen dat het niet om die naakte vrouwen ging, maar om de schoonheid van de vorm, dat je een boom of een berg of een schaal vruchten op precies dezelfde wijze kon waarderen. Maar ze zei dat hij niet wijs was. ,,Smerige plaatjes," zei ze. ,,Als je die gaat sparen wordt je geest ook smerig. Stel je voor dat iemand hier komt en die plaatjes ziet?" Hij zweeg. Hij was te moe om haar te herinneren aan het feit dat er nooit iemand bij hen kwam.

Toen Abel ongeveer een jaar in de nieuwe drukkerij werkte, kwam hij op een avond thuis en vertelde dat er nog een dove drukker was aangenomen, een jongen van Rhode Island. Hij woonde bij zijn Horende tante en hij was erg eenzaam. Dat dacht Abel tenminste, want de jongen kon alleen maar liplezen. De Taal der Handen kon hij niet spreken of verstaan, daarom had hij weinig contact, zowel met Doven als met Horenden. Janice

95

haalde haar schouders op, maar hij bleef aandringen dat hij die jongen een avond wilde meebrengen om bij hen te eten en dat hij hem ook zou meenemen naar de kerk.

„Nee, als hij eenmaal met zijn handen kan spreken gaat hij roddelen over ons huis, over onze kleren."

„Toch breng ik hem binnenkort mee, of je het nu wilt of niet."

„Maar ik geef hem niet te eten. Ik geef niemand te eten die daarna over ons gaat roddelen."

Hij bleef aanhouden, maar zij wilde er niets van weten.

Toch vreesde ze niet in de eerste plaats roddelpraatjes over hun manier van leven. Ze kon haar angst eigenlijk niet onder woorden brengen. Het stond in verband met al die jaren achter de naaimachine. In de loop van de jaren was haar gezichtsveld op de een of andere wijze gekrompen tot de afmetingen van haar werktafel en het ritme van de naaimachine dat door haar vingers en haar lichaam dreunde. Heel lang geleden, zó lang geleden dat zij het zich nauwelijks nog kon herinneren, had ze talloze wensen en verlangens gekoesterd. Het allermeeste had ze verlangd naar afwisseling. Daarom was ze met Abel getrouwd. Maar dat meisje was lang geleden gestorven.

Als er soms in de loop van de dag bange gedachten in haar hoofd opkwamen, concentreerde zij zich op het ritme van haar naaimachine en de routine van het overbekende werk. In de tijd toen ze de verleiding haast niet had kunnen weerstaan, toen ze haar geld had willen uitgeven om haar verlangens te bevredigen, had de machine het gewonnen. Nu werd het geld gespaard — als ze het tenminste niet hoefde te verkwisten aan die kerkbevlieging van Abel. Maar zelfs de kerkgangen waren nu een gewoonte geworden.

Een gast was iets heel nieuws, te veel verandering. Veranderingen waren gevaarlijk, tenzij ze noodzakelijk waren. Zij wenste niet zo maar te veranderen. Als ze soms aan Abels wilde plannen dacht, glimlachte ze bij zichzelf. Zij kende de macht van de routine. Ga je gang maar! zei ze in gedachten tegen Abel. Koop

96

jij maar nieuwe kleren, neem een nieuwe baan, nodig vreemden uit, als je denkt dat je zo bij-de-hand bent! De routine van het dagelijks leven, de tredmolen van alledag, die zullen je wel beter leren. Ik zal tenslotte gelijk krijgen.

Maar toen ze op een avond thuiskwam, had Abel de jongen meegebracht. Er was niets meer aan te doen. Ze liet hem nerveus glimlachend aan de keukentafel zitten en stortte zich in de achterkamer op Abel. „Waarom heb je die stomme meegebracht — hij kan niet eens praten!"

„Hij leert het wel. Je weet hoe snel je de taal der handen leert, omdat het zo heerlijk is te kunnen praten. Weet je niet meer hoe snel ik het heb geleerd? Als ik hem zie moet ik steeds weer denken aan de tijd toen ik met niemand kon praten, naar niemand kon luisteren. En ik heb alle gebaren achter de rug van de onderwijzers geleerd."

„Wat moet ik hem te eten geven? De winkels zijn gesloten. Bovendien heb ik niet genoeg geld."

„Hebben we niets in huis?"

„Alleen maar koude worst van gisteren en nog een kliekje boontjes."

„Dat is voldoende."

Woedend draaide zij zich om en ging terug naar de keuken. De jongen zat nog steeds stijf rechtop aan tafel. Hij zou dolgraag een sigaret opsteken, maar hij durfde niet.

Na het eten zaten de beide mannen in de keuken. Ze spraken langzaam samen. Het was erg benauwd, en de jongen haalde diep adem toen Abel voorover leunde en de deur opende. Het raam in de slaapkamer stond eveneens open, zodat er nu een aangename koelte binnenstroomde. Janice stond met haar rug naar de beide mannen, voor het aanrecht. Margaret haalde de vuile borden van tafel en zette de kliekjes in de keukenkast. Ze zag aan haar moeders rug dat ze boos en beledigd was. Janice kon erg lastig zijn als ze in zo'n bui was, daarom werkte het meisje zo snel en netjes mogelijk. Toen alles was opgeruimd nam ze

97

een doek en begon de borden te drogen die Janice in het afdruiprek had gezet.

Bradley stond bij de mannen en probeerde hun aandacht te trekken. Hij ging op hun tenen staan en staarde ze aan. Dat had het gewenste effect. Ze lieten hem op en neer dansen op hun voeten, maar na een tijdje streken ze hem alleen nog maar over zijn bolletje en dat begon hem al gauw te vervelen. Soms liet Margaret hem met het zeepsop spelen, als de vaat gedaan was, maar ditmaal duwde ze hem weg. Toen hij even later weer in de weg liep, duwde Janice hem met haar heup opzij. Hij liep terug naar de mannen die plaats maakten om hem te laten passeren.

De vaat was haast gedaan. Margaret strekte haar hand uit naar een zware kom die Janice haar toestak. Nu de voordeur open stond kon ze alles horen wat buiten op de gang en in het trappenhuis gebeurde. Ze hoorde voetstappen de trap op en af rennen en in de keuken boven hun hoofd werd eveneens de vaat gedaan. Ze hoorde luide stemmen en het gerinkel van borden en glazen. Ze werd een ogenblik afgeleid en de kom gleed uit haar handen en viel in duizend stukken op de vloer. Janice keek woedend. Een groepje jongens uit het appartement boven hen kwam met veel lawaai de trap af. Bij de deur zaten de beide mannen, onbeweeglijk in hun stille wereld te luisteren naar elkanders handen. Toen werd het plotseling doodstil. Zo stil dat Margaret zich omdraaide en onwillekeurig Bradley zocht met haar ogen. Ze riep hem en toen haar moeder iets vroeg, zei ze alleen maar ,,Bradley? Waar is hij?"

Ze keken om zich heen en Margaret riep hem in de benauwende stilte van het huis die de anderen niet konden horen. Tenslotte herinnerde zij zich dat hij langs de beide mannen was gelopen en ze ging het schemerige portaal op. De volwassenen volgden haar en keken langs de hoge steile trap omlaag in de bleke verschrikte gezichten van de jongens en van de toeschouwers die zich reeds achter hen verdrongen.

9

De assistent hield het gordijn opzij en keek even naar buiten. Er zaten drie mensen. Een man en een vrouw, gekleed in stijve, bespottelijke, goedkope zomerkleren, en een broodmager klein meisje, met armpjes als luciferstokjes en een strak gezichtje. Hij wendde zich tot de directeur: „Klanten". De directeur trok zijn das recht en opende het gordijn. Rustig en waardig schreed hij op hen toe. Dat kind bracht hem uit zijn evenwicht. Een schande om zo'n kind mee te brengen! Maar de stem die sprak was de stem van het kind. Een harde, droge kinderstem. Hij was geschokt. „We komen een kist bij U kopen, meneer."

„Pardon?"

Luider klonk het: „We komen een kist bij u kopen, een doodkist."

Haast smekend keek hij de man aan die achter het meisje in haar schreeuwerige felgekleurde zomerjurk stond. De man glimlachte verontschuldigend en knikte in de richting van het kind.

„De overledene?" vroeg de directeur zonder een van de aanwezigen aan te kijken. „Wie is de overledene?"

„Wat?" vroeg het meisje.

Hij herhaalde zijn vraag en de vrouw tikte het kind op de schouder. Ze wendde zich tot haar en gebaarde druk met haar handen. Doofstom!

De directeur zoog aan zijn gebroken tand. „Nou, vooruit dan maar . . . Wie is dood?"

„Mijn broertje, Bradley. Hij is van de trap gevallen. Helemaal naar beneden."

De directeur begon zich een beetje onzeker te voelen. Hij trachtte haar ontroering op te wekken. „Je broertje — wat verschrikkelijk. Ik weet zeker dat je meer wilt voor hem dan alleen maar een doodkist. Je wilt natuurlijk dat hij een begrafenis krijgt, een mooie begrafenis. Iedereen krijgt toch een begrafenis."

Het meisje wendde zich opnieuw tot haar ouders en gebaarde met haar handen. De ouders... toen het meisje weer... de ouders...

De directeur zag dat de handen van de vader gezwollen waren en vol kloven. Hij probeerde de gedachte uit zijn hoofd te zetten dat de man het kind wellicht had doodgeslagen. Nu wendde het meisje zich weer tot hem. „Nee," zei ze. „Alleen maar een kist."

„Hoe oud was je broertje?" vroeg de directeur.

„Vier jaar."

De directeur trok een stoel naar zich toe en nam plaats tegenover het keiharde kind. Met een warme hartelijke intonatie in zijn stem vroeg hij hoe oud ze was en in welke klas ze zat. Geen commentaar. Ze keek hem even stom aan als de stommen achter haar.

„Luister," zei hij vertrouwelijk. „We kunnen je natuurlijk een *doodkist* leveren, maar ik weet zeker dat je dat niet zou willen. Je hebt toch veel van je broertje gehouden, nietwaar? Je wilt toch zeker dat hij het beste van het beste krijgt? Later willen je arme ouders en jij naar het kerkhof gaan om bloemen te leggen op zijn graf in de overtuiging dat jullie hem het *beste* hebt gegeven dat voor geld te koop is."

Zenuwachtig tikte de moeder het meisje weer op de schouder. Ze wilde weten wat er werd besproken. Het kind wendde zich opnieuw tot haar ouders en de directeur voelde het begrip tussen die drie mensen. Toen ze zich weer tot hem wendde was haar gezicht gesloten en ze zei met vlakke stem: „We willen alleen maar een doodkist, meneer."

De directeur stond op en trok de gordijnen open tussen de spreekkamer en de showroom. Hij wist dat ze onder de indruk zouden zijn van alle glanzend houten doodkisten met hun glimmende metalen handvaten, die daar stonden tegen de achtergrond van een kleurig gebrandschilderd venster. Er waren zoveel doodkisten en ze waren zo groot, dat de drie mensen een beetje verloren bijeen stonden en niet op het dieppaarse tapijt durfden te stappen, waar de directeur stond. Hij liep voor hen uit en zei op gedempte toon alle geijkte zinnetjes waarvan Margaret niets begreep en die haar ouders uiteraard geheel en al ontgingen. Janice maakte zich zorgen om de bloemen. Ze herinnerde zich dat bij een begrafenis bloemen hoorden, maar ze hadden geen geld. Zouden ze Bradley onrecht aandoen als er geen bloemen waren? Zouden de mensen hen uitlachen en hem ook, omdat hij hun kind was?

Ze stonden nog steeds stokstijf op dezelfde plek. De directeur draaide zich om en zag dat ze hem niet waren gevolgd. Hij zuchtte, mompelde iets en liep terug naar het zwijgende groepje. Ze waren inderdaad stokdoof. Hij stak zijn hand op en knipte met zijn vingers en op dat bevel kwamen ze naderbij. De man nog steeds met een verontschuldigende glimlach op zijn gezicht.

Achter de allerduurste doodkisten stonden de kleine kistjes voor kinderen. Gebukt onder hun verdriet en schuldgevoelens over de dood van hun kind, besteedden ouders dikwijls alles wat zij bezaten aan de mooiste kist en de duurste begrafenis. Met hun kleine slotjes en kleine metalen handvaten leken deze kinderdoodkistjes op dingetjes uit een poppenhuis, onwezenlijk als speelgoed.

Langzaam liepen Janice en Abel langs die glanzende houten doodkistjes. Ze lieten hun vingers langs het houtsnijwerk glijden. Ook Margaret bekroop de lust daartoe, maar ze bedwong zich. Meneer Petrakis vond het ook niet prettig als ze de voorwerpen op zijn toonbank aanraakte. Het zou bovendien niet helpen. Het verdriet dat als een harde brok vast zat in haar borst, zou niet verminderen door het aanraken van die glanzende gladde doodkistjes.

De directeur draaide zich om en hervatte zijn vakkundige gesprek. Hij wees hen op de voordelen van het doodkistje daar voor hen: op de prachtige kwaliteit van het hout, het schitterende houtsnijwerk, de mooie zijden bekleding. De soepele huid van een jong kind zou zo schitterend tot zijn recht komen tegen zulk een achtergrond.

Hoewel ze haar ogen niet nodig had om hem te verstaan keek Margaret hem aan. Haar handen bewogen vaag om af en toe een enkel woord uit de stortvloed van onbegrijpelijke taal te vertalen in een gebaar. Voor het merendeel van zijn woorden kende zij geen gebaren en de gebaren die zij wel kende scheen zij te zijn vergeten in de sombere duisternis van haar verdriet.

„Deze kost tweehonderd dollar."

Ze lazen het bedrag van Margarets vingers en het kind hoefde hun ontsteltenis niet te vertalen.

De gekrenkte stem van de directeur bereikte hen niet. „Ik kan U natuurlijk wel iets anders tonen."

Het werd honderd dollar... daarna vijftig... toen vijfendertig.

„U zult tenslotte wel *iets* moeten uitgeven!"

Ze waren al bij vijfentwintig dollar beland... Zelfs de armen begonnen dan te twijfelen, weenden bittere tranen als ze aan hun geliefd kind dachten en kozen tenslotte toch een kist die ze zich niet konden veroorloven, om hun kind de laatste eer te bewijzen. Maar deze stommen niet. Zij stonden daar maar nee te schudden met hun hoofd en onbegrijpelijke gebaren te maken met hun handen. Het maakte de directeur werkelijk kwaad. Dit was veel erger dan het beschaamde gesnik van de armen of de compromissen van de stille armen. Hij verloor zijn geduld. „Was het kind dan helemaal niets waard?" schreeuwde hij Margaret toe. „Had zijn leven dan helemaal niets te betekenen voor jullie?"

Ze zette zijn woorden om in gebaren. Haar gezicht vertoonde geen enkele uitdrukking. Het lukte haar niet zijn woorden precies over te brengen, maar het leek er toch wel op. „Was het kind duur geweest?" zeiden haar handen.

„Ja," luidde het antwoord, „het kind was heel duur geweest. Zijn geboorte heeft ons vijfentwintig dollar gekost. Daarover hoeft U zich geen zorgen te maken. Die schuld is betaald. Wij

102

zijn geen oplichters. Wij hebben alle schuld betaald voor het kind dat we moeten begraven."

„Wat voor mensen zijn jullie eigenlijk?" vroeg de directeur.

„Drukker," zei Margaret trots, omdat het woord trots van haar vaders vingers was gegleden. „Zij is naaister in de fabriek."

De directeur haalde verslagen de schouders op. Toen knikte hij in de richting van de eenvoudige kale dennehouten doodkistjes die in een hoekje tegen de muur stonden. Te midden van al dat glimmende hout met de zilveren handvaten en de glanzende satijnen voeringen schenen deze kale houten kistjes iets onbeschaamds te hebben. Ze waren van ruw hout gemaakt, smaller ook dan de andere kisten. De overlevenden verbleekten altijd weer bij de gedachte aan een klein armpje dat in die kist gewrongen zou moeten worden, de schouder een beetje opgetrokken omdat het lichaampje anders niet in de kist zou passen. De Doofstommen reageerden precies zo. Verslagen staarden ze naar de doodkisten van ruwe ongeverfde planken.

De directeur kwam dichterbij en schopte tersluiks een van de kisten omver. Het geluid van de houten kist op de kale vloer ontlokte de moeder van de overledene altijd weer een kreet van afgrijzen en deed alle rouwenden achteruit deinzen, terug op het paarse tapijt. Maar de Doofstommen verroerden zich niet. Alleen het meisje sprong achteruit. De directeur realiseerde zich dat alleen zij de holle klap had gehoord. Hij begreep dat al zijn moeite tevergeefs was. Met een zuur gezicht keek hij het kind aan. „Waarom vertel je het die griezels niet?"

„Wat moet ik ze vertellen?" Haar ogen waren droog en ze keek hem zonder enige belangstelling aan.

De man had een ouderwetse beurs uit zijn zak gehaald en telde langzaam vijftien dollar voor hem uit op een van de doodkistjes. Toen bukte hij zich en legde het deksel op de omgevallen kist. Hij tilde de kist op zijn schouder, beet zich op de lippen om zijn verdriet de baas te blijven en draaide zich om, gereed om te vertrekken.

De directeur spoedde zich voor hem uit naar de achterdeur. Hij rukte de deur open en knikte met zijn hoofd. Zonder een woord of gebaar verdwenen ze alle drie in de trillende hitte van de steeg. Margaret liep achter haar vader en trachtte in de schaduw van de doodkist te blijven. Ze vroeg zich af wat „griezels" waren. Haar ouders waren griezels, had de man gezegd. Het zou wel een ander woord voor Doof zijn, dacht ze.

Pas de volgende dag op het kerkhof kon Margaret aan Bradley denken als aan een zelfstandige persoonlijkheid in plaats van een deel van haarzelf of een stem die tegen haar gilde dat ze bij hem moest komen om hem aan te kleden, op te tillen, verschonen, voeren. Van tijd tot tijd had hij even weinig persoonlijkheid voor haar gehad als zijn bord op tafel, zijn slaapplaats en de zorg die hij voor haar betekende. Toen ze die morgen ontwaakte had ze, zoals gewoonlijk, slaperig haar hand uitgestrekt naar zijn bedje om hem te wekken. Toen bedacht ze, vaag nog, dat er iets was veranderd. En pas toen ze zijn bedje opgevouwen tegen de muur zag staan herinnerde ze zich dat hij dood was, dat ze nooit meer zijn veters zou hoeven te strikken, nooit meer haar spel zou hoeven te onderbreken om hem een plasje te laten doen. De verantwoording voor Bradley was even dood als Bradley zelf.

Toen ze die dag waren thuisgekomen met de doodkist, had ze zich opeens uitgelaten gevoeld omdat er nu zoveel mogelijkheden voor haar waren: Ze zou naar school kunnen en gedurende de werkuren van haar ouders zou ze vrij zijn om te doen wat ze wilde. Een ogenblik lang was ze duizelig van geluk. Ze had wel de straat op willen rennen en dansen en springen van blijdschap over haar pas verworven vrijheid. Het deed er niet toe dat hij niet achter haar aan kon lopen, dat hij voorgoed weg was, dat hij niets meer uit het vuilnisvat van meneer Petrakis kon halen en de dingen op zijn toonbank aanraken. Dat was nu allemaal voorbij, dood.

Ze stond aan de rand van het open graf. Langzaam lieten de

begrafenismannen de kist aan touwen omlaag zakken. Weer dacht ze aan haar nieuwe vrijheid. De gedachte sloeg als een golf door haar heen en toen plotseling zag ze heel duidelijk Bradleys handje voor zich, anders niets. Dat handje zoals het zich dagelijks naar haar had uitgestrekt, een vochtig handje met donzige blonde haartjes op de buitenkant van de vingertjes. Bradley had korte dikke beweeglijke vingertjes en kleine nagels met eeuwig zwarte randjes. Toen ze dat handje voor zich zag voelde ze plotseling haar grote verlies. Ze staarde blindelings naar het graf en toen naar Janice die aan de overzijde van die afschuwelijke kuil stond. Haar moeders gekwelde gezicht was gezwollen door gebrek aan slaap. Ze had haar haren te snel en slordig gekamd en losgesprongen slierten haar hingen om haar hoofd. Haar ogen waren op haar dochter gericht, maar ze scheen haar niet te zien.

Abel stond naast Margaret. Ze herinnerde zich hoe hij de trap af was gehold naar de plek waar Bradley lag, hoe hij hem had opgetild, het dode lichaampje heen en weer had geschud en steeds maar „ood! ood!" schreeuwde met zijn toonloze, harde stem, wild snuivend van tomeloze woede. De aanwezigen staarden hem angstig aan en weken mompelend uiteen toen Margaret en haar moeder langzaam de trap afkwamen. Abels gezicht was niet vertrokken geweest van verdriet maar van woede. Toen had een van de aanwezigen gezegd dat de politie was gewaarschuwd en een andere man had het lijkje uit Abels armen genomen.

Toen scheen Abel volslagen krankzinnig te worden. De omstanders waren verstard van angst toen ze de woeste vreemde kreten hoorde die hij in zijn razernij slaakte. Hij kon de geluiden die uit zijn borst losbraken zelf niet horen. Hij wendde zich van het groepje mensen af, rende naar de voordeur en trapte die dicht. Hij schopte tegen de muur, sloeg er met gebalde vuisten op. Hij rende naar de trap, schopte tegen de treden, beukte op de leuning. Toen vloog hij weer terug naar de voordeur, opende die en smeet hem weer dicht, terug naar de muur om te schoppen en te slaan en hij bleef maar schreeuwen met die rauwe verschrikkelijke stem. De toeschouwers dachten niet langer aan het dode kind, star van angst keken ze naar de uitzinnige man, wachtten ze op de vreselijke dingen die komen gingen. Weldra brak zijn stem, maar zijn mond bewoog nog steeds — hij wist niet dat hij geen geluid meer maakte. Weer rende hij naar de muur en beukte er net zo lang op tot hij niet meer kon. Hijgend en zwetend bleef hij staan, hij klakte met zijn tong, vol ongeduld het ogenblik afwachtend waarop hij zijn uitbarsting van woede zou kunnen hervatten. Zijn handen waren gezwollen en zaten vol bloedende schrammen en schaafwonden van het beuken en slaan. Toen waren de agenten gekomen. Ze hadden zinloze verklaringen afgenomen en zinloze aantekeningen gemaakt.

Over het hoofd van hun dochter heen maakten Abel en Janice nu ruzie over het geld voor de terugtocht naar huis. Ze keken elkaar woedend aan, hun lippen maakten smakkende geluiden en vormden halve woorden. Het transport van de kist van huis naar de kerk en vervolgens naar het kerkhof had al zoveel geld gekost. Abels handen vormden bittere woorden, snijdende opmerkingen vielen als mokerslagen uit zijn gehavende handen.

Dichtbij Janice stond de dominee zuchtend toe te kijken. Af en toe hief hij zijn hand in een poging hen tot rede te brengen. Het had geen zin. Beschaamd wendde hij zijn blik af en zijn ogen bleven op Margaret rusten. Hij glimlachte haar bedeesd toe en sprak tegen haar in een taal die deels uit woorden, deels uit handgebaren bestond. Hij bediende zich soms van die taal tegenover de kinderen van de Doven. Ze keek hem aan en vroeg zich af waarom hij haar trachtte uit te leggen dat verdriet zelfs de meest beminnelijke mensen tot twist en onenigheid kan brengen. Ergens diep in haar hart begreep ze dat ze dit niet had behoeven te weten als ze zijn dochter was geweest. Ook andere dingen zouden dan aan haar zijn voorbij gegaan. Al die gezichten van politiebeambten, getuigen van het ongeluk, begrafenismannen, vakbondsleden en dokters zou hij verre hebben gehouden van de kamer met de witte gordijnen waar hij haar veilig kind had

106

laten blijven. Arme man, dacht ze plotseling, eigenlijk begrijpt hij nergens iets van.

Toen dacht ze weer aan Bradley. Weer zag ze in gedachten zijn handje, duidelijk en scherp omlijnd zoals de eerste keer. Vervolgens dacht ze aan Bradley's stem. Als je aan Bradley dacht moest je wel aan zijn stem denken, aan zijn gedrens en zijn lach, aan zijn huilbuien en aan de zachte geluidjes die hij maakte als hij op zijn handje blies. Ze had zich dikwijls geërgerd aan die geluiden van Bradley. Waarom voelde zij zich nu dan niet opgelucht in de wetenschap dat ze ze nooit meer zou horen? Ze realiseerde zich dat alleen zij de geluiden kende die Bradley had gemaakt, dat alleen zij zich daaraan had geërgerd en dat zij alleen ze nu dus kon missen. De beide volwassenen die zich daar over zijn doodkist bogen hadden Bradley's stem nooit gehoord. Heimelijk was ze daar blij om. Het was haar beloning voor alle zorgen die ze aan Bradley had besteed, al het gesleep met het kleine broertje, alle keren dat ze hem had aan- en uitgekleed.

Abels tranen vielen op haar hoofd, drongen door haar haren heen tot op haar huid. Ze durfde zich niet te verroeren, ze durfde niet met haar hand over dat natte jeukende plekje te wrijven. Zij hadden van hem gehouden, maar ze hadden zijn stem nooit gehoord. Was het mogelijk dat ze hem hadden gekend zonder zijn stem te kennen? In gedachten zag Margaret het kleine dikke handje van haar broertje moeizaam gebaren in de Taal der Handen. Alles draaide om haar heen en ze had het gevoel dat ze in een diepe put viel. Abel hield haar overeind, drukte haar dicht tegen zich aan. Ze wrong zich los uit zijn armen, ze begon te huilen en riep om Bradley terwijl de doodkist langzaam omlaag zakte in het gat. Plotseling begreep ze dat er een menselijke stem uit het huis was verdwenen nu Bradley dood was, en dat zij in de toekomst al die begrafenisondernemers, kwitantielopers en politiebeambten alleen het hoofd zou moeten bieden. Dat ze al die woorden uit die gulzige zelfzuchtige monden van de Wereld der Horenden helemaal alleen zou moeten opvangen.

10

Ze noemden het „Malaise". Abel zag dat woord dikwijls gedrukt staan en de Ontwikkelde Doofstommen van de kerk
konden het woord met een gebaar uitdrukken in de Taal der
Handen. Abel kon dat gebaar beter herkennen dan het woord
dat hem dikwijls boos of verbitterd door zijn collega's in de
drukkerij werd toegesnauwd. Hij meende dat het echt wel iets
verschrikkelijks moest zijn als de Horenden er zo bang voor
waren. Hij verwachtte eigenlijk dat hij zelf ook wel narigheid zou
ondervinden van die malaise, maar voorlopig veranderde niets en
verliep zijn leven normaal.

Hij voelde het verlies van Bradley dubbel zwaar als hij na zijn
werk thuis in zijn stoel zat. Zelfs de gedachte aan huis was geen
troost meer voor hem, zoals vroeger. Maar hij had plezier in zijn
werk en dikwijls bleef hij overwerken op de drukkerij als de
anderen allang naar huis waren. Zijn collega's behandelden hem
behoorlijk en waardeerden zijn vakmanschap. Al vijftien jaar
lang betaalde hij nu zijn schuld af. Het viel hem nauwelijks op
dat het geld van zijn loon werd ingehouden. Toen de eerste
salarisverlaging kwam maakte hij zich dan ook geen zorgen. Er
was minder vraag naar eersteklas drukwerk. Klanten die voorheen visitekaartjes met gegraveerde letters bestelden, namen
thans met eenvoudige gedrukte kaartjes genoegen. Tijdschriften
gebruikten zo weinig mogelijk kleurendruk en adverteerders
maakten zoveel mogelijk gebruik van bestaande cliché's. De
arbeiders van de drukkerij bespraken deze gang van zaken tijdens
de koffiepauze en schudden verbijsterd het hoofd en Abel voelde
de angst rondom hem groeien als iets tastbaars. Maar toen kwam
plotseling een grote order binnen en iedereen werd haast over-
moedig van blijdschap, alsof God hen had behoed.

De baas had Abel opdracht gegeven een deel van een merkwaardig prentenboek te verzorgen. Het moest op het allerbeste papier worden gedrukt in twee tinten zwart en aan de uitvoering mochten kosten noch moeite worden gespaard. Toch waren het voorstellingen van arme, lelijke mensen, een verwoest en verlaten landschap, uitgehongerde kinderen, in lompen geklede vrouwen en groepjes mannen die verslagen terneder zaten. Wie zou een dergelijk prentenboek willen hebben, vroeg Abel zich af. Hij dacht eigenlijk nooit na over de zin van de opdrachten die men hem gaf, maar deze foto's kwamen hem dermate ongerijmd voor, dat hij zich afvroeg of er misschien een vergissing in het spel was. Het bleef hem hinderen en tenslotte schreef hij een briefje aan meneer Cotter en ging met een paar foto's naar het kantoor om ze hem te tonen. Het moest een vergissing zijn. Die mannen en vrouwen op de foto's keken recht in de lens en de kleren van sommige vrouwen waren zo gescheurd en versleten dat het haast onfatsoenlijk aandeed. Ze keken elkaar niet aan, ze staarden strak voor zich uit, met niets-ziende ogen, als blinden. Hun gezichten waren vertrokken van zorg en verdriet en ze deden zelfs geen poging tot opgewektheid. Hij schaamde zich voor die vreemde mensen, ze maakten hem onrustig en een beetje bang.

Glimlachend las meneer Cotter Abels briefje. Toen pakte hij een pen en schreef: „Dit is een boek over de malaise. Het wordt in een beperkte oplage verspreid, maar het is een belangrijk werk, samengesteld door een beroemd man. Kijk eens naar die prachtige foto's. Een bekend fotograaf heeft ze gemaakt."

„Maar wie koopt zoiets lelijks?" vroeg Abel.

„De rijken."

„De rijken zijn gek als ze geen mooie dingen kopen, bloementuinen of zo."

De baas haalde zijn schouders op. Toen schreef Abel: „Door de malaise krijgen we minder salaris. Zal de malaise alle mensen lelijk maken, zoals deze?"

„*Nee*!" schreeuwde meneer Cotter hem toe en zond hem terug naar zijn werk.

Dagenlang was Abel in de weer met die foto's, en hij kon de gezichten van die arme mensen maar niet vergeten. Hij zag ze in zijn dromen. Met hun holle ogen volgden ze al zijn bewegingen. Als hij een kop koffie naar zijn lippen bracht of zijn warme winterjas aantrok keken ze zwijgend toe. Hun gezichten leken niet op gezichten van Horenden. Die hadden meestal hun mond open. Deze mensen hadden verbeten, verbitterd opeengeperste lippen. In zijn droom meende hij Janice en Margaret te herkennen in die vrouwen met hun slordige piekharen en die katoenen lompen aan hun lijf.

Ook de parochianen voelden langzamerhand de gevolgen van de malaise. De horlogefabriek werd gesloten. Vol goede moed besloten de arbeiders thuis reparaties te verrichten. Maar er kwamen geen klanten. Weverijen, drukkerijen, papierfabrieken, al die werkplaatsen waar Doven zich een plaatsje hadden weten te veroveren, omdat zij geen last hadden van het helse lawaai van de bulderende, stampende en krijsende machines, gingen steeds langzamer draaien en kwamen tenslotte geheel tot stilstand. In 1933 hadden bijna alle Doofstommen het gebaar voor „werkloosheid" leren kennen. De gebroeders Hacker liepen de hele stad af op zoek naar werk; Minify en zijn zoon zaten thuis. Callendar klopte bij familie aan om hulp, hij leerde snel en weinig eten. De familie Dawes verliet de stad. Er werd gefluisterd dat ze bedelend van stad tot stad trokken, in het zuiden van het land, waar niemand hen kende. Nina Alford zei: „Waarom zou ik niet gaan bedelen als we niets meer te eten hebben? Ik kan een bordje met 'Doofstom' voor mijn buik hangen en op straat gaan zitten!" Haar vader sloeg haar zó hard dat ze twee zondagen niet naar de kerk kon. Sommige mensen kwamen niet meer naar de kerk omdat ze geen fatsoenlijke kleren hadden.

In de herfst na Bradleys dood ging Margaret voor het eerst naar school. Ze was toen negen en een half. Eerst schaamde zij zich omdat ze met de kleintjes van zes in één klas moest zitten om te leren lezen en schrijven, maar ze kwam al gauw tot de

110

ontdekking dat ze niet de enige oudere was. Veel immigrantenkinderen van Vandalia Street kwamen ook voor het eerst naar school. De eerste klas had een hele afdeling „buitenlandse achterblijvers". Margaret zat stil en keurig rechtop tussen het wilde gejoel en gekrijs in vele talen, tussen het gestamp en geduw en gesnuif. Ze voelde zich een vreemde. Ze haatte die kinderen. Ze zwaaiden met hun vingers onder elkaars neus, zoals hun vaders deden bij het afdingen op de markt. Ze rolden met hun ogen en schreeuwden met wijdopengesperde monden, zoals hun moeders. Ze stonken naar bedorven kaas en ranzig vet. Alleen Margaret zat stil en zweeg als haar niets werd gevraagd. Tegen december hadden de „achterblijvers" enige vooruitgang geboekt en het leesplankje had plaats gemaakt voor *Ot en Sien*.

De onderwijzeressen waren vriendelijk tegen Margaret en prezen haar om haar netheid en haar goede manieren. Ze droeg haar donkerbruine haar in twee lange vlechten die tot haar middel reikten en van het kwartje dat ze met Kerstmis kreeg kocht ze haarlinten.

Janice was thuis. Het was een vreemd gezicht haar op klaarlichte dag thuis te zien. Ze zat met haar hoed op en haar mantel aan op een keukenstoel en het huis zag er nog precies zo uit als toen ze het die ochtend had verlaten. Margaret tikte haar op de schouder. Ze keek op. „Wat is er gebeurd?" vroeg Margaret. „Bent u ziek?"

Ongeduldig duwde Janice haar opzij. „De premie," zei ze, „ik krijg geen premie meer."

Toen ging Margaret ook zitten. „Wie heeft dat gezegd?"

„Ze hebben het vastgestelde aantal verlaagd en als iemand meer doet dan het vastgestelde aantal betalen ze niets extra's meer. En een naaimachine die stuk gaat wordt niet meer gerepareerd, dan wordt de naaister eenvoudig ontslagen." Met wilde onbeheerste gebaren schreeuwde ze Margaret toe: „Ik heb altijd het snelst gewerkt van iedereen op de afdeling en nu willen ze me precies hetzelfde salaris betalen als de eerste de beste

111

nieuweling?" Plotseling barstte ze in tranen uit. Haar schouders schokten en de tranen stroomden haar over de wangen.

De premie, daarvan werden de zondagse kleren gekocht om naar de kerk te gaan. De premie was iets heel bijzonders. Van het gewone salaris kochten ze eten en werkkleding, dingen die mensen nodig hadden om in leven te blijven, maar de premie bezat de macht hen boven het dagelijks leven uit te tillen, vanaf het ogenblik dat ze hun zondagse kleren aantrokken en Vandalia Street verlieten. Zonder de premie waren ze te armoedig voor die prachtige kerk, die gebrandschilderde ramen, en de rijke plechtige gebarentaal van de predikant. Wat zouden ze moeten beginnen? Ze zaten allebei stil voor zich uit te staren. Zo vond Abel hen, toen hij thuiskwam en het licht aandraaide.

„Kijk me die Doofstommen eens aan!" lachte hij. „Jullie willen zeker ook nog blindemannetje spelen!"

Janice begon opnieuw te huilen en Margaret legde uit wat er was gebeurd.

Tijdens het avondmaal probeerde Abel hen te troosten. „Die drukkerij waar ik werk zal het wel uithouden. Ik heb nog vrijwel altijd een volledige dagtaak en dat terwijl de meeste drukkers niets meer te doen hebben. Webendorf is failliet, heb ik je dat al verteld? Iedereen is gewoon ontslagen."

Plotseling zweeg hij en staarde in gedachten voor zich uit. Toen glimlachte hij. De beide vrouwen keken hem sprakeloos aan, maar hij glimlachte nog breder, stak een sigaret op en zei plechtig met brede gebaren als een redenaar tot zijn gehoor: „Vandaag de dag zijn de Horenden in dit land werkloos. Vandaag de dag gaan bepaalde Horenden van de ene fabriek naar de andere en *smeken* om werk. Vandaag de dag zijn er Horenden die hun oren alleen maar hoeven te gebruiken om de baas „*geen werk*" te horen zeggen. Maar er is *één* Dove die die woorden niet te horen krijgt, één Dove die geen mislukkeling is." Hij keek vergenoegd om zich heen. „Ik vraag me af," vervolgde hij, „of een bepaalde Tolk op het ogenblik misschien ook naar een nieuwe baan zoekt waar hij de mensen kan vertellen dat ze beslist zullen mislukken in het leven."

Margaret keek van Abel naar Janice en van Janice naar Abel. Ze begreep zijn woorden niet, maar ze zag dat hij plezier had en er was sedert Bradleys dood geen blijdschap meer in huis geweest. Ze glimlachte tegen hem en hij lachte haar vrolijk toe.

In het voorjaar, vlak voor de Paasvakantie werden enkele kinderen uit de vreemdelingenbank naar een hogere klas bevorderd. Eén jongen mocht zelfs een klas overslaan. Het was een grote logge jongen. Hij was brutaal en vies en hij sprak met zulk een zwaar accent en gebruikte dermate lelijke woorden dat Margaret aanvankelijk nauwelijks kon geloven dat hij was bevorderd en zij niet. Het was toch niet mogelijk dat zij was blijven zitten! Ze had altijd zo haar best gedaan, altijd opgelet, altijd haar huiswerk gemaakt. Haar werk was toch zeker veel netter en verzorgder dan het zijne? Ze was totaal verslagen en plotseling voelde ze zich doodmoe en wanhopig. Ze had alles gedaan wat ze kon. Als haar werk niet goed genoeg was dan lag de oorzaak vermoedelijk dieper. Dan was zij een mislukkelinge. Die hele dag kon ze aan niets anders denken en ze vroeg zich steeds weer af of ze misschien iets had gedaan dat de afkeuring van de onderwijzeres had opgewekt. Toen de bel ging, kwam ze langzaam overeind. Ze keek langs haar jurk omlaag. Is mijn jurk misschien gescheurd? dacht ze wanhopig, of vuil? Of zit er een vlek op? Misschien is er iets met mijn kousen of mijn schoenen . . .

Juffrouw Lester klapte in haar handen en de kinderen gingen naast de bank staan en liepen in de rij naar de gang. Snel drongen ze langs de onderwijzeres die in de deuropening stond. „Dag Juffrouw." Margaret sloeg haar ogen neer, zodat juffrouw Lester haar verdriet en teleurstelling niet zou opmerken. „Wil je even wachten, Margaret?" Ze bleef staan tot de anderen waren gepasseerd. „Kom even in de klas. Ik moet eens met je praten."

Juffrouw Lester was een dikke, buitengewoon onaantrekkelijke vrouw. Ze had borstelig modderkleurig haar, kleine oogjes en een dikke mopsneus. Haar tanden stonden schots en scheef in haar mond. Ze had een dikke onderlip, een onderkin en wratten. Ze was werkelijk ongelooflijk lelijk, vond Margaret. Haar stem was haar enige schoonheid, die was diep en vol en helder als een klok.

„Ik denk dat jij je afvraagt waarom je niet bent bevorderd, zoals enkele anderen uit de klas," zei juffrouw Lester.

Margaret kon geen woord over de lippen krijgen.

„Je moet vooral niet denken dat ik niet tevreden over je ben." De onderwijzeres zweeg even. „Wij bevorderen de buitenlandse — ik bedoel, de *oudere* leerlingen, zodra hun woordenschat — het aantal woorden dus, dat ze correct kunnen gebruiken — toereikend is, en wanneer ze even goed kunnen lezen als de kinderen in de volgende klas. Begrijp je dat?"

„Ja, juffrouw." Juffrouw Lester knikte en glimlachte even.

„Weet je nog wel dat ik jullie verleden week een proefwerk heb laten maken waarbij je zinnen moest vormen van een aantal woorden. De kinderen uit de derde klas kennen al die woorden en ze kunnen er zinnen van maken." Juffrouw Lester rommelde tussen de papieren op haar lessenaar en haalde Margaret's blaadje te voorschijn. Het was niet eerlijk, dacht Margaret, om haar nu nog verwijten te maken over iets dat een week geleden was gebeurd. „Kijk, hier schrijf je bijvoorbeeld 'de vrouw doet de was in de tunnel'. Weet je wat een tunnel is?"

„Nee, juffrouw."

„Heb je dat woord ooit gehoord?"

„Nee, juffrouw."

„Maar welk woord bedoelde je dan toen je 'tunnel' schreef?"

„Ik weet het niet meer," zei ze verdrietig.

„En hier, het woord *vriendschappelijk*," zei de onderwijzeres en wees op een ander rood onderstreept woord. „Jij schrijft 'Poes en hond sluiten niet vriendschappelijk' maar het moet zijn 'Poes en hond sluiten geen vriendschap'."

114

Weer probeerde ze het Margaret uit te leggen, vriendschap, vriendschappelijk, vriendelijk, vriend. Waarom moesten er zoveel verschillende woorden zijn voor één begrip? Het ging toch allemaal om vriend, nietwaar? Maar vanwege die kleine onbelangrijke verschillen zaten die vieze tweelingbroers Lambrino, met hun eeuwige snotneuzen nu toch maar mooi in de vierde klas, een klas hoger dan zij ondanks alle moeite die zij zich had gegeven.

„Je hebt bovendien dikwijls verzuimd dit jaar," zei juffrouw Lester.

„Dat kwam door mijn moeder."

„Je ouders zijn Doofstom, nietwaar?"

„Ja, juffrouw."

„Kunnen ze helemaal niet horen of spreken?"

„Jawel, juffrouw, ze kunnen spreken, maar ze doen het niet graag, de mensen verstaan ze niet goed."

„Je moeder heeft je dikwijls uit school gehouden."

„Ja, om naar de kliniek te gaan. Ze wil niet praten en ook niet opschrijven wat er met haar is. Dan moet ik met de dokters gaan praten. Soms laten ze je zó lang wachten dat je de volgende dag weer moet terugkomen."

Juffrouw Lester keek haar oplettend maar niet onvriendelijk aan. „Hebben ze iets voor je moeder kunnen doen in de kliniek?"

„Ze weten niet wat het is. Ze heeft te veel bloedingen en -" Margaret zweeg en bloosde diep. Het was een kwelling voor haar, die gang naar de kliniek, waar ze met jonge dokters over al die vieze enge dingen van vrouwen moest praten.

Juffrouw Lester had zich afgewend. Ze bloosde eveneens. Margaret zag dat haar nek vuurrood werd. Ze vroeg zich af of de wratten nu ook rood zouden worden. Even later draaide ze zich weer om. De wratten hadden hun normale kleur. „Denk vooral niet dat je voor straf in deze klas moet blijven," zei ze. „Als je hard werkt en goed je woordjes leert ga je gewoon over met de anderen. Weet je waarom Taddeuz zo goed vooruitgaat?

115

Omdat hij leest. Die jongen leest een stuk of vier boeken per week, zodoende leert hij een heleboel woorden die niet in de spreektaal worden gebruikt. Lezen jullie thuis boeken?"

„Nee, juffrouw."

„Vreemd, je zou toch denken dat Doofstommen . . ." mompelde de onderwijzeres. „Nou ja, doe in ieder geval je uiterste best om je woordjes goed te leren en lees iedere middag een stukje uit je leesboekje. Luister naar mij en naar juffrouw Follett en probeer te spreken zoals wij. Je hoort mij dikwijls genoeg zeggen *zij heeft,* maar nooit *zij heb."*

„Ja juffrouw," mompelde Margaret en wilde opstaan, maar plotseling legde juffrouw Lester een hand op haar schouder. „Je weet toch wel, Margaret, wie ons deze beproevingen oplegt, nietwaar?" Margaret keek een beetje verschrikt op. Juffrouw Lesters stem klonk zo doordringend. „God doet dat, God stelt ons op de proef. Hoe meer God van een mens houdt, hoe meer Hij hem beproeft. Je moet altijd dankbaar zijn, Margaret, voor dit bewijs van Gods liefde voor jou." Op zachte toon vervolgde ze: „Je zult God misschien niet altijd dankbaar zijn dat Hij jou heeft uitverkoren. Je zult misschien wensen te zijn als andere kinderen. Je zult misschien zelfs wensen dat je ouders zijn als andere ouders" — ze aarzelde even en voegde er toen aan toe — „maar dat zijn dwaze wensen, Margaret, wensen die niet stroken met Gods bedoelingen. Je moet altijd dankbaar zijn dat Hij jou heeft uitverkoren."

Heel langzaam liep Margaret naar huis. Ze liet haar gedachten gaan over al die woorden, die hele vriendelijke stroom van woorden, om dat ene woord te ontdekken waarin haar schande lag verborgen. Als iemand had gezegd dat ze dom was, of een mislukkelinge had ze zich minder hulpeloos, minder bedreigd gevoeld. De hand van juffrouw Lester op haar schouder was allerminst beschuldigend geweest, integendeel, eerder troostend en hartelijk, en de woorden die ze begrepen had waren eerder

116

prijzend dan afkeurend geweest. Ze had zelfs een lieve, hartelijke uitdrukking op haar gezicht gehad. Het moest iets zijn in de woorden zelf, die bedrieglijke vijanden die hun geheim niet prijs gaven, die de waarheid voor haar verborgen hielden. Alleen woorden konden zo diep grieven.

Zonder te groeten liep ze langs de open deur van meneer Petrakis de trap op naar het appartement. Ze opende de voordeur met de huissleutel die aan een touwtje om haar hals hing. Ze smeet haar boeken op tafel en zei hardop: ,,Alleen maar een heleboel woorden". Toen ging ze zitten en begon te huilen. Als ze die woorden maar kon gebruiken, als zij ze maar in haar macht had, als ze er maar die vreemde toverkracht uit kon putten die zelfs Taddeuz eruit kon putten terwijl ze daar toch roerloos op de pagina's van zijn boeken lagen! Een enkel woord kon zoveel verschillende betekenissen hebben, het kon het tegenovergestelde betekenen van hetgeen je zou denken. Een woordenspel was een uiterst gevaarlijk spel. Het was niet voldoende dat je de woorden kon horen. Haar ouders meenden dat horen het allerbelangrijkste was. Hoe zouden zij ooit kunnen begrijpen dat Margaret ondanks het feit dat ze uitstekend hoorde ten onder ging in de zinloze vloedgolf van woorden die zij niet kon verstaan?

11

Maar toen ze eindelijk luisteren kon begreep ze de bittere waarheid: arme mensen spraken anders dan rijke mensen. Margaret realiseerde zich dat de onderwijzers op school, meneer Kaplan, de drogist, en de oude meneer Golos die bij meneer Petrakis achter de toonbank stond, niet werkelijk Arm waren. Dergelijke mensen hadden misschien geen geld, maar arm waren ze niet. Ze was toen dertien jaar en erg verlegen, maar ze wist dat meneer Protheroe, haar onderwijzer, haar graag mocht en op een dag vroeg ze hem hoe dat kwam van dat verschil. Hoe hadden hij en de andere onderwijzers op die manier leren spreken? Hij zei een heleboel tegen haar en ze begreep het niet allemaal, maar ze begreep wel dat volgens hem iedereen goed kon leren spreken, als je maar oplette en luisterde naar ontwikkelde mensen en de woorden gebruikte die zij gebruikten. Als dat waar was, dacht ze dan zou zij ook behoorlijk kunnen leren spreken, dan zou ze niet langer tot de armen hoeven te behoren. En zo begon Margaret koppig en vastberaden te luisteren. Aanvankelijk wist ze niet precies waar ze moest beginnen. Ze treuzelde in de drogisterij, zodat ze meneer Kaplan kon horen praten tegen zijn domme boodschappenjongen en ze talmde in de gang van de school om een gesprek tussen een aantal onderwijzers te kunnen volgen. Ze bleef in het pandjeshuis rondhangen om de oude Golos te horen praten. Eindelijk had ze het gevonden. Meneer Golos had een radio gemaakt van de onderdelen van drie oude radiotoestellen, en uit die radio kwam een onafgebroken stroom woorden. Op een dag wenkte meneer Petrakis naar Margaret toen ze langs zijn winkel liep. Ze ging het overvolle winkeltje binnen en luisterde naar het radiohoorspel *Het Zondagskind,* een liefdesgeschiedenis in zestien delen, vol elegante romantiek.

Vanaf dat ogenblik zat ze iedere dag achter de toonbank te

luisteren. Gretig nam ze al die valse romantiek, al die gepolijste reklamezinnen in zich op. Ze moest en zou die taal onder de knie krijgen, dan zou ze slagen in het leven. De verhalen zelf interesseerden haar niet, het nieuws evenmin, de woorden, de zinswendingen, die waren belangrijk. Haar huiswerk maakte ze 's avonds na het eten aan de keukentafel.

In december van dat jaar verlaagde meneer Cotter de salarissen in de drukkerij. Abel haalde zijn schouders op en klaagde niet, maar de drukkerij kreeg moeilijkheden met de vakvereniging. Janice voorspelde hoofdschuddend dat hij weldra zonder werk zou zijn. Ze haatte de vakbeweging sinds de tijd dat die een einde had gemaakt aan haar thuiswerk. Ze misten de premie, maar Janice verveelde zich allerminst gedurende haar gedwongen vrije dagen. Er was pas een nieuwe kliniek geopend in Bisher Street, daar zaten Margaret en zij dikwijls urenlang te wachten. Ze had last van haar rug... haar nek... ze was moe. Pijnen onder in haar buik, urine... ingewanden... Soms was ze benauwd... ja, dáár had ze pijn. Soms werd Margaret plotseling bang als ze naar die klagende vrouw keek met haar verdrietige ogen. Dan vroeg ze aan de dokter: ,,Is mijn moeder ernstig ziek?'' Op zijn eigen onbegrijpelijke, grappige wijze antwoordde de Horende dokter dan: ,,Nee hoor! Een hoop geld en een vakantie in Florida en ze is genezen! Hier heb je een recept. Zorg dat ze die pillen inneemt.''

Omdat ze nu via de radio had geleerd hoe ze zich moest gedragen, zei ze: ,,Dank U, dokter, wij zijn U voor eeuwig dank verschuldigd''. Verbaasd staarde de dokter hen na toen ze vertrokken.

In het voorjaar werd Abels salaris weer verhoogd. Cotter kreeg orders voor kalenders, voor bioscoopkaartjes en reklamebiljetten van kleine firma's die aan de rand van de afgrond leefden. Sommige zaken ging failliet voordat ze de reklamebiljetten hadden betaald, dan bracht Abel de reklamebiljetten mee naar huis en gaf ze aan Margaret om als kladpapier te gebruiken. Ze nam ze mee naar school en verdeelde ze onder haar klasgenoten. Eerst kreeg ze Delany Porselein en Glaswerk, daarna Kaminsky stoffen. Dat waren prachtige reklameplaten van dames in genopte voorjaarstoiletten van kunstzijde. De jaren van de grote malaise gingen voorbij en Margaret behoorde zo langzamerhand tot de beter gesitueerde gezinnen van Vandalia Street. Haar vader had vast werk. Ze werd de laatste tijd hier en daar uitgenodigd en verscheidene meisjes imiteerden haar. Haar keurige verschijning, haar rustig bescheiden voorkomen, haar zwijgzaamheid.

Ze had er nogal tegenop gezien om naar de middelbare school te gaan, maar het viel erg mee. Ze was er een beetje eenzamer dan op de lagere school en ze moest veel harder werken, maar daardoor ging de tijd snel voorbij. Ze had niet veel echte vriendinnen, maar de meisjes van haar klas mochten haar graag. Hoewel iedereen wist dat haar ouders Doofstom waren bracht Margaret zelden of nooit vriendinnen mee naar huis. Ze had een vreemde angst voor een confrontatie tussen het horende en het dove deel van haar leven. Ook de andere meisjes uit Vandalia Street schenen dergelijke gevoelens te kennen. Zij schenen thuis ook een heel ander leven te leiden. Hun ouders leefden dikwijls nog volgens de zeden en gewoonten van het oude vaderland. Hun moeders droegen vreemde gewaden en brabbelden soms een onverstaanbaar taaltje. Alle meisjes wilden op Ginger Rogers lijken of op Irene Dunne. Ze spraken achteloos over seks en maagdelijkheid, over geld, drank en mannen en imiteerden de koele, hooghartige, onafhankelijke houding van de filmsterren. Zo zag Hollywood de Newyorkse vrouw. Hun conversatie bestond uit korte geestige opmerkingen, ook dat was hoogst modern en Margaret, die zich nog steeds te pas en te onpas van haar afgezaagde radiozinnetjes bediende, keek in stomme bewondering op naar die vlotte meisjes in hun korte rokjes. Ze genoten van haar bewondering, daarom werd ze als een soort randfiguur toegelaten in enkele hoogst populaire groepjes. De jongens vonden haar verlegen, bedeesde houding erg aantrekkelijk. Toch ging ze weinig uit.

Onder de parochianen waren Abel en Janice thans opgeklommen tot de klasse die ze lang geleden, in de Zomer van de Mooie Kleren, de Ring en de Auto, hadden getracht te imiteren. De helft van de dove parochianen had geen vaste betrekking en de overigen werkten merendeels ver beneden hun capaciteiten. Abel had gedurende zes maanden minder verdiend, maar hij was niet zonder werk geweest en nu, in 1938, had hij meer werk en een hoger salaris dan ooit te voren. Het werd hem duidelijk dat hij om deze redenen een zeker aanzien had verworven in de parochie. Hij betaalde nu al negentien jaar lang zijn schuld af. Nog één jaar, dan zou het hele bedrag, inclusief de rente zijn betaald. Geen van de parochianen wist iets van die schuld. De autohandelaar was al lang geleden failliet gegaan en vertrokken. Abel leek ouder dan zijn negenendertig jaar en daar deed hij ook zijn best voor. Soms ging hij voor de spiegel staan en stak zijn buik vooruit. Dat gaf hem een zekere waardigheid, vond hij zelf. Tegenwoordig groette iedereen hen als ze de kerk binnenkwamen. Aanvankelijk wekte al die vriendelijkheid Janices wantrouwen. „Ze willen natuurlijk dat jij hen aan werk helpt," zei ze. Maar ze begon meer zorg aan haar uiterlijk te besteden en Abel merkte dat haar kwaaltjes langzamerhand verdwenen.

In april kwamen dominee Maartens en zijn vrouw bij hen dineren. Mevrouw Maartens was een klein, tenger vrouwtje. In het begin van haar huwelijk was ze doof geworden door een val uit de tram. Het was Gods wil geweest, zei de dominee dikwijls. Door dat ongeluk van zijn vrouw had hij zijn roeping gekregen. Abel en Janice kochten een nieuwe tafel vanwege hun gasten, de eerste gasten sedert Bradley's dood. Janice haalde haar mooiste borden en schalen voor de dag en ze kookte de maaltijd met overgave.

Na het eten leunde dominee Maartens achterover in zijn stoel, om hen het doel van hun komst te vertellen. Abel en Janice leken eveneens ontspannen, maar de onzekere blik in hun ogen getuigde van het tegendeel. Ze vroegen zich voortdurend af waarom de dominee hen had willen bezoeken. Was hem misschien iets ter ore gekomen van hun schuld? De dominee sprak met zijn bekende rustige gebaren. Onze Doofstommen-gemeente is maar klein vergeleken bij die van andere steden. Maar momenteel werden die gemeenten overal in Amerika ontbonden omdat de mensen van stad tot stad trokken, op zoek naar werk. Janice's gezicht verstrakte. Wat wilde hij eigenlijk? De Doofstommen van deze gemeente, vervolgde de dominee onverstoorbaar, hadden behoefte aan afleiding, iets dat tevens een band zou kunnen vormen, iets dat hen af en toe zou kunnen opvrolijken in de huidige benarde omstandigheden. Hij had in dit verband aan de film gedacht.

De film? Janice was stomverbaasd. Abel keek hem verbijsterd aan. De film? Margaret begon te lachen en ook Abel en Janice lieten een kakelend geluid horen dat ze in hun jukbeenderen konden voelen. Toen lachten dominee en mevrouw Maartens eveneens en het ijs was gebroken.

Toen hij op een avond in de bioscoop was, vervolgde de dominee, bedacht hij plotseling dat de bioscoopeigenaar wellicht bereid zou zijn groepen tegen gereduceerde prijzen toe te laten. Hij had dit met de eigenaar van de bioscoop dichtbij de kerk besproken, en deze had gezegd dat hij het voorstel in overweging zou nemen.

Abel vond het een goed plan. Janice en hij waren een paar maal naar de bioscoop geweest en hoewel de acteurs spraken zonder hun lippen te bewegen, zodat ze het verhaal maar ten dele konden volgen, hadden ze er toch van genoten. Voor een groep Doven zou het een aangename ontspanning kunnen zijn.

„Misschien zoudt U de parochianen aanstaande zaterdag eens willen polsen, of ze belangstelling hebben voor het plan," zei dominee Maartens.

Abel beloofde dat te doen. Ze babbelden nog een tijdje en

Abel was zeer tevreden over de avond. „Ik geloof dat de dominee mij waardeert. Heb je gemerkt dat hij mijn raad vroeg?" Janice duwde de nieuwe tafel tegen de muur. „Misschien word ik nog wel eens een belangrijk persoon in de parochie."

„Dan komen er nog meer mensen bij je bedelen om een baantje."

„Want ik word gewaardeerd in de parochie," vervolgde Abel onverstoorbaar.

„Als Uwe Edele zo vriendelijk zou willen zijn zijn grote voeten even op te tillen," plaagde Janice, „dan zou ik de kruimels kunnen opvegen die onder Uw stoel liggen. Véél meer kruimels trouwens dan onder de andere stoelen."

„De dominee," zei Abel en imiteerde de handgebaren van dominee Maartens, „en de vrouw van de dominee hebben hun kruimels stiekem onder mijn stoel geschopt."

Margaret keek naar de speelse gebaren van haar ouders. Haar moeder leek opeens jaren jonger, haar vader minder nerveus, zekerder van zijn zaak. Ze hield zich doodstil om de betovering van dat ogenblik niet te verbreken. Ze dacht aan haar schoolvriendinnen die dikwijls minachtend spraken over de ouderwetse manieren van hun ouders. Maar soms meende ze een glimp van verlangen te zien in de ogen van Lyuba die op school Lilly werd genoemd, of van Kati, die voor haar natuurlijk Kathy heette. En plotseling begreep ze dat het liefde was die tussen deze mensen zichtbaar werd in hun stille gebaren. De woorden zelf waren onbelangrijk. Zij dienden als een soort pijnstiller voor het feit dat ze naakt tegenover elkaar stonden met al hun stemmingen en eigenaardigheden, hun leugens en hun kleinzieligheden, zo door en door bekend voor elkaar.

Er was veel belangstelling voor het filmplan, zelfs degenen die werkloos waren, zeiden dat ze zouden trachten het benodigde geld bijeen te krijgen. Dominee Maartens zei tegen Abel dat ze waarschijnlijk af en toe wel een aantal vrijkaartjes zouden krijgen. De bioscoopeigenaar was zeer onder de indruk van het feit dat het merendeel van deze mensen nog nooit een film had gezien en dat dit waarschijnlijk hun „stamtheater" zou worden mits hij de Taal der Handen wilde introduceren. Zowel Abel als de dominee wisten dat hun parochianen gewoonte-mensen waren, die evenals blinden, grotendeels afhankelijk waren van de continuiteit van situaties, maar ze spraken hier niet over. De dominee niet omdat hij een Horende was en Abel niet omdat hij er zich een beetje voor schaamde. Ze wisten allebei dat de Doven van heinde en verre zouden komen, als hun filmavonden eenmaal een gewoonte waren geworden. De speciale voorstellingen voor Doven zouden zeker volle zalen trekken, onverschillig welke film werd vertoond.

De dominee had weer een afspraak gemaakt met de eigenaar van het theater en ditmaal stond hij erop dat Abel zou meegaan. Druk pratend liep hij met Abel voorop. Achter he kwamen de beide dames en Margaret.

Het was april, maar na twee weken prachtig lenteweer vroor het weer en de ijskoude wind die hen bij vlagen in het gezicht blies, deed hun de adem soms in de keel stokken. Ze sloegen de hoek om van Melotte Road en zagen het bioscooptheater in de verte. De beide mannen gingen naar binnen en de vrouwen bleven in de hal wachten. Overal hingen gekleurde platen en foto's uit de film die momenteel werd vertoond. De dames bekeken de foto's aandachtig, maar een beetje tersluiks, want de voorstellingen waren haast al te intiem. Het leek wel of je iemand in zijn eigen huis bespiedde. De vrouwelijke filmsterren verkeerden kennelijk in benarde situaties en de mannelijke filmsterren waren allemaal boos. Margaret had deze film niet gezien, maar ze had zoveel andere films gezien, dat ze zich niet liet beetnemen door die plaatjes die een groots drama voorspelden. Ze hield van de film omdat ze heel goed wist dat niemand op het witte doek werkelijk in een verwarde situatie verkeerde en omdat alles uiteindelijk altijd weer op zijn pootjes terecht kwam. Janice kon haar ogen niet afwenden van de mensen op die foto's, die daar maar zaten te lijden in hun prachtige kamers. Het leek haar absoluut uitgesloten dat iemand die in een dergelijke weelde leefde echt ongelukkig kon zijn. Alle vrouwen op de foto's waren mooi en rijk. Janice besloot dat ze niet naar een film zou gaan waarin arme mensen voorkwamen.

Met vrolijke gezichten kwamen de beide mannen tenslotte weer naar buiten en dominee Maartens nodigde hen uit voor de lunch. Zijn vrouw beet zich op de lippen, maar herstelde zich snel. Janice had het begrepen en sloeg de invitatie af die Abel juist had aangenomen. Ze namen afscheid en gingen ieder hun eigen weg. Abel was zo opgewonden en vrolijk dat hij er niets voor voelde om nu direct naar huis te gaan. Hij wenkte Janice en Margaret en samen slenterden ze de straat door, langs de winkels en restaurants. Als dominee Maartens volgende week in de kerk het nieuws zou vertellen van de wekelijkse filmavond tegen een verlaagd tarief voor Doofstommen, zou hij beslist ook spreken over Abels aandeel in de voorbereidingen.

Janice wilde weten wie als tolk zou worden gevraagd. Zij vond dat ze het recht had te eisen dat Margaret dit baantje zou worden aangeboden. Ze gingen een restaurant binnen en bestelden koffie en oliebollen. Buiten zagen ze de mensen diep weggedoken in hun jassen, voorbij lopen. Een man bleef naast het raam staan. De voorbijgangers passeerden hem. Hij stond zeker op iemand te wachten. Een koude aangelegenheid op een dag als vandaag. De Ryders verlieten het restaurant en liepen naar de bushalte. Ze passeerden de wachtende man. Hij droeg een veel te grote tweed jas en een versleten geruite pet. Toen zagen ze plotseling het witte kartonnen bord voor zijn borst. IK BEN DOOFSTOM, stond erop geschreven. In zijn uitgestrekte hand hield hij nog een pet met geld. Ze bleven alle drie stokstijf staan. De man keek hen aan. Abel deed een stap in zijn richting. „Waar kom je van-daan?" Zijn gebaren waren kort en afgemeten.

„Smeer 'm," antwoordde de man. „Dit is mijn wijk."

„Maak dat je weg komt," zei Abel. „De mensen zullen denken dat wij allemaal zijn zoals jij."

„Val dood," antwoordde de man.

„Ga alsjeblieft weg," smeekte Abel. „Waarom ga je niet naar een grote stad? Er zijn hier al zoveel Doofstommen die geen werk kunnen vinden!"

„Als de Horenden jou met mij zien praten weten ze meteen dat jij ook doof bent," grijnsde de bedelaar. Hij liet het geld uit de pet netjes in de grote zakken van zijn jas glijden. Abel voelde het bloed naar zijn hoofd stijgen. Hij balde zijn vuisten. Janice en Margaret keken elkaar aan. Toen legde Janice haar hand op Abels schouder. Ze schrokken altijd weer van die bedelaars, ze leken allemaal op elkaar.

Margaret zag dat voorjaar veel bedelaars op de hoeken van de straten en later, toen de liefdadigheid in de stad blijkbaar was uitgeput en ze naar het noorden trokken, keerden ze regelmatig terug in haar dromen.

12

De eerste twee jaar van haar middelbare schooltijd werkte Margaret tijdens de zomervakanties voor meneer Petrakis in het pandjeshuis. Hij betaalde haar vrijwel niets, maar met veel geduld leerde hij haar boekhouden en inventariseren.

Ze werkte graag met cijfers. Cijfers bezaten een bepaalde logica. Al waren de getallen nog zo ingewikkeld, je kon er tenslotte toch altijd uit wijs worden. Eén fout in een kleine optelling kon soms een verschrikkelijke verwarring veroorzaken, maar in tegenstelling tot woorden, kon je met cijfers altijd terugkeren tot de oorsprong en de fout herstellen. Margaret gaf zeer beslist de voorkeur aan cijfers boven woorden. Toen ze na die eerste zomer weer terug was op school merkte ze dat ze veel had geleerd van dit vakantiewerk. Haar school leidde niet op voor een academische studie. De leerlingen konden kiezen tussen een handels-, een ambachtelijke- of een huishoudelijke opleiding. Margarets leraressen drongen erop aan dat zij zou omzwaaien van de huishoudelijke naar de handelsopleiding. Aanvankelijk had ze daar een zwaar hoofd in. Haar Engels stelde nog niet veel voor en haar kennis van de spraakkunst was zeer beperkt. Maar nu ze de handelsopleiding had gekozen behoorde ze tot de elitaire, toonaangevende groep van de school. De meisjes die de handelsopleiding volgden spraken nooit over het huwelijk. Als een leerlinge in het tweede of derde jaar de school verliet om te trouwen, zeiden ze op beschermende toon dat ze zeker in moeilijkheden was geraakt, dat het beslist een gedwongen huwelijk was. Niemand zou zichzelf toch vrijwillig veroordelen tot een huis vol schreeuwende kinderen en een leven achter de wastobbe? Margaret knikte zwijgend en bedacht vol schrik dat zijzelf ternauwernood aan een dergelijk verschrikkelijk lot was ontsnapt. Over twee jaar, zeiden de meisjes, zouden zij midden in de zakenwereld staan. De wereld van Ginger Rogers. In de bioscoop gaven ze hun ogen goed de kost, zodat ze precies wisten welke chique mantelpakjes ze later op kantoor zouden moeten dragen en hoe ze al die brutale vertegenwoordigers op een afstand moesten houden.

Margaret werkte hard. Ze zat 's middags na schooltijd urenlang in de bibliotheek te lezen om haar Engels bij te spijkeren en 's avonds na het eten gaf ze met een paar ongeduldige gebaren aan haar ouders te kennen dat ze moest werken en verdween opnieuw achter de boeken. Abel was trots op zijn dochter. Hij had ontzag voor het gemak waarmee zij zich bewoog in de Wereld der Horenden, voor haar charmante vrouwelijke souplesse, voor de zorg die zij besteedde aan haar uiterlijk. Slechts ten dele schertsend zei hij soms tegen haar dat hij haar nauwelijks kende. Janice was minder gelukkig met de ontwikkeling die haar dochter doormaakte. Ze was dikwijls verbitterd. Meerdere malen stond ze te wachten voor de school, in de hoop dat Margaret naar buiten zou komen tijdens de lunchpauze. Ze wilde met haar naar de kliniek, maar Margaret kwam nooit te voorschijn en dan stond Janice daar verloren te midden van die moderne meisjes met hun rood geverfde monden en hun harde ogen.

„Ze weet heel goed dat ik ziek ben en dat ik haar nodig heb," klaagde Janice tegen Abel. „Ze weet best dat ik sta te wachten. Ze kan me door het raam zien, maar ze laat me gewoon staan tussen al die meiden met hun rood geverfde monden!"

„Je weet heel goed dat de middelbare school heel iets anders is dan de lagere school. Als ze op deze school te laat komt kunnen ze haar van school sturen. Ze heeft je gezegd dat ze pas na schooltijd met je naar de kliniek kan gaan."

„De school is om vier uur uit."

„Ik zal met haar praten."

Maar dat was hem onmogelijk. Ook voor zichzelf kon hij geen gunsten vragen. Toen hij kerkmeester werd en iedere zaterdag tijdens de dienst rond ging met de collecteschaal, was hij eindelijk niet meer bang voor de wereld, hield hij zich niet langer afzijdig vanwege de woorden die een tolk lang geleden tot hem had ge-sproken. Maar van Margaret verlangde hij iets anders. Hij ver-langde ernaar dat ze rustig bij hem zou gaan zitten totdat hij de woorden had gevonden om haar alles te vertellen van zijn leven, van vroeger. Hij wist dat Janice haar nooit iets had verteld van de schuld en van hun eerste huwelijksjaren en dat deed hem verdriet. Hij wilde deze herinneringen delen met zijn dochter, maar het lukte hem niet door de geverniste buitenlaag van haar leven te breken, ook al zat hij soms lang te wachten tot ze klaar zou zijn met haar huiswerk.

Gedurende haar laatste schooljaar werkte Margaret in de zomervakantie in een kleine drukkerij. Haar vader had haar dit baantje bezorgd en ze had er vrijwel onmiddellijk een hekel aan. Ze werkte als typiste en boekhoudster, maar meneer Harger, een kale zorgelijke man, die voortdurend in angst leefde voor een volgende catastrofe, zoals destijds in Rochester, joeg haar op en werkte verschrikkelijk op haar zenuwen. Margaret haatte de vuile werkplaats. Altijd zat haar witte gesteven blouse vol drukinkt en het onafgebroken helse lawaai van de drie drukpersen was on-duldbaar. Zij typte brieven, nam orders op, deed de boekhou-ding, bestelde materialen en hield de schuldeisers van de deur. Als de dag voorbij was ging ze naar huis en sliep een diepe ver-moeide slaap waaruit ze onverkwikt ontwaakte om de nieuwe dag te beginnen. In haar dromen zag ze de drukkerij als een martelkamer of als een helse vuurspuwende locomotief, die steeds maar weer gevoed moest worden. Iedere week bracht ze het loonzakje dat Harper haar met een zuur gezicht toeschoof, onge-opend thuis. Janice en Abel waren blij met die extra inkomsten. Ze wist het en aanvankelijk was dit een troostende gedachte. Ze kochten nog een paar stoelen en een elektrisch strijkijzer en Janice had haar zinnen gezet op een elektrische koelkast. Maar na verloop van tijd had Margaret geen belangstelling meer voor de dingen die ze kochten of de dingen die ze van plan waren te kopen. Voor haar bestond er niets meer buiten haar zware onverkwikkelijke slaap en het helse lawaai, de hitte en het vuil waartussen ze haar dagen sleet. Toen het eindelijk september werd, voelde Margaret zich als een schipbreukelinge die tegen haar eigen verwachtingen in toch nog was gered. Ze genoot van de stilte in de klas tijdens de lesuren.

Haar klasgenoten waren zeer onder de indruk van haar vakantiebaantje. ,,Margaret heeft voor een uitgeverij gewerkt."

,,Welnee, het was een drukkerij."

,,Nou ja, maar je hebt ze toch in ieder geval uit de moeilijkheden geholpen!"

Ze trachtte hen uit de droom te helpen maar ze wilden niet luisteren, ze wilden hun eigen illusies behouden.

,,Je hebt niet alleen maar de boekhouding gedaan, hè?"

,,Nee -"

,,Zie je wel, je hebt je natuurlijk onmisbaar gemaakt. En heb je veel last gehad van de vertegenwoordigers? Wilden ze allemaal afspraakjes met je maken?"

Ze hadden allemaal wel eens Jean Arthur of Ann Sheridan op het witte doek gezien, als de koele super-efficiënte secretaresse. Ze wisten precies hoe dat ging.

Een tijd lang probeerde Margaret hen een andere visie bij te brengen, maar tenslotte wist ze zelf haast niet meer of meneer Harger nu de moeilijke directeur was geweest en zij zijn eeuwig efficiënte, geestige secretaresse, of dat hij een bange oude man was en zij het manusje-van-alles, zoals ze aanvankelijk had gedacht.

Tenslotte gaf ze zich over aan die illusie, zodat ze weer kon dromen van haar toekomst in die legendarische kantoren daar in het welgestelde, romantische deel van de stad. De zakenwereld. De meisjes spraken er voortdurend over.

Sommige leraren spraken over de oorlog. Een oorlog met Duitsland. Margaret wist dat Engeland werd gebombardeerd en in de pauze tussen twee hoofdfilms werden soms beelden vertoond van de oorlog op het vasteland van Europa. Ze had gezien

130

hoe Japanse soldaten Chinese babies aan hun bajonetten regen en ze haatte ze, maar ze dacht niet lang na over deze gruweldaden. De problemen van haar eigen wereldje namen haar geheel in beslag. Enkele jongens van haar school die verleden jaar examen hadden gedaan, waren er niet in geslaagd een betrekking te vinden, daarom hadden ze dienst genomen in het leger. Als Europa de Verenigde Staten nu in hemelsnaam maar met rust wilde laten.

„Karen weet wat ze van haar ouders krijgt voor haar eindexamen!" fluisterde Vera haar toe. Ze vertelden elkaar allemaal van hun hoop en hun verwachtingen. Jocelyn wist dat ze de laatste twee parels en het slotje zou krijgen die haar parelsnoer zouden completeren. Enkele andere meisjes zouden familiesieraden krijgen, oorbellen of een juwelen speld. De Italiaanse meisjes zouden hun kleine-meisjes-oorbelletjes afleggen en grotere gouden ringetjes in hun oren dragen of oorknopjes met edelstenen om aan te tonen dat ze nu oud genoeg waren om met jongens uit te gaan. Margaret durfde haar wens nauwelijks uit te spreken, maar ze had nog nooit in haar leven iets zó zeer begeerd. Het was een radio. Ze had hem in de etalage van Ostrander gezien. Ze was er zeker wel tien maal langs gelopen met Abel en Janice. Dan had ze er lang en verlangend naar gekeken. Het was niet het allernieuwste model radio, maar hij was gloednieuw. De mooie houten kast had de vorm van een klein Gotisch kerkraam. Het toestel zag er stevig uit en ze zou het overal met zich mee kunnen nemen. Op een dag had ze al haar moed verzameld. Ze was de winkel binnengestapt om naar de prijs te informeren. De winkelbediende had de radio voor haar aangezet en het geluid was zo helder en zuiver, heel iets anders dan het blikken geluid dat uit de oude radio van meneer Petrakis kwam. De radio kostte dertig dollar. Verschrikkelijk veel, vond ze.

Sommige meisjes van haar klas wisten dat ze niet op een kado hoefden te hopen dit jaar en meer dan één had nog nooit in haar

131

leven een kado gekregen. Die meisjes speelden toneel. Ze beweerden dat ze hoopten op een bontkraag of een ring met een parel of een polshorloge. Maar hun woorden klonken niet overtuigend.

Niemand twijfelde aan Margarets woorden en hoewel ze niemand vertelde wat ze hoopte te krijgen, wisten ze allemaal dat ze praktisch en nuchter genoeg was om niets onbereikbaars te verlangen. Haar vader was een goed vakman en hij was al die lange jaren van de malaise niet zonder werk geweest. Bovendien was ze enig kind. Er werd wel eens gezegd dat haar moeder nors en achterdochtig was, maar niemand wist, wat Margaret wist — dat haar vader ontzaglijk trots op haar was. Maar ze vreesde dat Abel en Janice haar hartewens wellicht toch nog niet hadden geraden. Daarom zei ze op een avond na het eten toen ze alle drie om de tafel zaten: „Alle jongens en meisjes krijgen een kado van hun ouders als ze eindexamen hebben gedaan. Ze zijn allemaal ontzettend benieuwd wat ze krijgen."

Abel glimlachte haar toe. Zijn gebaren waren zelfverzekerd toen hij zei: „We hebben al een plan. Er wordt voor gespaard. Het zal een grote verrassing voor je zijn."

„Oh, zeg me alstublieft wat het is!"

„Het is iets elektrisch," antwoordde hij, „iets om trots op te zijn."

„Voor iedereen? Voor Horenden?"

„Uitsluitend voor Horenden," zei hij.

Dan had hij haar hartewens dus toch geraden! Ze wilde hem bedanken, ze wilde hen allebei bedanken. Plotseling bedacht ze dat haar ouders toch wel heel veel van haar moesten houden als ze haar een radio wilden geven. Een radio was tenslotte een symbool van het verschil tussen hen. De trotse en tevens treurige erkenning van een verwijdering, die haar in de richting van de wereld dreef, weg van hen. De radio had voor hen geen enkele waarde, uitsluitend voor haar. Hoe zou ze hen kunnen bedanken voordat ze haar hun geschenk hadden gegeven? Hoe zou ze hen kunnen bedanken voor hun begrip, dat haar nog veel gelukkiger maakte dan de wetenschap dat ze de radio zou krijgen?

Ze letten niet meer op haar. Ze spraken over de bruiloft die aanstaande zaterdag na de kerkdienst zou worden gevierd in het parochiehuis. Ze zouden de hele middag en een groot deel van de avond daar doorbrengen met hun vrienden. De bruidegom was een jongeman uit Rochester. Men zei dat hij de Taal der Handen nog beter beheerste dan de dominee. Ze zat stil naar hen te kijken, naar hun tevreden gezichten achter hun vrolijke dansende handen. Hoe vol verlangen wachtten ze tegenwoordig op hun zaterdagen. Haar moeder kon goed liplezen en vrij behoorlijk spreken. Meestal verstonden de mensen haar. Maar toch was de Taal der Handen de enige echte Taal voor haar, de enige werkelijke vorm van communicatie. Vol liefde en begrip zat ze zwijgend naar hen te kijken.

Die zaterdag op weg naar de kerk passeerden ze de etalage van Ostrander weer. Ze zagen zichzelf weerspiegeld in de etalageruit. Ze droegen voor het eerst dat jaar voorjaarskleding. Janice en Margaret droegen zachte pastelkleurige toiletjes met korte mouwen, Abel een gesteven wit overhemd, een donkergrijs kostuum met een smal wit streepje en een goed geborstelde grijze hoed. Even bleven ze staan en bekeken zichzelf in de etalageruit, twee degelijke gezeten burgers met hun lieftallige dochtertje. Mensen van de wereld, dacht Abel en drukte glimlachend zijn hoed iets steviger op zijn hoofd. We zien er uit als mensen uit de betere woonwijken, dacht Janice terwijl ze haar jurk glad streek.

,,Ik weet hoe duur het is,'' zei Margaret met kleine onopvallende gebaartjes omdat ze op straat waren, waar iedereen hen kon zien. ,,Maar ik wilde u vertellen hoe blij ik er mee ben, ik wilde u bedanken . . .'' Janice en Abel glimlachten haar toe en glimlachend liepen ze verder naar de bushalte.

Plotseling was het juni en de voorbereidingen voor de diploma-uitreiking en de feestelijkheden op school waren in volle gang. Meneer Harger, even zorgelijk als altijd, vroeg Margaret of

133

ze wilde terugkomen in de drukkerij. Maar Margaret weigerde. „Het zijn zware tijden," waarschuwde hij. „Een meisje zoals jij, zonder ervaring, zal niet gemakkelijk een betrekking vinden."

Margaret hoorde dat haar moeder toestemming had gekregen om 's avonds op de fabriek haar jurk voor het schoolfeest te maken. Ze schrok vreselijk. Ze zag zichzelf al in een soort veel te wijde werkkiel op het schoolfeest verschijnen. Maar het viel mee. De jurk was van zachte soepele mousseline en de grote steken waren niet zichtbaar aan de buitenzijde.

Op de avond van de diploma-uitreiking, een zoele zomeravond, werden de voordeuren in Vandalia Street hier en daar geopend. De meisjes in hun witte jurken en de jongens in hun donkerblauwe kostuums kwamen naar buiten, gevolgd door hun ouders. Door Bisher Street en over de brug. Ze groetten hun vrienden en lachten een beetje verlegen tegen elkaar vanwege de plechtigheid van deze dag. Oude vrouw Ebinger, de visverkoopster, was onherkenbaar zonder haar bloederige schort en ze was ook niet oud, zoals ze daar trots en statig achter haar lange blonde zoon liep.

Margaret was vooruit gegaan. Ze moest nog iets regelen op school had ze gezegd. Janice en Abel volgden de andere families. Soms knikte iemand hen toe, dan knikten ze glimlachend terug. Het was nu bijna donker. Niemand vroeg hen iets, niemand viel hen lastig met woorden, maar iedereen groette hen en ze voelden dat ze deel uitmaakten van hun buurtje en van deze trotse avond.

Weldra was het te donker om de lippen van de groetende mensen te onderscheiden. Abel en Janice liepen tevreden verder door de zoele avond. Ze waren intens gelukkig. Plotseling gingen de straatlantaarns aan en onwillekeurig keken ze elkaar aan. Ze glimlachten en de hand van Janice schoof ongemerkt in die van Abel. Dit te mogen beleven, samen met anderen die hen accepteerden als een van hen, zoveel geluk hadden ze niet voorzien. Ze liepen over de brug. Daar vóór hen lag de school. Alle ramen waren verlicht en de deuren stonden wijd open. Een ogenblik aarzelden zij, bang om de duisternis en hun intimiteit te verlaten en de oude bekende vijandige Wereld van de Horenden te betreden.

De diploma's waren uitgereikt en er waren veel toespraken gehouden. De Horenden waren nu eenmaal dol op praten. Er waren prijzen uitgereikt en Margaret had twee prijzen gekregen. Hoewel Abel en Janice niet precies begrepen waarvoor, waren ze buitengewoon trots toen ze hun dochter en nog drie andere gelukkigen, zagen opstaan om te worden toegejuicht. Eindelijk mochten de geslaagden samen met hun ouders naar huis waar in de keukens de taarten en de wijn gereed stonden op het buffet en de tafels gedekt waren met witte damast.

Margaret vond haar ouders in de hal van de school. Ze stonden op haar te wachten, twee lange trotse mensen. Ze wenkten haar dichterbij, zodat ze onopgemerkt zouden kunnen praten. Abel grijnsde. ,,Kijk eens," zei hij. Hij had een instrument aan zijn hoofd. Een zwart koordje kwam achter zijn oor te voorschijn en verdween in zijn boord. Hij had een grote glanzende zwarte bol in zijn oor.

,,Wat is dat?"

,,Dat is jouw kado, weet je wel?"

,,Waartoe dient dat ding?"

,,Het is elektrisch. Het is een gehoorapparaat."

,,*Hoort* U dan? Kunt U *horen* . . .?"

Zijn glimlach verdween en zijn handen aarzelden even. ,,Ik heb het uitgedraaid. Die verschrikkelijke geluiden doen vreselijk pijn in mijn hele gezicht. Als ik moet hoesten of niezen huil ik gewoon van — van de pijn. Het lijkt wel of de zon binnen in mijn hoofd uiteenspat. Ik moet het uitdraaien."

,,U kunt er dus niet mee horen?"

,,Het is niet voor Doven, het is voor Horenden, dat heb ik je toch al gezegd. Het is voor jou, zoals ik je heb gezegd. Het maakt mij —. Voor de Horenden — voor jou en je vrienden — zal ik minder doof lijken."

13

Na een jaar in de „Zakenwereld" kon Margaret zich de dromen van haar klasgenoten over het schitterende opwindende leven dat hun te wachten stond, nauwelijks nog herinneren. In één jaar tijd had ze gewerkt op een klein kantoor in Perrer Street en in een enorme gonzende bijenkorf aan Miller Avenue. Daarnaast had ze tijdelijke baantjes gehad als typiste, seizoenwerk dat nooit langer dan enkele weken duurde. Bij het afscheid werd ze steeds weer bedankt en geprezen: „We zijn heel tevreden over Uw werk. In het najaar nemen we weer vaste medewerkers in dienst." Later kreeg ze te horen dat het pas na Kerstmis drukker zou worden in het bedrijf. Anderen zeiden weer in het voorjaar, als ze dan nog eens zou willen solliciteren? Misschien zou er dan wel een vacature zijn. Maar tegen het voorjaar stonden er bijna geen advertenties meer in de kranten onder de rubriek „Personeel gevraagd". Ze liet steeds haar naam en adres achter bij de firma's waar ze prettig had gewerkt en ze gaf het telefoonnummer van meneer Petrakis op. Als ze thuiskwam liep ze even zijn winkel binnen om te horen of iemand voor haar had opgebeld. Soms was er inderdaad voor haar opgebeld. Maar eigenlijk ging ze naar meneer Petrakis omdat ze graag een praatje met hem maakte. Alleen hij kon aan haar gezicht en haar houding merken hoe zij zich voelde. Als ze vervelend werk had bij mensen die haar niet lagen, zei hij: „Och, kijk toch eens hoe moe ze je maken . . ." of: „Als deze lui nog eens voor je opbellen zal ik zeggen, daar komt niets van in! Ik ben *haar* secretaris en ze werkt niet voor zo'n stel schooiers als jullie!"

„Maar zij is de beste boekhoudster die we ooit hebben gehad," speelde zij mee.

„Dat kan wel waar zijn, maar ze typt nu de brieven voor de President van de Verenigde Staten en als ze daarmee klaar is zal ze het jullie wel laten weten. Veel hoop hoeft u echter niet te hebben, want u staat onderaan haar lijstje."

Als ze hem tenslotte goedenavond wenste en de smalle trap opging voelde zij zich altijd een stuk beter. Ze hielp Janice met de voorbereidingen voor het avondeten en na het eten hielp ze bij de vaat, maar er was nooit veel te doen, want Janice was er trots op dat ze ondanks haar werk buitenshuis haar eigen huishouding perfect regelde. Soms ging Margaret 's avonds naar de bioscoop met een van haar schoolvriendinnen die nu ook werkten of werk zochten en soms moest ze naar een verlovings- of trouwreceptie van een van haar klasgenoten. Maar meestal zat ze in de keuken naar haar radio te luisteren, terwijl ze haar kleren verstelde of krulspelden in haar haar zette.

Die radio had ze van meneer Petrakis gekregen. Het was een oud toestel. Er kwam een krassend geluid uit en de mahonie fineer van de kast was hier en daar gebarsten en gelijmd. Hij had haar die radio gegeven op de avond van haar eindexamen, toen ze zó teleurgesteld thuiskwam dat ze zelfs niet meer naar het schoolfeest wilde. Na die avond had Abel het gehoorapparaat nog tweemaal gedragen, beide malen zonder batterijen. Als ze dat ding op het zijtafeltje zag liggen, herinnerde zij zich die avond weer, toen ze haar vader voor het eerst had gezien met zijn „machine" in zijn oor. Ze was zo boos en teleurgesteld geweest dat ze zich nauwelijks durfde verroeren. Toen ze later samen thuiskwamen, stond meneer Petrakis op de drempel van zijn winkel. Hij hield een groot pak in een oude deken gewikkeld, voor zijn buik. Ze glimlachten tegen hem en wilden verder gaan. „Hé!" riep hij en ging voor hen staan. Met een verontschuldigend glimlachje drukte hij Margaret het pak in de armen. „Je bent een goed meisje," zei hij. „Gefeliciteerd," voegde hij er snel aan toe. Ze voelde harde hoeken en randen onder de deken. „Dank U wel," zei ze en liepen de trap op. Janice en Abel hadden glimlachend toegekeken. Zij begrepen er niets van. De volgende ochtend had ze een bedankbriefje onder zijn deur door geschoven.

Ze wist dat het hem veel tijd en moeite moest hebben gekost om dat oude radiotoestel zo goed mogelijk op te lappen en ze deed haar uiterste best dankbaar te zijn en niets meer te verlangen.

Ze luisterde naar ieder hoorspel, ieder spannend verhaal. Vooral de late uitzendingen waren ontzettend spannend, heel iets anders dan de zoete gezwollen taal die ze voorheen samen met de oude meneer Golos had beluisterd. Ze las nooit een boek maar ze zat gespannen of met een vage glimlach om de lippen te luisteren naar haar radiohelden die, begeleid door prachtige ontroerende stemmen, in het huwelijk traden of stierven.

Het duurde lang voordat ze begreep dat Janice en Abel jaloers waren op haar radio. Ze behandelden het toestel zeer onverschillig. Margaret moest steeds weer de stekker of het snoer repareren als Janice het ruw uit het stopcontact had getrokken omdat ze moest stofzuigen. En Abel stapelde grote pakken naast het toestel op, dat langzaam maar zeker naar de rand van het tafeltje werd gedrukt. Soms maakten haar ouders schertsende opmerkingen over haar, als ze vol aandacht over haar radio zat gebogen, dat stille ding dat hen niets dan stilte schonk.

„Moet je kijken, de Margaret-show is weer aan de gang," zei Abel dan. Zonder zich te bedienen van de Taal der Handen gaf hij soms een mime-voorstelling ten beste. Dan stelde hij een bloeddorstige moordenaar en zijn slachtoffer voor, of een vaudeville-artist. Zijn wisselende gelaatsexpressie en zijn gebaren waren zó overtuigend dat Margaret geboeid moest toezien, ook al wist ze dat hij haar eigenlijk voor de gek hield. Abel was kennelijk jaloers op de radio van zijn dochter. Maar als hij zo acteerde was hij geen Dove meer, geen drukker of echtgenoot of vader, maar een bijzonder levendig mens, met een blijkbaar uitzonderlijk groot opmerkingsvermogen.

Margaret weerde hen lachend af, maar ze wendde zich na een dergelijke vertoning langzamer en met een ernstiger gezicht tot haar radio.

Ze had nooit geweten dat haar ouders over een groot opmerkingsvermogen beschikten. Dikwijls schenen zij zowel de Horenden als de Doven verkeerd te begrijpen en wantrouwden zij de drijfveren van iedereen. Zij koesterden soms jarenlang een wrok tegen iemand en luisterden gretig naar roddelpraatjes. Nu pas merkte ze hoe scherp en duidelijk Abel dingen opmerkte. Hoe nauwkeurig hij de aarzeling van een hand of de houding van een hoofd in zijn geheugen vastlegde. Al die gebaren die de waarheid verraadden en dikwijls in scherpe tegenstelling stonden tot de woorden die werden gesproken.

De radio maakte Abel verdrietig, maar Janice haatte het ding en Abels grapjes maakten de zaak nog erger. Als ze alleen waren wist ze hem feilloos te treffen met haar bijtende sarcastische opmerkingen. Dan zei ze dat hij het lef niet had om Margaret iets te verbieden.

„Ze zit hier nu wel," zei Janice dan, „maar met haar gedachten is ze niet bij ons. Ze zit maar met haar oor tegen die houten mond gedrukt te luisteren, te luisteren!"

„Ze luisteren nu eenmaal graag, voor hen is het een soort film."

„Is dat dan zó belangrijk dat ze er iedere avond naar moet luisteren? Het vermoeit haar maar. Mensen die te veel weten krijgen last van hun hoofd. Let maar eens op ze! Je ziet toch hoe ongeduldig ze zijn, hoe goed ze anderen kunnen kwetsen. Zij gaat steeds meer op ze lijken!"

Tegen zijn eigen overtuiging in nam Abel het voor Margaret op, maar Janice legde hem met een ongeduldig gebaar het zwijgen op. Waarom ging Margaret niet langer met hen mee naar de bijeenkomsten van de parochie? Ze was niet bevriend met de zonen en dochters van de parochianen. Ze wilde niet mee winkelen. Ze had geen tijd om naar de kliniek te gaan of naar de tandarts, of de bank, of de loodgieter, of het belastingkantoor. Ze had uitsluitend tijd voor die Houten Mond.

Abel keek haar aan en haalde zijn schouders op. Het was te laat. Eindelijk was de schuld afbetaald. Eindelijk, na twintig

139

jaar, hadden ze geld om naar believen uit te geven, te sparen, samen van te genieten. Maar het was nu te laat. De levensblijheid, de hooggespannen verwachtingen waarmee Janice de wereld was tegemoet getreden, waren verdwenen. Daar had het stukgoed een einde aan gemaakt. Ze had geleerd dat iedere minuut die ze niet achter de naaimachine doorbracht een minuut was die geen geld opbracht. En nu er geen stukgoed meer was had ze duizend andere kleinzielige maatstaven ingevoerd. Margarets kinderjaren waren voorbij en het was nu te laat om haar een jeugdherinnering mee te geven aan zondoorzeefde bomen. De schuld was betaald, maar het leek wel of niemand meer leefde. Abel dacht aan Bradley. Hij had in geen jaren aan hem gedacht. Hij had iedere opkomende gedachte aan zijn zoon bewust verdrongen. Wie leeft er nog? dacht hij, en even later: ik, ik leef nog.

„Janice . . .” Hij gebruikte haar naam zelden en ze zweeg dan ook midden in haar betoog en keek hem stomverbaasd aan. „Ik wil een huis kopen. In een straat met bomen. Een huisje met een tuin, met gras en een boom.”

Roerloos, met ingehouden adem bleef ze hem aanstaren. De schok was zo hevig dat haar wereld ineenstortte. Toen kreeg ze een verschrikkelijke aanval van woede. Haar handen trilden zo dat ze haar woorden nauwelijks kon vormen. Haar gezicht was verwrongen van boosheid en haar lippen vormden toonloze woorden. „Stop,” gebaarde Abel eenvoudig. Toen draaide hij zich om en liep weg. Ze greep het bedlampje en wilde het tegen de muur gooien, maar bedacht zich op het laatste ogenblik. De lamp had geld gekost. Als ze die lamp brak zou ze tijd, werk, geld, realiteit breken. Ze zette het lampje weer op zijn plaats, wierp zich op het bed, beukte met haar vuisten op de kussens en trapte tegen de muren, totdat ze tenslotte kon huilen.

Vanaf dat ogenblik raakten Abel en Janice in een heftige strijd verwikkeld. Margaret hield zich zoveel mogelijk afzijdig. Soms dacht ze dat haar hoofd zou barsten van die geluidloze ruzies, die vinnige gebaren, vijandige blikken en eeuwige wraaknemin-

140

gen. Beiden probeerden zij haar voor hun standpunt te winnen, maar Margaret liet zich niet overhalen.

Ze wist dat ze ruzie hadden om een huis. Zij wilde ook dolgraag een huis, zo graag dat ze er niet aan durfde denken. Tijdens haar werk trachtte ze de ruzie tussen haar ouders uit haar hoofd te zetten.

Ze had op het ogenblik een prettige werkkring en ze hoopte die betrekking te kunnen houden. Ze was als tijdelijk typiste aangenomen, maar toen de partners ontdekten dat ze tevens boekhoudster was, kreeg ze ander werk te doen. Als Margaret zorgen en problemen had werkte ze extra hard. De ruzie tussen Abel en Janice was er dan ook de oorzaak van dat de archiefkasten van Patman en Rulliger eens grondig werden opgeruimd.

Op een dag stapte een man het kantoor binnen, die meneer Rulliger wilde spreken. Toen hij zijn naam noemde keek Margaret hem een beetje verbaasd aan. „Is er iets aan de hand?" vroeg hij.

„Nee," antwoordde ze snel, „meneer Rulliger zal u dadelijk ontvangen."

Ze had hem een paar maal telefonisch een boodschap doorgegeven en toen had ze gemeend met een veel oudere man te doen te hebben. Hij ging zitten en zij keerde terug naar haar archiefkast. Af en toe wierp ze een blik op hem. De rust die van hem uitging trok haar aandacht. De meeste mensen konden geen moment stilzitten als ze even moesten wachten. Ze schoven heen en weer op hun stoel, pakten een tijdschrift op, bladerden erin zonder iets te zien, gooiden het weer neer en wierpen steelse blikken op hun horloge en op de gesloten deur die een einde moest maken aan hun kwelling. Deze man las aandachtig in een boek dat hij had meegebracht en hij werd niet van zijn stuk gebracht toen meneer Rulliger hem kwam halen. Toen Margaret terugliep naar haar bureau zag ze een gloednieuw goedkoop kartonnen handkoffertje naast de stoel staan waarin hij had zitten lezen.

141

Toen de man even later terugkwam vroeg hij of hij het koffertje mocht laten staan. Hij zou het omstreeks vijf uur komen halen. Hij ging onder de wapenen, legde hij uit, en de afwikkeling van zijn zaken had minder tijd gekost dan hij aanvankelijk had gedacht. ,,Natuurlijk," zei ze glimlachend.

Om twee minuten voor vijf stapte hij weer haar kantoor binnen en nodigde haar uit een kop koffie met hem te gaan drinken. Hij vroeg het eenvoudig en ernstig, zonder aanstellerij en zij nam zijn uitnodiging onmiddellijk aan. Hij scheen aangenaam verrast over haar rechtstreekse manier van doen. Toen ze samen in een klein gezellig restaurant zaten, had Margaret het gevoel dat hij haar nog iets wilde vragen, maar zich er niet toe kon brengen. Het was een zwijgzame man. Zijn gebaren waren bescheiden, subtiel en gereserveerd. Zij had het gevoel dat zelfs zijn dik krullend zwart haar uit een zekere gereserveerdheid dicht om zijn hoofd lag. Hij maakte zijn wensen duidelijk met zijn hand of met een enkele vinger, die hij heen en weer liet glijden langs zijn kopje terwijl hij sprak over zijn aanstaand vertrek. Zijn woorden stemden niet overeen met zijn gebaren en plotseling begreep ze het: hij was bang, maar dat durfde hij niet te bekennen. Hij had behoefte aan een beetje warmte, een beetje steun. Ze vroeg hem of hij het prettig zou vinden als ze hem naar het busstation zou brengen. Zijn ogen gingen wijd open en hij glimlachte. Zijn vinger was nu tot rust gekomen. Hij legde haar uit waarom er niemand anders was om hem weg te brengen. Ze knikte dat ze het begreep.

Samen liepen ze even later naar het busstation. Hij schreef haar adres op in een klein boekje. Ze gaven elkaar een hand en ze bleef wachten tot de bus vertrok en zwaaide naar hem. Ze wist dat ze waarschijnlijk nooit meer iets van hem zou horen, maar het was een prettige afleiding geweest van de ruzies thuis.

Toen ze thuiskwam merkte ze tot haar verbazing en opluchting dat de strijd was beslecht. Janice zat met een uitdagend gezicht aan tafel te midden van de vuile borden, Abel rookte triomfante-

lijk zijn avondsigaretje voor het raam. Toen Margaret binnenkwam wees Janice op de kachel waar een bord eten voor haar
werd warm gehouden.

„Welnu," zei Abel tevreden, „we gaan een huis kopen. Hoe
vind je dat?"

„Ik vind het een uitstekend plan," antwoordde Margaret.

Janices handen bewogen alsof ze geen deel uitmaakten van
haar lichaam. „We zullen weer de politie aan de deur krijgen. Je
zult het zien, door hem zullen we weer voor de rechtbank moeten
verschijnen. Nog meer schande."

Als ze ruzie hadden werd er altijd over de politie en de rechtbank gesproken. Margaret begreep dat het iets had uit te staan
met vroeger, een groot probleem, een vernedering. Blijkbaar was
Abel de schuldige, want het was altijd weer Janice die dit wapen
hanteerde. Maar nu haalde Abel enkel zijn schouders op en
vroeg Margaret een paar makelaars op te bellen om hen het
volgende te vertellen: hij haalde een papiertje uit zijn zak waarop hij precies had geschreven welk soort huis hij zocht en het
bedrag dat hij zou kunnen betalen.

Ontroerd las ze het briefje. Hij had het allemaal zo nauwkeurig
en zorgvuldig berekend. Hij had beslist een heleboel collega's op
het werk en vrienden uit de parochie om raad gevraagd. Waar
mooie woonwijken waren met bescheiden maar goed gebouwde
huizen. Huisjes met een voor- en achtertuintje, niet te ver van
de kerk of van de bushalte. Al die gegevens waren met zoveel
liefde verzameld. Janice keek op en Margaret toonde haar het
briefje. „Kijk, moeder. Bloemen, bomen. Misschien een tuintje."
Janice zuchtte diep en wendde haar blik af.

De volgende dag belde Margaret een makelaar op voor wie ze
tijdelijk had gewerkt. Kennelijk wist hij niet meer wie ze was,
maar hij was blij met de duidelijke omschrijving die ze hem gaf.
Omdat er heel wat huizen in aanmerking kwamen stelde hij voor
haar en haar ouders met zijn auto te komen halen om de diverse
huizen te bezichtigen. Ze nam zijn voorstel aan maar omdat ze

143

niet wilde dat de man hen thuis zou komen ophalen sprak ze af dat zij elkaar op zijn kantoor zouden ontmoeten. Ze legde de telefoon op de haak en glimlachte dromerig voor zich heen bij de gedachte aan een huis. Even maar, toen bedacht ze dat er nog van alles tussenbeide zou kunnen komen. Dat gebeurde zo dikwijls. Misschien zouden ze niet tot overeenstemming kunnen komen over de prijs, of Janice zou op het allerlaatste moment nog roet in het eten gooien. Die avond vertelde ze Abel en Janice welke regeling ze had getroffen, maar ze sprak niet over de auto. Ze bedacht met schrik dat ze de makelaar niet had verteld dat haar ouders doof waren en dat zij als tussenpersoon zou fungeren.

Het was een stijve, gedwongen ontmoeting. Een koude wind blies door de verlaten zondagse straten. De makelaar zat met zijn jas aan en zijn hoed op achter zijn bureau op hen te wachten. Margaret stelde haar ouders voor en vertelde hem dat ze doof waren. Toen hij hen naar de auto bracht zei hij tegen haar: „Ik heb nog nooit — dergelijke — cliënten gehad. Mogen ze een contract tekenen? Wettelijk, bedoel ik?”

„Jazeker, maakt U zich niet ongerust,” antwoordde ze een beetje sarcastisch.

Janice en Abel namen plaats op de achterbank van de auto. Margaret zat voorin naast de makelaar die voortdurend tegen haar sprak, hoewel zijn gezicht een gesloten uitdrukking vertoonde. Maar Abel merkte op dat Janices stemming een subtiele verandering had ondergaan. Haar lippen waren nog steeds opeengeperst en ze had nog steeds een lijdende, gekwetste uitdrukking op haar gezicht, maar Abel zag dat ze toneel speelde. Er was iets veranderd binnen in haar. Abel zag het duidelijk aan de kleine rimpeltjes in haar gezicht, aan haar kin en haar handen, die losjes in haar schoot lagen: Janice amuseerde zich. Ze trachtte het niet te tonen. Het was de auto, natuurlijk. Abel glimlachte even. Langzaam en schuchter liet ze haar hand over de bekleding glijden, heen en weer, alsof ze een poes streelde.

144

Plotseling kreeg hij een vreselijke gedachte. Hij pakte haar hand, zodat ze hem wel moest aankijken en zei: „Je gaat toch geen streek uithalen, hoop ik — je zult hem toch niet de hele dag laten rondrijden en „nee" zeggen bij ieder huis dat hij ons toont, gewoon omdat je zin hebt in een ritje?"

Ze trok haar hand uit de zijne. Haar mondhoeken trilden alsof ze zou gaan glimlachen. Maar Janice kon geen grapjes meer maken. Voor haar was het jaren te laat. Ze trok haar mondhoeken omlaag en haar schouders op en zei. „Jij hebt het geld — jij hebt het dus voor het zeggen. Jij bent degene die auto's koopt en juwelen en ringen en die ze later weer weghaalt." Toen keek ze weer strak voor zich uit.

De eerste twee huizen die ze bezichtigden voldeden aan al Abels eisen, maar ze bevielen hem niet. Er was iets wat hem niet aanstond en het hinderde hem dat hij niet precies wist wat het was. Hij was bang dat de makelaar boos zou zijn, maar tot zijn verbazing was dat niet het geval. Toen de man merkte dat Abel geen belangstelling had bracht hij hen zonder meer terug naar de auto.

Het derde huis was iets beter, maar toch niet helemaal wat Abel zich had voorgesteld. Ze deden hun uiterste best zich in te denken hoe de kamers eruit zouden zien met hun eigen meubels, maar het vermoeide hen zichtbaar.

„Uw ouders zijn moe," zei hij tegen Margaret. „Huizen bezichtigen is ook een vermoeiende aangelegenheid." Margaret wilde ontkennend antwoorden, maar zweeg toen ze de vermoeide, ontredderde gezichten van haar ouders zag. Dankbaar ging ze in op het voorstel van de makelaar om eerst te gaan lunchen. „Wilt U een bescheiden restaurant uitzoeken?" vroeg ze. „Mijn ouders voelen zich niet op hun gemak in een chique mondaine gelegenheid."

„Natuurlijk," antwoordde hij vriendelijk, maar hij nam haar onderzoekend op, alsof hij zich afvroeg welke rol zij eigenlijk speelde in dit driemanschap. Ze wendde zich af, maar Janice

145

prikte met haar vinger in Margaret's schouder. Een onhebbelijke gewoonte van haar als ze wilde weten wat er werd besproken.

„Ik hem hem gezegd dat hij een bescheiden restaurant moet uitzoeken."

„Ik weet niet waar we het geld vandaan moeten halen voor al die grappen — huizen kopen, in restaurants eten, in auto's rondrijden. Je hebt gezegd dat het wel weken kan duren voordat we een geschikt huis vinden en al die tijd moeten we zeker buitenshuis eten. Dat kost allemaal geld," zei ze gebelgd.

„Mijn grootmoeder was ook hardhorend," zei de makelaar. „Ze had zo'n zwarte hoorn die ze tegen haar oor drukte, daar moest ik dan hard in schreeuwen, wilde ze me verstaan. Maar als ik de deur van het buffet in de eetkamer opende riep ze vanuit de woonkamer: „Breng voor mij ook een stuk vruchten-cake mee!" Hij lachte hard om zijn eigen grapje, maar toen hij Margarets strakke gezicht zag zei hij gauw: „Ik wilde niet beledigend zijn, hoor! Maar Uw ouders doen mij aan mijn grootmoeder denken, meer niet." Hij schudde zijn hoofd. „Het was een lief Grootje, ze is verleden jaar gestorven."

„Oh," zei Margaret, „dat spijt me."

„Nou ja, ik geloof dat ze echt wel genoeg had van het leven. Ze was al oud en in haar laatste levensjaren was ze werkelijk zo doof als een kwartel." Hij grijnsde en schudde zijn hoofd.

Ze gingen naar een gezellig restaurant waar ze broodjes aten en koffie dronken. Verkwikt gingen ze daarna weer op pad. De makelaar voelde zich nu ook iets meer op zijn gemak. Hij vertelde zelfs een grapje, maar halverwege bedacht hij dat het een woordspeling was die niet in gebarentaal tot zijn recht kon komen. Gelukkig lachte iedereen beleefd.

De zon was doorgekomen terwijl ze aan de lunch zaten en de lucht was zoel.

„Het is helemaal geen winterweer," zei de makelaar terwijl ze terugliepen naar de auto. „Goed voetbalweertje. Er wordt een belangrijke wedstrijd gespeeld vandaag."

146

„Oh ja?" vroeg Margaret beleefd.

Ze stapte in de auto. De makelaar was weer een en al zakelijkheid. „Ik ga U nu naar een ander deel van de stad brengen. Een oudere woonwijk. De huizen zijn niet zo nieuw, maar goed gebouwd, met vrij grote tuinen. Het huis dat ik op het oog heb is werkelijk een juweeltje."

Margaret vertelde haar ouders wat hij had gezegd. Ze reden kriskras door allerlei straatjes, maar tenslotte herkende Margaret de buurt. Ze waren niet ver van Vandalia Street. Abels handen bewogen vaag, vormden delen van zinnen. „Hier is het, onze zomerwijk, waar we die zomer hebben gewandeld . . . Dit is de zomer . . ."

„Wat zèg je?" Geërgerd stootte Janice hem aan. Abel wist niet dat hij dikwijls vage gebaren maakte in zijn slaap, half gevormde woorden die Janice bang maakten. Gekken maakten ook altijd vage gebaren, nooit waren hun handen stil. Abel moest toch wel weten dat ze een afkeer had van zijn gemompel. Hij deed het natuurlijk om haar te plagen.

„Wat is er?" hield zij aan. „Waar heb je het over?"

„Oh — ik dacht er alleen maar aan dat wij in deze buurt hebben gewoond, dat wij hier zondags wandelden . . . in de zomer."

„Ja, ik weet het," zei ze met een treurig gezicht. „Wij hadden geen geld. Wij konden alleen maar wandelen."

„Maar herinner je je dan niet hoe gelukkig . . ." hij zweeg want hij kon haar toch niet aan haar eigen geluk herinneren. Janice was veranderd en al haar herinneringen waren met haar veranderd. Plotseling voelde hij zich eenzaam en toen ze langs het huis reden waar ze hadden gewoond en waar Margaret was geboren, keek hij zijn vrouw niet aan en wees hij zijn dochter niet op dat feit. Hij leunde achterover en zweeg.

Toen reden ze een straat in vol vriendelijke huizen. Het bladerdak van de bomen aan weerszijden van de straat vormde een soort pergola. Er stonden struiken en bomen in de tuinen die

147

zich uitstrekten voor de huizen. Halverwege de straat bleven ze staan. Het huisje was veel kleiner dan de overige huizen in de straat. Het was wit en vierkant met ronde erkers, zowel parterre als op de bovenverdieping. Het had een kleine veranda waar je zomers kon zitten uitkijken over de tuin en de bomen.

Plechtig haast, liepen ze het tuinpad op! Onderaan de stoep die naar de voordeur leidde raakte Abel even de kale heg aan met een verzaligde uitdrukking op zijn gezicht. De makelaar vertelde het een en ander over de voordelen die aan het huis waren verbonden. Margaret vertaalde snel in de Taal der Handen. Niemand zei iets, niemand vroeg iets. Als slaapwandelaars gingen ze de trap op en het huis binnen.

„Het is wel een oud huis," zei de makelaar verontschuldigend. „Er moet het een en ander worden gerepareerd. Sommige leidingen moeten vernieuwd en het dak moet hier en daar worden gerepareerd."

Ze gingen als in een droom van de ene kamer naar de andere. Toen ze de bovenverdieping hadden gezien en de zolder, de keuken en de achtertuin, liepen ze terug naar de woonkamer. Margaret keek naar haar ouders zoals ze daar een beetje verloren, oud en teer midden in de lege kamer stonden, terwijl de zonnevlekjes om hun voeten speelden op de stoffige vloer.

De makelaar stond bij het raam. „Wat denkt U?" — zei hij plotseling tegen Margaret — „Zouden Uw ouders er bezwaar tegen hebben als ik even naar mijn auto ga om naar de uitslag van de voetbalwedstrijd te luisteren?"

Ze vond het een uitstekend idee, want ze wilde haar ouders onder vier ogen spreken. Ze zag hoezeer ze met het huis waren ingenomen en ze wilde hen waarschuwen dat niet al te zeer aan de makelaar te laten merken. Misschien zou hij de prijs anders verhogen en ze zouden tenslotte ook nog reparatiekosten krijgen.

„Wat is er aan de hand? Waarom gaat hij weg?" vroegen Abel en Janice geschrokken.

Margaret wilde hen juist geruststellen, toen ze merkte dat de

148

makelaar zich vreemd gedroeg. Hij stapte uit de auto en liet het portier wijd open staan. Toen wendde hij zijn hoofd snel van links naar rechts, alsof hij iemand zocht. Daarna liep hij als een slaapwandelaar terug over het tuinpad. Hij bonsde tegen de voordeur op, die hij niet scheen te zien. Margaret keek hem verstard van schrik aan. De man was ziek. Zijn gezicht was vaalgroen en hij keek haar verdwaasd aan.

„De radio," stamelde hij, „ze onderbraken de voetbalwedstrijd om te zeggen — om te zeggen dat de Japanners zojuist Pearl Harbour hebben gebombardeerd."

„Waar ligt Pearl Harbour?" vroeg Margaret en deed een stap opzij omdat ze Janices vinger alweer vragend in haar rug voelde porren.

„Op Hawaii, geloof ik."

„Maar dat kan toch niet... Het is vast een vergissing. De *Japanners*?" Ze probeerde te lachen. Het wàs tenslotte belachelijk, straks beweerden ze nog dat Finland of Guatamala de oorlog hadden verklaard aan de Verenigde Staten.

„Ga maar mee, dan kunt U het horen," zei hij. Toen ze terugkwamen vertelde Margaret haar ouders, die nog steeds op dezelfde plaats stonden: „De Japanners hebben — bommen gegooid — uit vliegtuigen. Op Hawaii." Ze keken haar vol belangstelling aan.

„Waarom?" vroeg Abel. „Zijn die vliegtuigen neergestort?"

„Nee, ze willen oorlog."

„Dat is een vergissing, een verschrikkelijke vergissing!" zei Janice. „We moeten ze laten weten dat wij dat niet willen."

Toen wendden ze zich weer af en Janice wees naar de muur waar de sofa zou moeten staan en een laag tafeltje ernaast met bloemen of een klimplant, zoals ze had gezien in het huis van de dominee. Zonder een woord draaiden Margaret en de makelaar zich om en liepen naar de auto om verder te luisteren naar die onzichtbare, onheilspellende mond.

14

Aanvankelijk leek het ongelooflijk dat een bombardement op een plaats buiten Amerika, oorlog betekende. Eén voor één gingen de parochianen naar de dominee die het telkens weer opnieuw moest uitleggen.

Janice en Abel behoorden tot de eersten die het nieuws hadden gehoord, maar ook zij konden het niet geloven. Toen de verschrikkelijke waarheid tenslotte tot hen doordrong, verwachtten ze ieder moment een invasie van vijandelijke legers.

„Iedereen zal de schoten en de bommen kunnen horen vallen!" riep Janice in paniek tegen Margaret. „Iedereen zal zich in veiligheid brengen. Maar als jij op kantoor bent, wat moeten wij dan beginnen? Wie kunnen we vertrouwen?"

„Margaret zal ons heus wel zeggen wat we moeten doen," suste Abel.

„Zij zal ons binnenkort in de steek laten!" riep Janice verongelijkt. „Ze krijgt voortdurend brieven van een man uit het een of ander legerkamp. Als de soldaten komen zal ze ons in de steek laten!"

De dagen gingen voorbij. Janice en Abel zochten met hun ogen angstig de hemel af naar vijandelijke vliegtuigen en 's avonds na het werk spoedden ze zich naar huis. Ze gunden zich niet eens de tijd om eieren of sigaretten te kopen onderweg, uit angst dat ze op straat zouden worden overvallen.

Maar hoewel de angst en de geruchten die de ronde deden toenamen, liet de oorlog op zich wachten en werd het land niet door de vijand bezet. Janice en Abel begrepen er niets van. Margaret trachtte hen over te halen het huis te kopen, zoals ze aanvankelijk van plan waren, maar ze stelden het van week tot week uit in hun angst dat hun huis zou worden gebombardeerd, dat het zou uitbranden of worden geplunderd.

Vanaf het ogenblik dat Margaret William Anglin op kantoor had ontmoet, op die dag dat hij onder de wapens werd geroepen, correspondeerde ze regelmatig met hem. Janice trok haar wenkbrauwen op als ze Margaret een brief van William overhandigde.

William schreef vanuit de legerplaats dat de oorlog tot nu toe niet veel meer dan verwarring en geruchten had opgeleverd. Duizenden ongeoefende, ongewapende mannen stroomden de kampen binnen. De wapens waarmee ze moesten oefenen waren defect of verouderd. Ze gingen van hand tot hand en werden voor grote groepen tegelijk gedemonstreerd. Ze moesten leren richten met behulp van een houten geweerloop. Ze zouden wellicht spoedig worden ingescheept, schreef hij, maar vóór zijn vertrek hoopte hij nog verlof te krijgen. Als het enigszins kon, zou hij zeker komen. De treinen waren afgeladen, om van de bussen maar niet te spreken, maar hij zou zijn uiterste best doen. „Veel liefs," schreef hij onder zijn brief.

Overal heerste een koortsachtige bedrijvigheid. Iedereen had haast en er was tweemaal zoveel werk als anders.

Zo verliepen de winter en het voorjaar. Er werden luchtalarmen verduisteringsoefeningen gehouden. Janice protesteerde tegen de donkerblauwe gordijnen die voor de ramen moesten worden aangebracht, zodat het licht niet zou uitstralen. In de parochie werd gefluisterd dat er binnenkort rantsoenering zou komen en dat velen reeds enorme hoeveelheden levensmiddelen hadden ingeslagen. De mensen spraken met brede, nerveuze gebaren. Alles was veranderd. De straten waren vol mannen in uniform en meisjes met lachende monden en harde ogen. Veel vriendinnen van Margaret hadden een dubbele werkkring, overdag werkten ze op kantoor en 's avonds in een van de wapenfabrieken die aan de overzijde van het spoorwegemplacement als paddestoelen uit de grond waren gerezen. Plotseling was er voor iedereen werk in overvloed.

In juni kwam Janice opgewonden thuis van haar werk. Haar vingers beefden van trots toen ze vertelde dat ze tot cheffin van haar afdeling was bevorderd. Haar salaris werd verdubbeld. Er werden nu kepi's en uniformjassen gemaakt in de fabriek en de een of andere regeringsopzichter had een hele tijd naast haar staan kijken, hoe ze werkte. Toen had hij tegen haar geknikt en nu werd ze afdelingscheffin en haar werkmethode zou de standaardmethode van de fabriek worden.

Zelfs Janice en Abel werden besmet met de nerveuze rusteloosheid van de Horenden in die periode. Die eerste dag in haar nieuwe functie was Janice bang en trots tegelijk. In het verleden had men haar snelle werkwijze steeds veel te gevaarlijk gevonden. Nu dacht men daar anders over. De vakbond had geen aanmerkingen meer op haar en de andere naaisters keken vanachter hun machines vol ontzag toe, als zij haar methode aan nieuwelingen demonstreerde. Streng en waardig nam ze dan plaats achter de naaimachine, haar doofheid en haar zwijgzaamheid maakten nog meer indruk op de bedeesd toeziende meisjes. Dan boog zij zich voorover, de machine begon te snorren, de stof schoof onder de naalden door en de stapel voltooide kledingstukken op de tafel naast haar groeide als bij toverslag. Schijnbaar zonder acht op ze te slaan zag ze de uitdrukking van ontzag, soms zelfs van angst, op de gezichten om haar heen. Verschillende meisjes die haar methode trachtten te imiteren, liepen verwondingen op. De naaimachine vrat zich gulzig vast in hun vingers. Maar op medeleven hoefden die onhandige nieuwelingen niet meer te rekenen. Ze werden ongeduldig op hun onoplettendheid gewezen.

Ook Abel vond tegenwoordig meer waardering voor zijn werk. Verscheidene jongemannen waren onder de wapenen geroepen en hun plaatsen in de drukkerij bleven leeg. Plotseling kwamen de orders van alle kanten binnenstromen, instructiepamfletten voor nieuwe en parttime werknemers, posters en voorlichtingsbrochures om alle burgers zo snel mogelijk te instrueren, in te wijden — alles gesteld in de moderne, urgente taal. Toen kwam het bericht dat er papierschaarste was ontstaan en dat papier binnenkort op de lijst van oorlogsgoederen zou worden geplaatst en gerantsoeneerd. Noodmaatregelen en tegenmaatregelen volgden elkaar in snel tempo op, maar hoewel Abel even bang was als zijn collega's, werkte hij in zijn eigen rustige regelmatige tempo verder. Men begon zo langzamerhand de indruk te krijgen dat die Japanse aanval op Amerika een misplaatste grap was en dat alles over enkele maanden weer normaal zou zijn. Aan die hoop kwam echter snel een einde toen andere eilanden en steden werden aangevallen en capituleerden, en weldra kende men nog slechts de realiteit van vraag en aanbod, produktie en taktiek. Als een machine defect raakte, konden de defecte onderdelen niet worden vervangen.

Abel wist dat de arbeiders op de drukkerij meenden dat hij zijn drukpers kon „horen". Hij wist eveneens dat zijn doofheid en gedwongen zwijgzaamheid hem een zeker aanzien gaven bij zijn collega's. Dat hij in hun ogen een soort geheimzinnig contact had met dingen die dieper gingen dan woorden — dan mensen. Nu reparaties niet langer mogelijk waren werd toverkracht belangrijk voor hen. Het was ook waar dat Abel zijn drukpers min of meer kon „horen". Hij voelde de vibratie van de pers via de vloer en via zijn schoenen tot in zijn gebeente. Wanneer de vibratie niet regelmatig was als een hartslag, „hoorde" hij dat ogenblikkelijk en dikwijls kon hij op deze wijze kleine mankementen verhelpen. Dikwijls kwamen zijn collega's hem tegenwoordig vragen naar hun drukpers te komen „luisteren". Als hij dan zijn hand op hun machine legde keken zij eerbiedig toe, alsof hij een soort hogepriester was en soms kon Abel het euvel inderdaad verhelpen door een onderdeel te smeren of opnieuw te stellen.

Intussen bleef Margaret erop aandringen dat Abel en Janice het huis van hun dromen zouden kopen. Men zei dat lonen en prijzen binnenkort zouden worden bevroren en speculanten kochten zoveel mogelijk onroerend goed op, vóórdat de markt zou zijn bevroren. Binnen afzienbare tijd zou het aanbod van huizen tot het nulpunt dalen. Met haar karakteristieke vasthoudendheid trachtte Margaret haar ouders te overreden. Haar eigen geheime overweging kenden zij niet en zij hadden er geen vermoeden van dat haar motieven in verband stonden met haar steeds intensievere correspondentie met William.

Zij en William schreven elkaar regelmatig en hun aangeboren gereserveerdheid en voorzichtigheid had het moeten afleggen tegen de overweldigende druk van hun eenzaamheid. Hun brieven werden steeds langer en onthullender. Het waren allerminst liefdesbrieven, tenslotte waren zij beiden voorzichtige mensen. Ze schreven elkaar over de toestand thuis en in de diverse legerplaatsen, ze beschreven situaties en mensen, maar in zijn droge, geestige beschrijvingen las zij tevens van zijn angst en zijn eenzaamheid en zijn vreugde om haar. Hij bezat een soort „Doven" humor. Zijn geestigheden waren niet gebaseerd op een woordenspel maar op een scherp opmerkingsvermogen.

In maart werd hij bevorderd tot luitenant en zij stuurde hem een naai-etuitje om zijn distinctieven op zijn uniform te naaien. Hij stuurde haar een foto waarop hij in uniform met distinctieven vóór de kazerne stond. Toen hij met verlof kwam, voordat hij zich zou inschepen, dineerde ze tweemaal bij zijn familie. De tweede maal zaten ook zijn zuster en enkele tantes aan en de sfeer was een beetje triest, zoals paste bij de ernst van de gelegenheid. Alles ging veel te snel en veel te ver in al te korte tijd. Ze had geen tijd en geen gelegenheid om William in te lichten omtrent Abel en Janice en ze kon alleen maar een formele verontschuldiging verzinnen voor het feit dat zijn familie niet door haar ouders werd uitgenodigd toen William weer naar zijn legeronderdeel vertrok. Vanaf die tijd begon ze Abel en Janice te overreden om het huis te kopen.

Er kwamen geen brieven meer. Ze had nog één brief ontvangen uit Seattle en daarna niets meer. Williams moeder had haar al tweemaal op kantoor opgebeld om te informeren of ze bericht van hem had ontvangen. Ze gingen samen lunchen en ontdekten dat ze veel gemeen hadden. Tenslotte besloot Margaret dat ze William in haar volgende brief zou moeten uitleggen waarom hij haar nooit had mogen thuisbrengen en waarom haar ouders hem nooit te eten hadden gevraagd. Als ze nu maar wilden verhuizen naar die mooie, rustige laan, dáár zou hun doofheid minder schrijnend aandoen. Daar zouden ze een zekere waardigheid ontlenen aan hun omgeving. Ze probeerde de feiten die ze William moest schrijven onder woorden te brengen en ze dacht aan zijn verwarring als ze weer een smoesje had bedacht waarom hij haar niet kon thuisbrengen. Het was te ver, of te laat, of hij was beslist te moe. Haar argumenten hadden nooit overtuigend geklonken en hij had haar verbaasd en teleurgesteld aangekeken.

Als ze tegenwoordig thuiskwam, zag ze Vandalia Street door Williams ogen. Een rumoerige, overvolle, vieze en ordinaire achterbuurt. Was zij werkelijk in deze straat opgegroeid, met deze ouders die hij nog nooit had ontmoet? Plotseling haatte ze die omgeving. Ze was in het huis van zijn ouders geweest, een goed ingericht rustig huis, in een rustige straat. In Vandalia Street hingen onverzorgde krijsende vrouwen uit de ramen. De straatventers schreeuwden en de haveloze kinderen schreeuwden vanuit de goot terug. Afval en huisvuil lag op het trottoir opgetast, de muren waren volgekalkt met vuile woorden en overal tussen de ramen hingen waslijnen vol armoedige kleren te wapperen in de wind. Zelfs meneer Petrakis zag ze nu als een hard pratende oude man in vuile kleren die een zure lucht verspreidden en ze kon zich nauwelijks voorstellen dat zijn pandjeshuis een paradijs voor haar was geweest in haar kinderjaren.

Ondanks al zijn sympathie voor haar zou William opmerken dat het stonk in het portaal voor haar „huis", dat de trap die naar het appartement leidde smal en donker was en de trapleuning vies en vettig. Als ze haar ouders maar op tijd uit deze omgeving zou kunnen losweken, als ze hen maar kon overhalen dat huis te kopen, dan zou ze zichzelf misschien kunnen wijs-

155

maken dat ze daar altijd hadden gewoond. Dan zouden ze gasten kunnen ontvangen ...

Ze schreef en herschreef haar volgende brief aan William vele malen en tenslotte klonk haar mededeling omtrent het gebrek van haar ouders en de verklaring voor haar eigen vreemde gedrag, stijf en gekunsteld. Zijn antwoord op haar brief kwam een maand later ergens uit de Stille Zuidzee. De toon van zijn brief was vriendelijk, maar een beetje verbaasd. Hij begreep niet waarom ze hierover had gezwegen. Doofheid was toch niet hetzelfde als bijvoorbeeld blindheid. Er was tegenwoordig zoveel onbegrip, zoveel ellende in de wereld dat doofheid wel haast een zegen moest zijn. Dikwijls verlangde hij er zelf naar om doof te zijn. „Veel liefs" schreef hij onder zijn brief.

Ze las zijn brief vele malen. Ze werd boos, maar na twee dagen begreep ze dat William helemaal niet wist wat doof zijn eigenlijk betekende, dat hij zich nooit had afgevraagd hoe een mens zich moet voelen die geen woorden tot zijn beschikking heeft. Woorden, het enige middel om gedachten over te brengen. Hoe een mens zich moet voelen die geen middelen tot zijn beschikking heeft om een abstracte of indirecte gedachtengang te kunnen begrijpen. Hij meende dat Doofheid niet meer was dan niet kunnen horen. Zij zou het hem nooit kunnen uitleggen. Zelf behoorde ze tot de Horenden, de Sprekenden, maar ze beschikte niet over voldoende woorden en verbeeldingskracht om het probleem te kunnen weergeven.

In juli kochten Abel en Janice het huis en in september verhuisden ze. Margaret nodigde mevrouw Anglin nogmaals uit voor de lunch en vroeg of zij niet eens bij hen wilde komen dineren.

„We hebben het druk gehad met de verhuizing, ziet U, en nu mijn ouders allebei veel langer werken, was er geen tijd voor de dingen ... die we graag wilden doen."

Mevrouw Anglin glimlachte een beetje gedwongen. „De oorlog

heeft veel verandering gebracht. Ik neem aan dat William en jij jezelf als verloofd beschouwen, maar je hebt elkaar nooit onder normale omstandigheden kunnen leren kennen. Dat moet je tocn wel dwars zitten, nietwaar?"

„William en ik" — ze had hun namen nog nooit gecombineerd en toen ze de uitdrukking van schrik zag op mevrouw Anglin's gezicht, had ze spijt van haar woorden — „Ik voel me niet op mijn gemak in al die drukke overvolle gelegenheden die door de oorlog zijn ontstaan. Het komt niet alleen door de oorlog. Ik ben niet zo'n waaghals. Ik moet in alle rust mijn plannen kunnen maken."

„Dat kan ik begrijpen. Zo ben ik ook," zei mevrouw Anglin opgelucht.

Aangemoedigd door haar begrip sprak Margaret verder en ze zei dingen die ze nog nooit tegen iemand had gezegd: „. . . Soms denk ik aan een meisje dat ik ken. Ze is geen vriendin van me, maar we werkten op hetzelfde kantoor vroeger. Toen nam zij ontslag en ging in een fabriek werken. Later hoorde ik dat ze ontslagen was omdat ze een soort zwarte markt dreef. Nadien heb ik haar nog eens ontmoet. Ze was in gezelschap van een paar matrozen. Ze waren allemaal dronken en zij herkende mij niet. Ze wilden in het kanaal gaan zwemmen . . ."

„Jonge mensen raken verward door deze oorlog," zei mevrouw Anglin. „In de eerste wereldoorlog was het precies hetzelfde. Ik denk dat mensen moreel minder sterk zijn dan ze denken."

„Maar de morele kant van de zaak hinderde mij niet zozeer," zei Margaret. „Ik had het gevoel dat ze volkomen *onbeschermd* was — dat zat me dwars. Als ze inderdaad waren gaan zwemmen en ze was verdronken, zou niemand haar hebben gemist. Ze trekt van de ene plaats naar de andere, maar ze hoort nergens thuis."

„Ik geloof dat je gelijk hebt. William en jij kunnen niet gelukkig zijn onder de huidige omstandigheden."

„Nee," beaamde Margaret. „Normale mensen kunnen niet gelukkig zijn onder deze omstandigheden. Voor mijn ouders is

het iets anders, voor hen is deze oorlog een uitkomst, zij —."
Plotseling zweeg ze verward.

„Mijn ouders zijn Doof, ziet U," vervolgde ze toen verlegen,
„— doofstom."

„Maar je zei toch dat ze in de oorlogsindustrie werkzaam zijn?"

„Mijn moeder werkt in een textielfabriek waar ze legerkleding
maken. Mijn vader is drukker."

„Bedoel je dat ze vóór de oorlog geen werk hadden?"

„Nee, dat niet. Maar nu zijn ze echt nodig. Zo nodig, dat
anderen de moeite nemen om hen te begrijpen. Ze zijn nu gelukkiger dan ooit te voren. Ze zijn trots omdat anderen trots
op hen zijn." Ze had het gevoel dat ze verraad pleegde tegenover
haar ouders. Mevrouw Anglin wendde haar blik af. Ze trok haar
handschoenen aan en zocht in haar handtas naar haar kanten
zakdoekje. Vol ontzag keek Margaret toe. Williams moeder
kleedde zich smaakvol. Haar tas, handschoenen, hoed en schoenen pasten bij elkaar. Ze was klein en tenger en ze had een streng
gezicht. Vermoedelijk wist ze dat heel goed, want ze droeg kleine
vrolijke hoedjes met een voile die iets zachts gaven aan haar gezicht. Ze keek Margaret aan en zei: „Ik hoop dat het gebrek van
je ouders geen onoverkomelijk bezwaar zal zijn om hen te ontmoeten. Ik zou graag met hen kennismaken." Margaret verzeker-
de haar dat ze hen natuurlijk zou ontmoeten. Ze moest beslist
eens bij hen komen dineren.

„Wij zijn eenvoudige mensen," zei Abel. „Wij hebben geen behoefte aan dergelijke contacten."

„Je vader heeft gelijk. Ik heb geen behoefte aan mensen die
op ons neerzien. We hebben trouwens nauwelijks meubels in de
woonkamer."

„Maar ik ben bijna verloofd met die jongen, begrijpt U dat
dan niet? Het is zijn familie. Ze zullen ooit hier moeten komen
—dat hoort nu eenmaal zo."

„Volgens de Horenden wel, ja."

158

„Volgens de Doven eveneens! Toen Harlean Thomas met die jongen ging, nodigden hun families elkaar toch ook uit! Die families gingen met elkaar om vanwege de kinderen."

„Maar er waren aan beide zijden Doven. Harlean's echtgenoot groeide op met Doven — zijn vader en twee van zijn broers waren doof. De hele Dovengemeenschap kent ze."

„Toch moet U Williams familie inviteren, er zal niets anders opzitten."

„Ik heb geen behoorlijke kleren en ook geen tijd. Waarom moet dat eigenlijk? Jij hebt relaties met die mensen, wij niet."

„Maar de ouders van de bruid moeten de bruiloft organiseren. U zult ze toch *eens* moeten ontmoeten."

„Ze hebben ons niets te zeggen. Ze kennen helemaal geen Doven!"

„U beklaagt zich altijd over het feit dat Horenden allereerst Doofstommen in U zien inplaats van mensen," riep Margaret half huilend uit. „Maar als het U goed uitkomt bent U opeens Doof! Ik wil dat U de familie Anglin te eten vraagt, voordat William met verlof komt. Mevrouw Anglin, haar dochter en haar schoonzoon."

Ze zag de angst op hun gezicht. Weer drong de buitenwereld zich aan hen op. Maar Margaret wilde niet toegeven en bleef haar ouders strak aanzien.

15

Voordat ze een besluit hadden genomen kreeg Margaret een brief van William. Hij zou verlof krijgen. Hij zou drie dagen in San Francisco mogen doorbrengen en hij hoopte dat Margaret zou kunnen komen.

Janice en Abel maakten natuurlijk bezwaar, maar ze ging toch. Ze bleef zestien dagen weg en toen ze terugkwam was ze getrouwd.

„Waarom?" vroegen ze met trillende handen.

„Vanwege al dat moorden en alle ellende. Vanwege het wachten en de angst," antwoordde Margaret. — „Hij wilde het."

„Ik vraag me af," zei Abel tegen Janice toen ze alleen waren, „of ze op dezelfde manier zijn getrouwd als wij." Ondanks al hun bravour was dat toch een armzalige huwelijksinzegening geweest, dacht hij.

„Het is mogelijk," antwoordde Janice.

„We zullen die mensen nu wel te eten moeten vragen. We zullen een hele avond met ze moeten doorbrengen."

„Zij doet maar!" zei Janice, „Ze gaat en komt en dan deelt ze ons doodleuk mee dat ze getrouwd is!"

„Margaret zal er ook zijn die avond. We zullen eerst alles opschrijven, tot we zeker weten dat ze zich niet schamen voor onze gebarentaal. Ik zal mijn gehoorapparaat dragen."

Janice lette niet op zijn woorden. Ze dacht aan de groene bomen en de zonnige dagen van die ene, lang vervlogen zomer. De enige zomer in haar leven dat ze geen angst had gekend. Ze keek de kamer rond. Het was een wonder dat deze kamer van hen was — deze kamer, dit huis aan deze laan. Waarom was ze dan nog steeds bang? Ze hadden nu toch alles waar ze vroeger alleen maar van droomden.

160

Drie gasten zouden ze moeten ontvangen. Drie onbekenden. Drie Horenden. In de vierentwintig jaar van haar huwelijk had Janice nooit meer dan twee gasten tegelijk ontvangen en nog helemaal nooit een Horende. Iedere avond als Margaret thuiskwam begon het opnieuw. Dan repeteerden ze de hele gang van zaken: wat ze zouden eten, het voorgerecht, de hoofdschotel, het dessert, hoe iedere minuut van ieder uur van die gevreesde avond zou moeten verlopen. Maar als Margaret de volgende avond thuiskwam had ze weer een heel ander plan bedacht. Toen ze de indeling van de kamer vijf maal hadden gewijzigd, het menu was vastgesteld en ze tot een besluit waren gekomen over de meest geschikte onderwerpen van gesprek, bleven er nog drie dagen over om zich het hoofd te breken over de vraag hoe ze zich zouden kleden. Stemmig of vrolijk? Sieraden of geen sieraden? Abel nam eveneens deel aan de discussie. Hij kon niet besluiten welke van zijn drie stropdassen hij zou dragen.

Eindelijk brak de gevreesde avond aan en iedereen zat stijf rechtop en glimlachte onafgebroken, met droge lippen en eenzame ogen boven hun lachende monden. Janice droeg haar beste zwarte jurk, maar ze zag er een beetje armoedig uit naast mevrouw Anglin in haar modieuze tafzijden pakje. Margaret voelde zich wat onwennig toen haar schoonzuster haar mevrouw Anglin noemde. Ze wist heel goed dat William haar zo overhaast ten huwelijk had gevraagd omdat hij bang was. Angst was de drijfveer geweest tot dit huwelijk, niet liefde. Zijn leven was totaal veranderd. Hij voelde zich verloren en klampte zich vast aan iedereen die hem zijn identiteit kon teruggeven. Het resultaat was dat zij hier nu alleen stond met alle gelukwensen en geschenken en dit gedwongen bruiloftsdiner. Alleen zonder bruidegom. Als haar moeder nu maar eens ophield met glimlachen. Als ze maar eens iets zei, — ook al zou het haar moeite kosten, ook al zou ze het antwoord niet verstaan. Alles was beter dan die wanhopige glimlach.

Radeloos stortte ze zich nogmaals in het gesprek. Bijna alle onderwerpen waren uitgeput. De winter, het weer, de oorlog en William, de kwaliteit van uniformjassen, de drukkerij, ze hadden er alles over gezegd wat erover viel te zeggen.

Margarets zwager maakte nog een vriendelijke opmerking over de gezellige woonkamer, maar daarna stokte het gesprek definitief.

Ze hadden een heftige woordenwisseling gehad over de taal waarvan ze zich zouden bedienen. Janice weigerde pertinent de Taal der Handen te gebruiken. Margaret smeekte hen zowel gebarentaal als woorden te gebruiken. Hun handgebaren zouden hun moeizaam gevormde woorden verduidelijken en de harde lelijke klanken verzachten. Zo spraken zij toch ook met hun vrienden uit de parochie? Maar Janice wilde daar niet van horen. ,,Al onze vrienden hebben Doven in de familie.''

,,Maar nu hebben de Anglins toch ook Doven in de familie?''

,,Dat is iets anders. Wij weten toch dat Horenden zich schamen voor hun Dove familieleden.''

,,Niet alle Horenden . . .'' begon Margaret. Toen zweeg ze hulpeloos en verslagen. Ze wist dat ze deze diepgewortelde argwaan niet zou kunnen wegnemen.

Daar zat Janice nu, stijf rechtop, een beetje hysterisch te glimlachen. Mevrouw Anglin was volkomen zelfverzekerd binnen gekomen. Ze droeg een klein veren hoedje, een grijze handtas en grijze handschoenen met kleine knoopjes. Achter haar kwamen haar dochter en schoonzoon, hun ogen dwaalden nieuwsgierig rond. Zodra mevrouw Anglin het woord nam wist Janice dat het hopeloos was. Ze sprak als een beschaafde dame, hetgeen betekende dat ze nauwelijks haar lippen bewoog. Af en toe bedekte ze haar harde mond met een goed verzorgde hand. Abel had het iets minder moeilijk met de dochter en schoonzoon die met Margaret en hem een gesprek trachtten te voeren. Zichtbaar opgelucht verdween Janice tenslotte naar de keuken. Achter de

162

gesloten keukendeur mopperde ze zacht voor zich heen. Zou Margaret nu echt niet inzien dat dit een dwaze vertoning was? Best mogelijk dat het zo hoorde, maar wat dan nog? Nerveus en boos ging ze aan het werk.

Dadelijk zou ze weer naar binnen moeten — ze kon niet de hele avond in de keuken blijven. Ze had zich in geen jaren zo doof gevoeld. Al die jaren van Margarets jeugd, in haar werkkring, in haar gezin, had ze zich op de een of andere wijze beschermd gevoeld. Pas nu die Horenden daar binnen in haar woonkamer zaten realiseerde zij zich hoe goed Abel en zij zich hadden beschermd tegen de buitenwereld. Toen ze nog gewoon naaister was op de fabriek, was ze wel eens belachelijk gemaakt door Horenden, maar ze had nooit de moeite genomen die spottende woorden van hun lippen te lezen. Ze had zich mentaal doof gehouden voor hun grappen, voor hun bestaan zelfs. Als cheffin van de afdeling werd ze door de naaisters met eerbied en ontzag behandeld. Maar dat alles kon haar nu niet helpen. Haar mooie kleren en haar huis evenmin. De rechter had nu weliswaar geen vat meer op hen, maar nu zaten daar andere rechters in haar woonkamer om haar te veroordelen. Zuchtend nam ze het dienblad op en droeg het naar de eetkamer.

De maaltijd was een pijnlijke, gedwongen aangelegenheid. De Anglins wilden converseren, maar ze voelden dat ze de Ryders buiten sloten, daarom zwegen ze na een enkele mislukte poging. Janice en Abel, geroutineerd in het begrijpen van een hulpeloos gebaar of een onbewuste gezichtsuitdrukking, zorgden dat het de gasten aan niets ontbrak. Tegen het einde van de maaltijd drukte de koude pijnlijke stilte als een zware last op Margarets schouders. De Anglins, die niet buiten de normale luchtige conversatie van de Horenden konden, staarden deze stomme, starre vreemde mensen onthutst aan. Margaret voelde zich zo hulpeloos en verslagen dat ze evenmin een woord over de lippen kon krijgen. Janice was weer in de keuken verdwenen en Margaret zag uit haar ooghoek dat Abel aanstalten maakte om op te staan. Het

163

dessert en de koffie moesten nog worden geserveerd.

Ze begon zenuwachtig te praten. Ze stelde vragen en luisterde nauwelijks naar het antwoord. De Anglins haalden opgelucht adem. Margaret hoopte vurig dat haar ouders uit de keuken zouden komen voordat hun afwezigheid onduldbaar werd. Haar ogen dwaalden voortdurend naar de spiegel aan de muur tegenover haar. Plotseling zag ze haar ouders in de spiegel. Ze hadden ruzie daar in de keuken. Ze stonden nu vlakbij de deur. Met fonkelende ogen stonden ze als kemphanen tegenover elkaar en wierpen elkaar boze woorden naar het hoofd. Hard en verbitterd schreeuwden ze tegen elkaar en Margarets hoofd barstte haast uiteen van het lawaai in de keuken en de dodelijke stilte in de eetkamer. Er was geen geluid te horen en in die stilte wachtte zij op de klappen die zouden volgen. De wereld van Abel en Janice was een zeer tastbare lichamelijke wereld, hun woede eveneens. De klappen zouden als donderslagen klinken aan dit afschuwelijke diner.

Plotseling zag mevrouw Anglin de bewegingen in de spiegel. De dochter en schoonzoon aan de overzijde van de tafel, zagen hun blikken en draaiden zich om. Iedereen wist dat ze tegen de regels van de beleefdheid zondigden, maar deze situatie was zo bizar dat ze gefascineerd bleven toekijken. Voor het eerst beschouwden ze Janice en Abel als levende wezens, als mensen zoals zijzelf. Daar stonden ze tegenover elkaar. Hun ogen, hun lippen, hun handen en hun lichamen drukten ongeduld en woede uit.

Eindelijk hervond mevrouw Anglin haar evenwicht. „Margaret, kunnen we iets doen? Kunnen wij misschien helpen?" Haar gezicht had een zachte bezorgde uitdrukking aangenomen. Maar ditmaal was Margaret op haar hoede. De vorige maal had ze zich door de vriendelijkheid van haar schoonmoeder laten verleiden tot een uitnodiging voor deze verschrikkelijke avond.

„Mijn ouders hebben een meningsverschil over drank," zei ze voorzichtig. „Zij zijn het er niet over eens of ze U een glas cognac kunnen aanbieden." Wanhopig zocht ze naar woorden. „Onze kerk heeft bezwaar tegen alcohol. Mijn moeder drinkt helemaal niet, maar mijn vader drinkt bij speciale gelegenheden graag een glas cognac na tafel."

„Ik wil graag een cognacje," fluisterde mevrouw Anglin op bezwerende toon, „heel graag". Margaret was blij dat ze de woorden van haar ouders niet konden verstaan. Hun woordenwisseling ging hoofdzakelijk over de Anglins, over alle fouten van de Anglins die geoefende ogen hadden kunnen ontdekken. Met een verontschuldiging op de lippen liep Margaret naar de keuken en sloot de deur achter zich.

Even later haastte Abel zich de kamer in met een fles cognac en een blaadje met glazen. Toen kwam ook Janice binnen en begon met een stug gezicht de vuile borden op te stapelen. Mevrouw Anglin en haar dochter wilden opstaan om te helpen, maar Janice schudde nadrukkelijk het hoofd. De dames Anglin keken een beetje schichtig rond. Margaret zag het en probeerde haar moeders aandacht te trekken. Abel was blijven staan en gebaarde nu naar Margaret. Ze begreep wat hij wilde en de moed zonk haar in de schoenen. „Mijn vader wil graag even de aandacht . . ."

Ogenblikkelijk werden alle ogen vol spanning op hem gericht. Even was het doodstil, toen begon hij te spreken met langzame, vloeiende gebaren, zó heel anders dan zijn dagelijkse slordige ongeduldig afgemeten taal, dat Margaret stomverbaasd toekeek en automatisch vertaalde. Deze ritmische evenwichtige prachtige gebaren, die haar deden denken aan de gebaren waarmee Doven gedichten declameerden, waren natuurlijk voor haar bestemd, wist Margaret.

„Mijn vader wil zeggen — hij zegt — dat hij heeft gehoord dat een mens op hoogtijdagen een toast uitbrengt op degenen die hem dierbaar zijn — die voortdurend in zijn gedachten zijn. Hij zegt dat hij al deze dingen juist en correct wil volbrengen." Ze spande zich tot het uiterste in om het waardige verfijnde ritme van zijn woorden over te brengen. „Als Horenden een dochter

165

krijgen die opgroeit en trouwt, huilen de ouders op haar bruiloft omdat ze hen gaat verlaten, omdat ze haar zullen missen. Als Doven een meisje krijgen, een Horend meisje, zal ze opgroeien in de Wereld van de Horenden en als zij trouwt zullen haar ouders niet huilen. Als het Horende kind het huis van de Doven verlaat, verlaat niet alleen het kind hun huis, maar moeten ze tevens afscheid nemen van hun oren en hun mond. Tranen zijn daarvoor niet toereikend. Zij blijven achter in de duisternis, want —" plotseling hielden de gebaren op, even maar, toen ging Abel dapper verder — „Ik bedoel... mijn vader wilde iets anders zeggen, de belangrijke woorden, die passen bij deze gelegenheid. Hij heeft verscheidene mensen om raad gevraagd, hij heeft boeken geraadpleegd om de juiste woorden te zoeken die hij bij deze gelegenheid zou moeten uitspreken. Maar hij begrijpt die woorden niet en hij wenst geen woorden te spreken die hij niet begrijpt. Daarom heeft hij besloten dingen te zeggen die hij begrijpt en die U gelukkig zullen maken en Uw angst zullen wegnemen. Zijn vrouw werd doof geboren tengevolge van een ziekte, de mazelen, die haar moeder tijdens haar zwangerschap kreeg. Hijzelf heeft zijn doofheid van zijn vader, maar aangezien zijn beide kinderen zonder dit gebrek zijn geboren, hebben de dokters verklaard dat de kans op nog meer Doven in de familie bijzonder klein is. Hij zegt dat hij op dit punt navraag heeft gedaan om zekerheid te hebben omtrent deze zaken, want hij weet dat Horenden deze dingen vrezen. Maar U hoeft niet bevreesd te zijn als de j-jonge mensen k-kinderen krijgen..." Ze aarzelde en begon te stotteren. De Anglins glimlachten en lachten luid toen ze zagen dat Margaret bloosde tot onder haar haarwortels.

Abel keek snel rond. Maar toen hij het vuurrode gezicht van zijn dochter zag moest hij eveneens lachen. „*Jij* moet ook niet bang zijn," zei hij. Toen het lachen was bedaard, keken de Anglins niet langer naar een dove man en zijn tolk, maar naar een vader en zijn dochter.

„Mijn vader wenst alle aanwezigen een lang en gelukkig leven

166

toe. Hij hoopt dat wij allen met onze gezinnen in voorspoed en vrede zullen mogen leven, en zijn wensen gelden ook William."

Abel hief zijn glas en dronk en alle aanwezigen keken hem vertederd aan en dronken hem toe. Ze waren kennelijk ontroerd door zijn woorden en wilden hem tonen dat zij zich nu op hun gemak voelden in zijn aanwezigheid. Ze maakten vriendelijke opmerkingen die Margaret moest vertalen voor haar ouders. Als vanzelfsprekend hadden de vrouwen zich een beetje afgezonderd van de mannen en Janice, die binnenkwam met de koffie, nam plaats in hun midden. Ze stelden haar vragen over haar werk en haar plannen voor de achtertuin in het voorjaar. Ze antwoordde met kleine onopvallende handgebaren. Ze wilde vooral geen aandacht trekken. Haar bescheiden gebaren hadden een grote vrouwelijke bekoorlijkheid voor de gasten.

Toen iedereen zijn koffie had gedronken begon Janice de kopjes op te ruimen, en ditmaal kwamen de dames Anglin gedecideerd overeind, ondanks de bezwaren van Janice. Ze liepen op en neer van de woonkamer naar de keuken.

Mevrouw Anglin pakte twee koffiekopjes in de ene hand en de koffiepot in de andere. Ze volgde Janice naar de keuken. Maar plotseling stond Janice stil en wendde zich half om. „Pas op — die koffiepot is heet!" riep mevrouw Anglin uit. Maar Janice sloeg blijkbaar geen acht op haar woorden. „Pas op!" waarschuwde mevrouw Anglin nogmaals. „U zult zich nog branden aan de hete koffiepot!" Ze probeerde een stap achteruit te doen, maar botste tegen de tafel.

Toen Margaret de uitroep van haar schoonmoeder hoorde holde ze de kamer in. Ze zag de schrik op het gezicht van mevrouw Anglin, maar ze kon niet meer voorkomen dat haar moeder zich brandde aan de hete koffiekan. Met een half verstikte kreet trok Janice haar arm weg, de kopjes op het dienblad dat ze in haar andere hand hield, vielen in scherven op de grond. Ze keek mevrouw Anglin aan met een gepijnigde hulpeloze blik, als een kind dat zonder reden wordt geslagen. Voorzichtig wreef

167

ze over haar arm, die een brandende rode plek vertoonde.

„Ik heb U nog zo gewaarschuwd!" riep mevrouw Anglin verbolgen uit. „Maar U bleef gewoon *staan!*" Haar gezicht had weer de bekende stugge, harde uitdrukking aangenomen. „Waarom ging U niet opzij? Ik zei toch —"

Margaret gebaarde zacht en vriendelijk tegen Janice: „Ze zei dat U opzij moest gaan, maar U kon haar natuurlijk niet verstaan." Janice glimlachte een beetje verontschuldigend. „Het spijt me — het is helemaal niet erg. Ik ben alleen maar geschrokken."

Mevrouw Anglin keek verbaasd rond en streek met haar hand over haar ogen. „Wat ontzettend dom van mij. Het spijt me zo. Je hebt me verteld dat ze doof is — dat allebei je ouders doof zijn. Ik heb je vader zien spreken met gebaren, maar toch kon ik het blijkbaar niet geloven. Is het werkelijk mogelijk dat een mens helemaal *niets* kan horen?"

„Ja," antwoordde Margaret, „dat is mogelijk."

„Is er dan een grote dodelijke stilte om hen heen?"

„Ik weet het niet," bekende Margaret, „maar ik weet wel dat mijn ouders alleen maar lippen zien bewegen als mensen praten. Soms begrijpen zij een enkel woord of een enkele zin, maar die woorden hebben geen werkelijke betekenis voor hen. Niet zoals de Taal der Handen."

Mevrouw Anglin schudde meewarig het hoofd. „Arm kind," mompelde ze tegen Margaret. „Arm, arm kind."

168

16

De mensen waren gewend geraakt aan de zenuwslopende, opwindende geruchten, aan de propagandaposters, de doden en ge-
gewonden, de oorlogsfilms, de opgeschroefde vrolijkheid in
nachtclubs en het hele abnormale leven in tijd van oorlog. In
deze sfeer kwam William thuis en hij voelde zich een vreemdeling
in eigen land. Hij was gewond door granaatscherven en enkele
scherven veroorzaakten nog steeds een schrijnende pijn in zijn
rug en schouders. Margaret kende uitsluitend oorlogshelden uit
films en ze begreep niet dat William zo ongeïnteresseerd, haast
verveeld sprak over zijn verwondingen. Hij beschouwde ze als
een ,,retourbiljet'' naar huis, zei hij. Iedere soldaat hoopte vurig
dat het hem zou overkomen, maar slechts enkele gelukkigen
liepen verwondingen op die te ernstig waren om nog aan de strijd
deel te nemen, maar geen blijvend lichamelijk of geestelijk letsel
veroorzaakten. Dat klonk heel anders dan de woorden van de
helden in oorlogsfilms, heel anders ook dan Williams eigen
wezen en Margaret wist niet precies wat ze ervan moest denken.
Nadat hij het ziekenhuis had verlaten verbleef hij geruime tijd
in het huis van zijn moeder om ,,op te knappen''. Hij was teruggetrokken, lusteloos en blijkbaar zeer vermoeid. Margaret ging
hem iedere avond na haar werk bezoeken. Dan zaten ze stijf
tegenover elkaar aan de keukentafel. Na de eerste omhelzingen,
voorzichtig, vanwege zijn pijnlijke wonden, had hij haar niet meer
aangeraakt en als Margaret hem trachtte te liefkozen trok hij zich
schichtig terug. Hij voelde zich onwezenlijk, zei hij. De hele
oorlog was iets onwezenlijks. Vechten, in loopgraven liggen,
vluchten, het had allemaal iets onwezenlijks voor hem gehad en
nu hij eindelijk thuis was, terug in zijn eigen omgeving, voelde hij
zich hier ook niet meer op zijn plaats. Soms slenterde hij door
de stad en haalde Margaret van kantoor om met haar te lunchen.

Tijdens de lunch zat hij rond te kijken en ongedurig met zijn vingers op tafel te trommelen. Ze kon zich nauwelijks herinneren hoe hij vóór de oorlog was geweest.

Ze wist dat oorlog iets afschuwelijks, wreeds en barbaars was. Ze had er rekening mee gehouden dat William driftiger, nerveuzer, misschien zelfs wel een beetje wreed zou zijn geworden als hij terugkwam uit die hel.

Ze was op alles voorbereid, behalve op deze apathische, onverschillige, lusteloze William. 's Avonds herlas ze soms de brieven die hij haar uit alle plaatsen van de wereld had gezonden. In iedere brief had hij geschreven over zijn toekomstplannen als hij eenmaal „thuis" zou zijn. Wanhopig schudde ze haar hoofd. *Nu* was hij thuis, dit *was* de toekomst, maar die plannen scheen hij zich niet meer te herinneren en als hij een besluit moest nemen raakte hij in paniek. Hij liet alle beslissingen aan haar over en als ze hem niet bevielen werd hij lastig en ongelukkig.

Haar ouders hielden haar opgewekt voor dat ze geduld moest hebben. Zelf waren ze heel geduldig en tevreden: Margaret was gelukkig nog thuis. De scheiding die Janice en Abel vreesden werd van dag tot dag uitgesteld en tenslotte hoopten ze in stilte dat William zou terugkeren naar zijn koude harde moeder en Margaret met rust laten.

Abel zei dat William gerust bij hen kon komen wonen, ook al had hij hem niet dikwijls ontmoet sedert zijn thuiskomst. Langzaam maar zeker groeide bij Abel die droom van een ideale toekomst: William zal bij ons komen wonen. Hij zal de Taal der Handen leren. Dan zal hij meegaan naar de drukkerij en begrijpen waarom ik daar word gerespecteerd, waarom ze me allemaal vragen mijn handen op hun machines te leggen. Margaret zal het huishouden doen als Janice in de fabriek is en op zaterdag en zondag zullen we allemaal bij elkaar zijn. Ze zullen samen met ons naar de kerk gaan en daarna gaan we weer wandelen, zoals vroeger. Wat zal het prettig zijn om samen op de veranda te zitten tot het te donker wordt om te babbelen . . .

Over een jaar of vijf zal er een kind zijn en we zullen alle tijd hebben om het te liefkozen en te vertroetelen. Alle tijd die we vroeger niet hadden. Dat kind zal niet van de trap vallen, dat kind zal voortdurend beschermd zijn door mensen die geen fouten maken omdat ze oververmoeid zijn of ongeduldig . . .

Maar toen hij voorzichtig over die droomtoekomst sprak, herinnerde Margaret hem met de wreedheid van de Horenden aan haar eigen moeilijkheden. Toen haar ouders haar verweten dat ze William nooit meebracht naar huis, trachtte ze hen te doen begrijpen dat hij veel te rusteloos was om op bezoek te komen. Hij was een paar maal gekomen en hij had enkele woorden geleerd in de Taal der Handen. Maar hij had geen werkelijke belangstelling aan de dag gelegd en hij sprak zo onduidelijk dat het onmogelijk was de woorden van zijn lippen te lezen. Soms zag Abel dat Margarets ogen rood waren van het huilen. Dan zou hij haar zo graag willen troosten, haar verzekeren dat alle moeilijkheden binnenkort zouden zijn opgelost. Maar Margaret draaide haar trouwring rond en rond en zei dat ze Williams vrouw wilde zijn, maar dat hij blijkbaar geen behoefte had aan een vrouw en haar uitsluitend als een last beschouwde, die hij niet kon dragen.

Op een dag lag er een briefje op de keukentafel. Er stond iets in over de universiteit en over een beurs en dat ze niet thuis zou eten die avond. De volgende dag lag er weer een briefje op hen te wachten. Ditmaal schreef ze iets over een studentenkamer zoeken, maar ook dat betekende slechts dat ze niet thuis zou zijn voor het avondeten. De derde dag verdween ze voorgoed. Haar kleren en haar radio laadde ze vrolijk in de auto van een vriend. Ze zwaaide naar hen vanaf de voorbank van de auto, waar ze tussen William en zijn vriend had plaatsgenomen en plotseling, voordat ze begrepen wat er gebeurde, was ze verdwenen. Weg. Naar de een of andere universiteit, vijfenzeventig kilometer ver van hen vandaan. Voor altijd weg.

De dagen gingen voorbij. Ze spraken niet over het vertrek van hun dochter, maar Abel keek dikwijls naar de plek vóór het hek

171

waar die auto had gestaan. Toen ze op een dag aan het avond-eten zaten, barstte Janice plotseling los: „Ze is de hele nacht bij hem gebleven, de hele nacht!"

„Maar ze zijn getrouwd. Ze mogen toch bij elkaar zijn."

„Ze zegt dat ze getrouwd is, maar wie zegt dat dat waar is? Ze heeft een of ander papier en een ring, maar iedereen kan voor een papier en een ring zorgen!"

„William gaat aan de universiteit studeren, dat heeft ze ons verteld. Ze moet met hem meegaan — ze is zijn vrouw."

„Ik mag hem niet. Hij is keihard. Als ze straks zwanger is vertrekt hij weer naar de oorlog om mensen te doden."

„Margaret heeft gezegd dat hij aan de universiteit gaat stu-deren. Ze zal met deftige, ontwikkelde mensen omgaan en ze zal een heleboel leren . . ."

„Hoe kan dat nu, ze blijft toch onze dochter!"

De brieven van Margaret waren voor Abel en Janice licht-puntjes in de duisternis. Margaret en William hadden een huis gevonden. Ze hadden geluk gehad, schreef Margaret, want nu de regering beurzen ter beschikking had gesteld van militairen die hun dienst hadden volbracht, kwamen er veel soldaten naar de universiteiten en er was lang niet voldoende woongelegenheid. Ze had een betrekking gevonden als secretaresse op een bankiers-kantoor, schreef ze verder. Het was wel erg saai werk, maar op de duur zou ze misschien wel iets beters vinden.

Margarets brieven hadden altijd iets opgeschroefd vrolijks. Het was alsof ze iets te verbergen had, inplaats van mede te delen. Misschien lag het wel aan die geschreven woorden, meen-den Abel en Janice. Woorden hadden nu eenmaal nooit zoveel betekenis als gebaren en je kon hun betekenis bovendien nooit helemaal vertrouwen. Die brieven waren dus geen grote troost. Ze konden ook niet aan de eenzaamheid wennen, integendeel, naarmate de weken verliepen voelden zij zich steeds eenzamer.

Op een zaterdagochtend werd Abel vroeg wakker en toen Janice haar ogen opende zat hij rechtop in bed een boekje te

172

bestuderen. Ze tikte op zijn arm om zijn aandacht te trekken.
„Wat is dat?"

„Vertrektijden van de bussen. Ik ben gisteren naar het busstation geweest om dit boekje te halen."

„Waar wil je dan heen?"

– „Ik ga naar Margaret."

Op zondag vertrok een bus vanuit de binnenstad naar de universiteit. „Kijk," zei hij, „die bus vertrekt 's morgens om zeven uur vijfenvijftig en komt 's avonds terug. Om negen uur vijfentwintig zijn we dan bij de universiteit."

„Op zondag?"

„Ja, dat staat hier. Ik wil morgen gaan."

Janice zag onmiddellijk problemen. Wanneer zouden ze moeten ontbijten als ze al zo vroeg moesten vertrekken? En hoe moest het met de lunch en het avondeten? Ze kenden die universiteit helemaal niet, hoe zouden ze Margaret en William ooit vinden tussen al die gebouwen? Misschien waren er wel bepaalde regels waar ze zich aan moesten houden, regels die zij niet kenden. Dan zouden ze weer in verlegenheid worden gebracht, net als die avond van dat vreselijke diner. Hij wist toch even goed als zij dat dingen die eenvoudig leken, dikwijls heel gevaarlijk bleken te zijn, vol voetangels en klemmen. En hoe zouden ze —.

Maar hij duwde haar handen opzij en zei kortaf: „Ik ga er heen. Je kunt kiezen of je mee gaat of niet."

Zondag was een heldere koude dag. Ze hadden de wekker op vijf uur gezet en waren in de schemerige ochtend naar het busstation gereden. Sedert Margarets vertrek hadden ze diverse methoden geprobeerd om op tijd wakker te worden en tenslotte hadden ze een goedkope wekker gekocht die ze onder de dekens aan het voeteneinde van het bed legden. Als de wekker afging voelden ze de trillingen tegen hun voeten, of tegen hun benen. Ze waren ingeslapen met het vaste voornemen op tijd wakker te worden en

173

bij de eerste trillingen van de wekker sprongen ze allebei uit bed en kleedden zich snel aan in het donker. Janice wilde Abel waarschuwen dat het een koude dag zou worden, maar het was nog te donker om te praten. Ze vreesde de dag die voor haar lag en de bus die haar in die schrikwekkende vreemde wereld zou brengen.

De bus was oud, maar vol leven. Er zaten een paar studenten in, die terugkeerden naar de universiteit. Enkele soldaten stapten in en lieten zware plunjezakken van hun schouder glijden. Verder was er nog een oud dametje omringd door pakken en dozen.

Om acht uur vertrok de bus en ze reden snel door de verlaten straten. Ze passeerden Margarets oude school. De school was veel kleiner dan ze zich herinnerden. Eigenlijk was het een vies oud gebouwtje, dacht Janice. Nu hadden ze de stad achter zich gelaten. Bij iedere halte stapten boeren en boerinnen in. Ze droegen hun zondagse kleren. Janice zag dat Abel naar hen keek en ze wist dat hij aan de boerderij dacht. „Die gaan naar de kerk," zei hij, voorzichtig gebarend tussen zijn knieën zodat de overige passagiers het niet zouden zien.

De universiteit was de laatste halte en iedereen stapte uit. Janice en Abel bleven staan. De overige passagiers liepen snel verder. Ze wisten blijkbaar precies waarheen ze moesten gaan en wat ze zouden aantreffen. Abel keek om zich heen, maar hij zag de universiteit niet. Toen de bus een tijdje later omdraaide en vertrok, stonden zij nog steeds bij de verlaten halte.

„We kunnen hier niet blijven staan," zei Abel. „Kom mee, misschien vinden we de universiteit wel." Ze liepen door een heleboel straten, eerst in noordelijke, daarna in oostelijke richting. Tenslotte bereikten ze een groot park, bedekt met een dikke laag sneeuw. De paden waren schoongeveegd. Achterin het park lag een groot gebouw met een zuilengang ervoor en stoepen die naar een breed bordes leidden. Abel glimlachte met kennis van zaken: „Kijk, dit is de universiteit en we hebben de weg zo maar gevonden."

Janice keek om zich heen. Wat een prachtig gebouw. Waarlijk

een tempel der wetenschap. Op de paden in het park liepen wetenschapsmensen. Zij waren geleerd, zij hadden macht.

Abel en Janice liepen over het pad naar de universiteit. Ze kwamen niet veel mensen tegen. Tenslotte hielden ze een student de brief met Margarets adres voor. Er zat niets anders op. Hij sprak tegen hen en wees met zijn hand, maar plotseling begreep hij dat ze hem niet konden verstaan. Toen pakte hij de brief uit Abels hand en tekende er een kaartje op. Toen pas begrepen ze dat Margaret en William niet op het terrein van de universiteit woonden.

Ze begonnen weer te lopen, nu volgens de aanwijzingen op het kaartje. Weg van de universiteit, want daar woonde William helemaal niet. William woonde niet eens in de buurt van die tempel der wetenschap. Margaret had hen iets op de mouw gespeld. De jongeman die hen de weg had gewezen was ook in het leger geweest, dat hadden ze aan zijn kleren gezien, maar *hij* was wel in de universiteit en William niet. Die had gelogen. Ze liepen het park uit en kwamen in een straat met winkels en kantoren. Aan het einde van de straat sloegen ze linksaf. Dit was een straat met oude huizen. Hoe verder ze liepen hoe armoediger de huizen werden. In de achtertuinen van sommige huizen stonden karavans en schuren die eveneens bewoond schenen te zijn en overal hingen waslijnen vol drogend wasgoed. Janice rilde, het herinnerde haar aan Vandalia Street. Onderaan de straat sloegen ze nogmaals links af en toen waren ze er: South McKinley.

Nummer 313 was het eerste huis. Op de kleine veranda stond een hele verzameling kinderwagens en fietsen. Een vrouw met krulspelden in het haar kwam naar buiten om een kleedje uit te kloppen. Ze nam hen argwanend op. Langzaam kwamen Abel en Janice over het tuinpad naderbij. Een beetje verlegen toonden ze haar het kaartje met Williams naam. De vrouw wierp een blik op het kaartje en knikte in de richting van de achtertuin. Omdat ze kauwgum kauwde wisten ze niet zeker of ze iets had gezegd of niet, maar na een blik op haar harde stugge gezicht meenden ze

175

te begrijpen dat ze naar de achtertuin moesten. Wat was het vandaag ontzettend koud! Diep weggedoken in de kraag van hun jas liepen ze door de rommelige, hard bevroren tuin naar de achterzijde van het huis.

Margaret ontwaakte vroeg die morgen in de bekende ijskoude duisternis van de kamer. Oh hemel, het raam was weer eens opengewaaid! Nu zou ze weer uit haar warme holletje tussen William en de muur moeten kruipen om dat vervloekte raam te sluiten. Ze zou twee stappen op de ijskoude vloer moeten doen om dat ellendige raam aan de overzijde van de kamer te bereiken. Het was een onbetrouwbaar raam. Overdag gaf het zo weinig licht dat ze zelfs op zonnige dagen de lamp moesten aandraaien en 's nachts waaide het plotseling zonder reden open. Klappertandend trok zij het raam dicht en kroop weer in haar warme holletje naast William. Als ze nu nog maar een beetje kon slapen. Wat een afschuwelijk hol, dit ,,huis" van hen. Toch hadden ze geboft dat ze het hadden gevonden! William had zijn uiterste best gedaan om deze schuur te bemachtigen. Het was er koud en vochtig en ze hadden geen stromend water. Als ze een bad wilden nemen moesten ze naar ,,het huis". Maar William kon hier tenminste rustig studeren. William had planken gespijkerd over de gaten in het dak. Nu was het wel erg donker maar... voordat ze de zin had uitgedacht viel ze in slaap.

Er werd op de deur geklopt. William kwam slaperig overeind en riep dat hij in aantocht was, maar het geklop hield aan. ,,Jezus!" vloekte hij en zocht in het donker naar het koord van de lamp. ,,Marge, het is half elf. Er staat iemand voor de deur."

Op dat ogenblik viel met donderend geraas een plank uit de vermolmde opgelapte schuurdeur naar binnen.

,,Wel, verdomme." De deur was naast het bed en William kon hem vanuit bed openen.

Daar stonden de Ryders in hun zondagse kleren, met een blik

van ongeloof en afschuw in hun ogen. Margaret zat rechtop in bed en hield de deken om zich heen. „Je ouders komen ons een bezoek brengen," zei William zacht.

„Ik zal ze wel ontvangen. Ga jij de deur maar repareren."

Hij mompelde iets onverstaanbaars en stapte uit bed. Hij was gewend in zijn ondergoed te slapen. Terwijl hij op de rand van het bed zijn sokken en schoenen aan dee l, zag hij de gezichten van zijn bezoekers nog meer verstrakken. Het was een klein kamertje, nauwelijks groot genoeg voor het bed, de tafel en de twee stoelen die er stonden. Janice en Abel bleven stokstijf bij de deur staan. William liep naar de „keuken" — een plank aan de andere kant van het kamertje met een elektrische kookplaat, twee pannen en wat serviesgoed. Onder de plank stonden twee emmers water, waarop zich reeds een laagje ijs had afgezet.

Snel trok Margaret haar mantel aan die aan het voeteneinde van het bed lag. Ze probeerde niet te rillen.

„Gaat U toch zitten — daar aan tafel . . ."

Twee paar ogen keken naar de tafel en toen weer naar haar. William had zich nu aangekleed en zette water op voor de koffie.

„Marge" — hij zag er een beetje jongensachtig en verlegen uit — „Ik zal nu maar de deur gaan repareren hè?"

„Ja, doe dat maar."

„Kun je het redden?"

Ze knikte en hij sloop naar de deur. Margaret zuchtte. Ze wist dat hij zich gekwetst voelde door de afkeurende blikken van haar ouders. Haar echtgenoot had alle ellende van de oorlog en van zijn verwondingen moedig doorstaan, maar tegen deze situatie, tegen deze twee zwijgende mensen met hun afkeurende blikken, was hij niet opgewassen. Toch woonden zij in een van de beste studentenverblijven van de stad.

„We hebben uitgeslapen," zei Margaret tegen haar ouders. „We zijn gisteravond laat naar bed gegaan."

Ze verroerden zich niet, hun gezichten stonden strak.

William kwam terug met een plank, een hamer en een handvol

spijkers. „Vertel ze alsjeblieft dat we niet altijd zo lang in bed liggen . . ."

Gehoorzaam vertaalde Margaret zijn woorden en ze knikten.

„Wat is er met *hem* gebeurd?" Abels gebaren waren stijf en gereserveerd.

„Niets — we maken het uitstekend."

„Je zei dat hij aan de universiteit studeerde."

„Dat is ook zo."

„Studenten leven niet zoals jullie leven. Wij weten wel beter. We zijn vanochtend naar de universiteit geweest."

„U begrijpt het niet," zei Margaret. „Het gaat niet om het geld. Er zijn eenvoudig geen huizen voor gehuwde studenten."

„Dit is een afschuwelijke kamer," zei Janice terwijl ze om zich heen keek. „Veel te klein. Er zijn hier vast muizen en kakkerlakken. Studenten wonen niet in dergelijke kamertjes."

Margaret zag die bekende uitdrukking op haar moeders gezicht.

„Hij liegt tegen je," vervolgde Janice. „Of jij liegt tegen ons om hem te beschermen. Dit is een vies, armoedig kamertje."

„Maar begrijpt U het dan niet?" zei Margaret. „Alle getrouwde studenten leven zoals wij. Er zijn geen nieuwe huizen, vanwege de oorlog. Wij hebben nog geweldig geboft dat we deze kamer konden krijgen."

Ze wilde hen doen begrijpen dat dit voor William en haar een beginpunt was, geen eindpunt. „Vader en U waren toch ook niet rijk toen U pas was getrouwd . . ." Ze wilde hun begrip opwekken, herinneringen aan hun eigen eerste huwelijksjaren.

Abels woede was haast tastbaar in het kleine kamertje. Zijn handen smeten de woorden zo heftig naar haar hoofd dat ze wankelde.

„Wil jij jezelf soms met ons vergelijken? Jij bent niet zoals wij. Wij zijn naar een slechte school geweest. Een school voor Doofstommen waar we niet eens onze eigen taal hebben geleerd. Waar we niets hebben geleerd, zodat iedereen ons kon bedriegen en ons

178

geld afnemen en de politie achter ons aan sturen! Jij bent een *Horende*. En hij ook! Dat luie leugenachtige varken dat beweert dat hij student is. Een *Horende!* Hij hoort *alles,* dat verzeker ik je. Jij komt uit ons mooie huis, met bomen, je eigen kamer, warmte, mooie dingen en je gaat in dit smerige hol wonen en neemt geld aan van de overheid. Bedelaars zijn jullie, *bedelaars!*"

Zelfs Janice hield haar adem in toen Abel dat verschrikkelijke gebaar maakte tegen zijn dochter. William begreep dat er iets vreselijks gebeurde. Hulpeloos keek hij van de een naar de ander. Toen zag hij dat zijn vrouw in tranen uitbarstte.

17

Abel vroeg zich af of hij ziek was. Al geruime tijd tekenden de contouren van de wereld om hem heen zich minder scherp af dan gewoonlijk. De Wereld van de Horenden, het oorlogsnieuws, zijn werk, de gezichten van de voetgangers op straat, zijn eigen huis temidden van zijn bomen, zijn struiken, zijn tuin, alles werd vaag voor hem. Zelfs de kerk en de *echte* mensen, de Doven, werden een beetje onwezenlijk voor hem en dikwijls dwaalden zijn gedachten af als hij na de kerkdienst stond te praten met zijn vrienden.

Janice was openlijk ongelukkig en verbitterd. Telkens opnieuw sprak ze over dat mislukte bezoek. Ze verweet hem Margarets fouten en tevens, meende hij, het feit dat ze dat ellendige bezoek hadden gebracht. Als ze rustig was thuisgebleven, zou ze nu nog steeds die opgewekte leugenachtige briefjes van Margaret kunnen geloven.

In de parochie deed het gerucht de ronde dat de oorlog vandaag of morgen ten einde zou zijn. Tijdens de dienst baden ze om vrede. Ook Abel hoopte op vrede, maar hij voelde zich schuldig omdat hij het ogenblik vreesde waarop de mannen zouden terugkeren naar de drukkerij, en met hen nieuwe machines. Die mannen waren helden, hij niet. Hij was alleen maar een dove man van middelbare leeftijd. Hij maakte zich ook zorgen om Janice.

De mensen van de vakbond waren tegen haar, dat hadden ze haar ook gezegd. „De vakbond vindt jouw werkmethode gevaarlijk. Ze zullen nu geen moeilijkheden maken vanwege de oorlog, maar zodra de oorlog voorbij is . . ."
Ongeduldig haalde ze haar schouders op en draaide zich om zodat ze hem niet meer kon horen. Ze haatte de vakbond sedert de tijd dat ze als huisnaaister had gewerkt en ze vertelde haar

vriendinnen van de parochie steeds dat de vakbond het op de Doven had gemunt.

Tegen Abel zei ze dat het protest van de vakbond niets voorstelde. Allemaal onzin van Horenden. Maar Abel bleef ongerust. Wie weet wat ze konden doen. Misschien hadden ze het een of ander geheime wettelijke wapen tot hun beschikking waartegen hij geen verweer had. Hij had gehoord dat er in New York en Washington advocaten waren die de Taal der Handen spraken en Dove mensen begrepen. Hoeveel geld zou een dergelijke advocaat vragen? Nee, zei hij vermoeid tegen Janice, als de vakbond moeilijkheden maakte zouden ze zich erbij moeten neerleggen. Als Doven de aandacht trokken waren ze verloren.

Toen begon Janice natuurlijk weer over Margaret. Als hij zich niet altijd bij alles had neergelegd, als hij zich indertijd had verzet tegen die studentensoldaat, zou Margaret nu hier bij hen thuis zijn, inplaats van daarginds in dat smerige hol bij die leugenaar, die er geen been in zag hen te bedriegen omdat ze toch maar Doofstom — werkelijk stom — waren!

De dagen gingen voorbij. Zij bleven op hun hoede, bang voor iedere verandering. De geruchten over het einde van de oorlog volgden elkaar op totdat niemand er tenslotte nog veel aandacht aan schonk. Toen, plotseling, even plotseling als hij was begonnen, was de oorlog voorbij. Janice en Abel wachtten vol spanning af wat er zou gebeuren, maar tot hun verrassing gebeurde er helemaal niets. Op de fabriek bespraken ze de een of andere verandering, maar Janice lette nooit op al die bewegende monden en toen ze haar een briefje overhandigden stopte ze het in haar zak omdat ze het niet vlak voor hun neus in de prullenmand wilde gooien. Thuis toonde ze het aan Abel voordat ze het verscheurde.

„De spinnerij en de weverij worden gesloten," zei hij.

„Hoe kan dat nu? Je kunt toch niet naaien zonder stof?"

„Hier staat dat onze stoffen duurder zijn dan de buitenlandse en dat ze voortaan alleen maar met importstoffen zullen werken."

181

„Dat is naar voor de weefsters, maar niet voor mij."

„Vreemd, ze schrijven dat ze moeten uitbreiden om een deel van de fabriek te kunnen sluiten . . ."

De drukkerij kreeg steeds meer orders. Er zouden nieuwe machines komen. Plotseling bestelden alle klanten kleurendruk, zoveel mogelijk kleuren.

„De baas zegt steeds maar weer: grote marges, veel ruimte, veel kleur en contrast, zoals vóór de oorlog. Vóór de oorlog. Dat zeggen ze voortdurend. Vóór de oorlog, dat was voor hen de hemel." Hij maakte het gebaar voor hemel en trok er een mal gezicht bij. Ze lachte.

„Horenden dromen altijd," zei ze terwijl ze de koffie opschonk.

„Horenden dromen," herhaalde hij. „Zij maken zichzelf wijs dat hun dromen waar zijn, maar daarna maken ze een wet waarin iedereen gelooft en dan *is* die droom ook waarheid geworden. En als je zegt — als iemand zegt — dat het een droom is, stoppen ze hem in de gevangenis."

„Ik heb vandaag weer een brief van *haar* gekregen," zei Janice. „Wat schrijft ze?"

„Niets."

Regelmatig iedere maand kwam er een brief van Margaret. Ze schreef altijd iets over William, maar Abel begreep het niet en Janice wilde het niet geloven: „William heeft het tentamen anorganische scheikunde met goed gevolg afgelegd, nu doet hij organische scheikunde." „William heeft kandidaats gedaan."

Soms keek Abel over de rand van de brief naar Janice en als hun ogen elkaar ontmoetten vroeg hij: „Geloof je werkelijk dat hij liegt?"

Steevast antwoordde ze: „Ja".

„Maar je gelooft toch wel dat hij aan de universiteit studeert, nietwaar?"

„Ja, dat wel."

„Waarom zeg je dan dat hij liegt?"

„Dat weet ik niet, maar ik weet zeker dat hij liegt."

„Waarover liegt hij dan?"

„Dat weet ik niet, maar hij liegt." Meer wilde ze niet zeggen.

Voorzover hen bekend woonden Margaret en William nog steeds in dat afschuwelijke schuurtje. Margaret schreef dat ze het in de vakantie hadden „opgeknapt", Janice en Abel beantwoordden haar brieven nooit; schrijven was niets voor hun. Ze gingen ook niet meer bij haar op bezoek. Op verjaardagen en met kerstmis stuurden ze een kaart.

In de herfst schreef Margaret dat er nu *eindelijk* nieuwe huizen zouden worden gebouwd voor de studenten. „Ik kan haast niet wachten tot de bungalows voor de getrouwde studenten gereed zijn. Het is de hoogste tijd."

„Wat heeft dat te betekenen?"

„Dat betekent dat ze zich schamen," antwoordde Abel. „Ze schamen zich voor die vuile schuur waar ze wonen en ze geven het eindelijk toe."

Maar Janice dacht dat het iets anders betekende. Ze wist niet precies wat, maar Horenden schaamden zich nooit.

Margaret schreef dat alle universiteitssteden overvol waren en ze prees William nogmaals voor het feit dat hij hun „huis" had weten te bemachtigen. In september schreef ze dat William toestemming had gevraagd aan de huiseigenaar om een kamer aan de schuur te bouwen.

Janice en Abel vroegen zich af waarom ze in hemelsnaam een kamer aan dat hol wilden bouwen. Het leek wel of ze in die afschuwelijke armoedige omgeving wilden blijven. Hadden ze daarvoor hun leven lang hard gewerkt? Waren ze daarvoor verhuisd naar dit mooie huis?

Abel schreef Margaret dat ze naar huis moest komen om hen te bezoeken. Ze antwoordde dat ze het weekeinde zou komen. Vrijdag om half zes zou ze arriveren met de bus. Ze zou zondagochtend weer moeten vertrekken, want als ze de middagbus nam zou ze te laat thuiskomen en maandagochtend moest ze weer

183

vroeg aan het werk. Ze zouden in ieder geval de vrijdagavond en de hele zaterdag samen kunnen doorbrengen, zei ze, en ze verheugde zich op het weerzien.

Abel was in de wolken. Ze was natuurlijk vergeten hoe prachtig het huis was, hoe schoon en gezellig haar eigen kamer was, die ze een jaar geleden in een opwelling had verlaten. Als ze alles weer terugzag zou ze niet langer bij die leugenaar willen blijven. Hij wist het zeker. Die hele week waren Janice en hij druk in de weer. Ze maakten het hele huis schoon, ze kookten en bakten en kochten nieuwe gordijnen. Vrijdagochtend nam hij zijn zondagse kostuum in een koffertje mee naar zijn werk, zodat hij zich op de drukkerij zou kunnen verkleden. Hij had een paar uur vrij gevraagd om bijtijds aan het busstation te kunnen zijn. In zijn opwinding vertrok hij veel te vroeg zodat hij lang moest wachten voordat Margarets bus eindelijk arriveerde. De passagiers stapten één voor één uit. Toen stapte de bestuurder uit en hielp iemand het trapje af. Hij zag een bleek gezicht en een bos bruin haar, strak achterover gekamd en vastgebonden met een strik. Maar dat kon toch niet . . . dit was een veel oudere, waarschijnlijk zieke vrouw. Daarom hielp de bestuurder haar natuurlijk bij het uitstappen. Hij bleef stokstijf staan. Het koude zweet brak hem uit. Toen zag hij dat het inderdaad Margaret was. Ze wachtte op haar koffer, die nu door iemand uit de bus werd getild. Ze had blote benen en zijn Margaret had altijd 'kousen gedragen. Ze leunde een beetje vreemd achterover, haar voeten een beetje uiteen stevig op de grond geplant, zoals de boerenvrouwen uit zijn jeugd, die gewend waren zware lasten te dragen . . . Ze draaide zich om en keek zoekend rond. Hij kon zich niet verroeren. Ze kwam glimlachend op hem toe met haar koffer en haar enorme buik die uit haar openhangende mantel puilde. Hij voelde zich duizelig en onpasselijk en hij moest op de bank gaan zitten anders zou hij zeker zijn gevallen. Toen ze vóór hem stond kwam hij snel overeind, om die verschrikkelijke buik niet vlak voor zich te zien. Hij keek haar aan en plotseling kreeg hij medelijden met haar en hij haatte William uit de grond van zijn hart. Die twee, William en Margaret, hadden samen zijn dochter vermoord, zijn lieve zachte meisje. Nu stond daar in haar plaats deze lange koele vrouw.

„Bent U niet blij me te zien?"

„Jawel." Hij kon zijn eigen gebaren niet volgen want zijn ogen stonden vol tranen.

„Zullen we gaan?" Ze had haar koffertje neergezet. Hij pakte het op en ze liepen naar de bushalte. Het was voorjaar en nog klaarlichte dag. Plotseling wenste hij dat het een donkere winterse dag was, zodat hij niet naar haar zou hoeven te kijken. „Ik ben gelukkig," zei ze. Terwijl ze sprak bonkte haar tas tegen haar arm. Ze was nu dik en onhandig.

Hij schudde zijn hoofd. Het gonsde en dreunde in zijn hoofd en hij voelde een stekende pijn achter zijn ogen. Hij was blij dat hij de koffer droeg, nu hoefde hij gelukkig niet met haar te praten.

Ze stapten in de bus en zaten zwijgend naast elkaar naar buiten te staren.

Janice schudde zwijgend haar hoofd toen ze haar dochter zag. Daarna kneep ze haar ogen half dicht en spoedde zich naar de keuken om het feestmaal op tafel te zetten. Aan tafel at en dronk ze en gaf de schalen door aan Abel en Margaret alsof er niets aan de hand was. Abel at nauwelijks.

Margaret was boos en teleurgesteld. Als ze tegen haar hadden geschreeuwd zou ze zich minder gekwetst hebben gevoeld dan nu. Ze had hen zoveel willen vertellen, zoveel van hen willen horen. Ze wist heel goed dat ze het niet als dapperheid hadden beschouwd dat ze was meegegaan met William, die zelf niet wist wat hij wilde. Het afgelopen jaar, in dat afschuwelijke huis, had ze zichzelf bewezen dat ze kon volhouden. Maar nu was ze zwanger en nu kende ze angsten die ze niet met William kon delen, omdat hij ze als verwijten zou beschouwen. Ze wist dat Janice haar geen steun zou kunnen geven, dat ze niet trots zou

185

zijn op haar koppige doorzettingsvermogen. Maar Abel, op Abel had ze vast vertrouwd.

In de keuken, na het eten, voelde Janice zich iets meer op haar gemak. Ze stelde enkele lakonieke vragen.

„Wanneer verwacht je de baby?"

„In mei."

„Heb je alles wat nodig is voor het kind?"

„Niet alles."

„Moet je in dat . . . *schuurtje* bevallen?"

„Nee, in het ziekenhuis. William is in het leger geweest, zoals U weet. Daar zijn bepaalde voordelen aan verbonden. Als zijn echtgenote deel ik in die voordelen."

„Je bent anders niet van hem afhankelijk. Je werkt toch, nietwaar?"

„Volgende week nog, daarna niet meer. Ze hebben niet graag zwangere vrouwen bij de bank. Als je te dik wordt moet je weg."

„Waarvan leven jullie dan, van zijn bedelarij bij de overheid?"

„Het is geen" — Margaret zuchtte en haalde haar schouders op — „ja, daarvan leven wij."

Ze hoorde Abel met dreunende stappen de trap op gaan. Hij liep van de ene kamer naar de andere, trapte de deuren open en smeet ze weer dicht, in een vruchteloze poging lawaai te maken.

„Waarom is hij zo boos?" vroeg Margaret. Janice keek geergerd en antwoordde niet. Zwijgend deden ze de vaat en ruimden de keuken op. Toen ze de keuken verlieten vroeg Margaret nogmaals: „Waarom is hij zo boos?"

Janice haalde haar schouders op en liep nadrukkelijk met een wijde boog om Margarets buik heen.

Toen Margaret die zaterdag zei dat ze inkopen moest doen voor de baby, lieten ze haar zonder protest gaan. Ze kwam laat thuis, en ze zag er zó bleek en vermoeid uit dat ze beiden schrokken: „Voel je je wel goed? Je ziet er slecht uit."

„Ik ben niet ziek, alleen maar een beetje verdrietig. Ik ben

naar" — ze wilde „huis" zeggen, maar veranderde het gebaar snel
— „Vandalia Street geweest, naar ons oude huis. De winkel
onder het appartement stond leeg. Meneer Petrakis is dood. Hij
is verleden jaar gestorven en we wisten het niet eens. De buren
hebben het mij verteld. Ik had zo'n behoefte ... ik had hem zo
graag nog eens willen spreken en nu is hij er niet meer. Het
maakt me zo verdrietig dat ik helemaal niet wist dat hij al zo lang
dood is."

Abel voelde zich opgelucht. Hij schaamde zich over de wijze
waarop ze Margaret hadden behandeld. Hij werd nog steeds onpasselijk als hij naar haar keek, met die dikke buik, zo over-
duidelijk zwanger van die bedelaar, maar hij vond dat ze haar
toch in ieder geval moesten helpen. „Je hoeft geen dingen in het
pandjeshuis te kopen. Als het zo ver is, kun je een nieuw kinder-
bedje, of wat je nodig hebt, kopen. Wij zullen het betalen."

„Ik wilde niets kopen, ik wilde hem alleen maar spreken."

„Het was een vieze man," zei Janice. „De manchetten van
zijn overhemden waren altijd zwart."

„Ik wilde hem vertellen van William en de baby en dat we nu
een wasserij in de buurt hebben, en —"

„Ben je helemaal naar Vandalia Street gegaan om over een
wasserij te praten?"

„Hij is altijd zo aardig voor me geweest. Zo dikwijls heb ik
hem willen schrijven, maar het is er nooit van gekomen." Ze
voelde de tranen achter haar ogen prikken, daarom verontschul-
digde zij zich en ging naar haar kamer.

Dat die kamer groter en mooier was dan de kamer die ze met
William deelde liet haar koud, maar het feit dat ze 's nacht kon
huilen wanneer ze daar behoefte aan had, dat ze hardop haar
zorg en angst kon uitsnikken en treuren om de dingen die ze
nooit had gekend, zonder vragen te hoeven beantwoorden, was
haar een grote troost. Toen ze daar zo lag te huilen op het bed,
realiseerde zij zich dat dit de werkelijke reden van haar komst
was.

187

In de woonkamer zaten Janice en Abel tegenover elkaar en plotseling barstte Janice uit: „Toen ze klein waren heb ik me uitgesloofd om ze schoon te houden." Nooit eerder had ze zelfs maar een zijdelingse toespeling op Bradley gemaakt en één ogenblik staarde Abel haar verwezen aan. „Hun hele jeugd heb ik getracht ze te beschermen tegen het vuil en de arme mensen in die buurt. Margaret had iedere dag een schone jurk aan. En nu? Bij de eerste de beste gelegenheid vallen alle nette maniertjes van haar af en gaat ze terug naar Vandalia Street — een zwangere vrouw die haar echtgenoot moet onderhouden!"

Zonder een woord trok Abel zich terug achter de krant.

Aanvankelijk was de krant slechts uiterlijk vertoon geweest, en een bescherming tegen nieuwsgierige mensen in de bus. Maar sinds hij een vooraanstaand man was geworden in de Dovengemeenschap, iemand die geraadpleegd werd als er problemen waren, had hij enkele ontwikkelde Doven leren kennen die meer lazen dan gebaarden, omdat hun behoefte aan kennis te groot was voor de Taal der Handen die uitsluitend de elementaire levensbehoeften van de mens kenbaar kon maken. Hij verlangde er meer en meer naar de betekenis van deze nieuwe woorden te leren kennen. Het waren verraderlijke woorden. Ze schenen een andere betekenis te hebben. Hij had zelfs een woordenboek gekocht, in de hoop dat hij dan sneller tot de geheimen van de woorden zou doordringen. Janice had hem uitgelachen en hem ervan beschuldigd zichzelf belangrijker te willen maken dan hij was. Later zei ze dat hij haar raadgevingen in de wind sloeg nu hij de krant las. Er was een grond van waarheid in haar beweringen, maar het was eveneens waar dat Abel zich in de loop van de jaren meer had ontplooid dan zij en dat hij thans Doven kende die lezen niet uitsluitend als een tijdverdrijf voor Horenden beschouwden.

Maar, hoewel hij dat nooit tegenover Janice zou toegeven, was het woordenboek een teleurstelling voor hem geworden. De verklaring van een woord bleek even onbegrijpelijk als het woord zelf. Maar vanavond was hij blij dat hij aan de zorgen van zijn gezin kon ontsnappen en tevreden installeerde hij zich in zijn stoel met het woordenboek en de krant.

Het wereldnieuws op de voorpagina leverde altijd de meeste moeilijkheden op. Dapper begon Abel aan het hoofdartikel, maar toen hij het helemaal had gelezen was hij niet veel wijzer geworden. Het had iets te maken met President Truman, met wapens en met een vredesverdrag, maar de zin van het artikel ontging hem.

Opgelucht begon hij aan de sportpagina en het plaatselijk nieuws en tenslotte las hij een bericht over een meisje dat in de rivier was gevallen en gered door een dappere jongen. Dat kon hij tenminste begrijpen. Misschien zou hij het artikel wel uitknippen en morgen aan zijn collega's op de drukkerij laten lezen. De arbeiders van de drukkerij wezen elkaar tijdens hun lunchpauze dikwijls op berichten uit de krant. Dan stootten ze elkaar glimlachend aan en bogen zich samen over de krant.

Wie zou hem de zin van het hoofdartikel kunnen verklaren?

Plotseling herinnerde hij zich dat Margaret thuis was. Hij had haar zo zeer gemist en de mogelijkheid dat zij hem nog ooit zou kunnen helpen zo bewust uit zijn gedachten gebannen, dat hij nu zelfs geen rekening hield met die mogelijkheid. En toch was ze nu boven, in haar kamer. Margaret had hem nog nooit met een krant gezien. Ze zou trots op hem zijn. Hij zou nu best naar boven kunnen gaan met de krant en haar vragen hem de betekenis van het hoofdartikel uit te leggen. In gedachten verzonken staarde hij voor zich uit. Maar plotseling kwam hij terug tot de werkelijkheid. Nee, dat kon hij haar nu niet meer vragen, vroeger wel, nu niet meer. Ze had hem nooit vergiffenis gevraagd voor het feit dat ze hen had verlaten, voor het feit dat ze al hun jarenlange zorg achteloos terzijde had geschoven, voor het verschrikkelijke verdriet dat ze hadden gehad toen ze daar in die afschuwelijke schuur stonden. En nu, door haar zwangerschap, voelde hij zich dover en stommer dan ooit.

Hij legde de krant neer. Janice was gelukkig niet in de kamer. Als hij de deuren dichtsmeet, stampvoette of iets stuk gooide, zou Margaret begrijpen welk een vreselijke macht ze over hem had. Hij voelde zich zo doof dat hij tegen de trapleuning botste toen hij naar boven ging, naar de veilige beslotenheid van zijn eigen kamer.

18

Margaret vertrok de volgende ochtend vroeg, zonder afscheid te nemen van haar ouders. Ze spraken niet meer over haar bezoek. Enkele weken later kregen ze bericht dat ze een zoon had, Marshall heette hij. Ze schreef ook over verhuisplannen, maar Abel beweerde dat het een leugen was terwille van William.

Ditmaal was het Janice die meende dat ze Margaret nogmaals moesten bezoeken. „Ik wil het kind zien," zei ze.

„Maar het zal weer hetzelfde zijn als de vorige keer, alleen is die schuur ditmaal nog voller."

„Het is onze plicht, we moeten erheen."

Abel keek geërgerd, maar hij wist nu heel zeker dat Janice ook niets voelde voor dat bezoek. Als ze over haar „plicht" sprak betekende het dat ze meende iets te moeten doen wat haar tegenstond. „Je hebt toch dingen voor de baby gekocht. Dat is genoeg. Je kunt een pakje sturen," zei hij. Haar gezicht klaarde op.

Toen kwam er een brief van mevrouw Anglin. Aanvankelijk meenden ze dat het een vergissing was. Ze wenste hen geluk met de geboorte van de baby en ze schreef dat Abel en Janice nu wel heel trots en blij zouden zijn.

„Deze brief is voor Margaret bestemd," zei Janice. „De ouders krijgen een handdruk en geven sigaren."

Plotseling zag Abel weer duidelijk het kistje sigaren voor zich, dat hij had gekocht toen Margaret werd geboren, nog niet zo lang geleden.

„Zijn moeder gaat er heen," zei Janice en keek op van de brief. „Zondag gaat ze er heen." Ze staarden elkaar aan.

„Gaat ze al zo gauw?"

Janice knikte. Hij zag de angst op haar gezicht. Zelf werd hij plotseling ook bang. „Ik vraag me af of ze dikwijls naar ze toegaat," zei Janice langzaam.

191

„Nee," antwoordde hij en zijn vrees nam toe, „dan zou Margaret het ons wel hebben verteld."

„Margaret!" riep ze minachtend. „Die is even achterbaks als alle andere Horenden en ze hebben de telefoon om afspraakjes te maken. Ik weet zeker dat dat mens voortdurend naar ze toe gaat en kadootjes meebrengt voor de baby."

„Wij hebben ook rechten," zei hij. „Wij kunnen er ook heen, als we dat willen."

„Ik wil er zondag heen, als zij gaat. Ditmaal zal ik Margaret schrijven dat we komen. Wij zijn net zo goed de grootouders van dat kind als zijn moeder."

Maar toch, die angst . . .

Het bezoek verliep helemaal volgens de regels. Op het juiste ogenblik werden de geschenken aangeboden en het kind bewonderd. Ze gingen allemaal samen buitenshuis lunchen en Abel stond erop een deel van de rekening te betalen. De broer van mevrouw Anglin had haar met de auto gebracht, maar hij moest weer bijtijds terug naar de stad. Hij bood de Ryders een lift aan. Triomfantelijk sloegen ze zijn aanbod af. Ze gingen nog naar een plaats die William hen beslist wilden tonen. Het bleek een kaal en verlaten stuk opgespoten terrein te zijn, achter de universiteit. Abel en Janice begrepen er niets van.

„Verblijven voor gehuwde studenten," legde Margaret uit. Janice en Abel zwegen. Zelfs Margarets gebaren leken tegenwoordig op de gebaren van Horenden, vol angstwekkende onuitgesproken gedachten. „Ze gaan hier een soort veldbarakken plaatsen, met wanden tussen de diverse appartementen. Iedereen krijgt zijn eigen ingang, stromend water, licht, verwarming . . ." vervolgde Margaret opgewonden.

Janice en Abel keken van het kale terrein naar de Anglins en toen weer naar het terrein. Mevrouw Anglin en haar broer schenen Margarets woorden te geloven. Ze waren tenminste een en al belangstelling. Williams familie behandelde William en ook

192

Margaret met respect. Abel begreep er niets van. Het waren toch bedelaars. Zijn dochter sjouwde met emmers water, als de vrouw van een bedelaar. Toch scheen zelfs Williams oom die opvatting te delen.

Hij nam William scherp op. Het was waar, de verbitterde trek om zijn mond, die Abel kende van vroeger, was verdwenen. Hij had nu een open en vriendelijk gezicht waarop de ellende van de oorlog en van zijn verwondingen geen sporen had nagelaten.

Toen ze terugliepen naar de auto vroeg Abel wanneer de nieuwe huizen gereed zouden zijn. William antwoordde en Margaret vertelde hem dat ze vermoedelijk deze zomer al zouden kunnen verhuizen. Toen zei William nog iets, wat Margaret niet vertaalde. Maar Janice wilde weten wat hij had gezegd en Margaret vertaalde verlegen. „Hij zegt dat hij blij zal zijn als we uit die ellendige schuur weg kunnen." Ogenblikkelijk begon ze hem te verdedigen. „Als U eens wist hoe de andere getrouwde studenten zijn gehuisvest! Dan mogen wij nog van geluk spreken. William heeft ook zó zijn best gedaan om dit huis voor ons te bemachtigen . . .

Abel knikte afwezig. Die William realiseerde zich dus wel dat hij Margaret in een armoedige omgeving had gebracht . . . dat was tenminste een hoopvol teken. Voordat ze die middag met de bus naar huis gingen vroeg Abel William's oordeel over President Truman.

Abel kon zich niet meer herinneren waarom dit bezoek werd herhaald en waarom het langzamerhand een gewoonte werd dat Janice en hij iedere maand een dag naar Margaret en William gingen. Ze hielpen ook met de verhuizing. Zij brachten de kinderwagen mee en namen Marshall voor het eerst mee uit in de kinderwagen.

Na verloop van tijd vroeg Margaret hen af en toe te komen oppassen als zij en William uit moesten. Met kerstmis kwamen William en Margaret een weekeind naar de stad en die zaterdagmiddag gingen ze keurig gekleed met Abel en Janice naar de kerk. Daar gaven ze Marshall aan Abel, die zijn kleinzoon trots in zijn armen ronddroeg om hem aan de parochianen te tonen.

Na dat bezoek aan de kerk voelde Abel zich genoodzaakt met William te praten. Alle parochianen, ook de intellectuelen, waren onder de indruk van William. Wat studeerde hij eigenlijk? vroegen ze Abel, maar Abel moest het antwoord schuldig blijven. Bij hun volgende bezoek liet Abel Margaret naast zich plaatsnemen toen hij William begroette. Hij wilde niet van Margaret, maar van William zelf horen welk soort werk hij in de toekomst zou gaan doen.

Het bleek iets te zijn wat ze Lichaamsconstructie noemden.

,,Maar je kunt toch geen mensen bouwen, zoals bruggen? Bedoel je soms namaak-mensen die in etalages staan van modemagazijnen . . .?

Hij hield niet van die namaak-mensen. Hij voelde zich nooit op zijn gemak als hij die afgehakte kousebenen of gehandschoende handen zag. Voor hem symboliseerde dat de Wereld der Horenden. Voor het gemak hakten ze eenvoudig de rest van het lichaam weg, alsof alleen die kous, of die handschoen van belang was. Ja, dergelijke dingen moesten natuurlijk worden ontworpen en gebouwd, dacht hij hoofdschuddend.

De jonge mensen trachtten het hem uit te leggen. Ze wierpen hem een heleboel moeilijke woorden naar het hoofd: prothese constructie, gezichtsveld, coördinatie tussen hand en oog. Tenslotte moest Abel zich tevredenstellen met de verzekering dat het een volkomen nieuw beroep was, een nieuw terrein waar constructiebouw en psychologie elkaar ontmoetten en aanvulden. Hij durfde niet te bekennen dat hij niet wist wat psychologie betekende. Hij knikte glimlachend, zoals gewoonlijk, in de hoop dat zij het onderwerp zouden laten rusten, want hij bevond zich op gevaarlijk terrein, dat begreep hij heel goed. Maar ditmaal realiseerde hij zich eveneens dat hij de mogelijkheid had, te leren begrijpen waarover zij spraken. Leren, betekende een lange moei-

194

zame speurtocht, wellicht zonder veel resultaat, niet leren betekende uit eigen vrije wil doof en stom blijven. Even vroeg hij zich af of Horenden wellicht ook voor een dergelijke keuze werden gesteld, maar hij verwierp die gedachte vrijwel onmiddellijk. Dat was onmogelijk. Zij konden toch horen ... een mens kon niet uit eigen verkiezing doof zijn.

Die winter legde William het doctoraalexamen af. Margaret vertelde haar ouders dat William in dienst zou treden van een firma die kunstbenen, armen en ogen maakte voor mensen die ze hadden verloren. Maar het was slechts een tijdelijke betrekking, zei Margaret, want zodra ze voldoende geld hadden gespaard wilde William verder studeren. Verder studeren? Maar hij was toch afgestudeerd? Abel begreep er niets van en toen Margaret eraan toevoegde dat ze naar Chicago zouden verhuizen, viel hij haast van zijn stoel van verbazing.

Ze bleven een jaar in Chicago en toen nog een jaar in Californië. Het waren precies vogels, vond Abel, vrije vogels in de lucht.

Hij miste zijn dochter vreselijk. Soms had hij het gevoel dat ze dood was en dat hij haar nooit meer zou terugzien. Ze stuurden hem foto's van de kleine vreemdeling die Marshall voor hen was geworden — een jongetje, geen baby meer. En toen Janice en hij eindelijk hun verlies hadden aanvaard, kwamen ze plotseling terug. William had nu ander werk. Hij maakte geen armen en benen meer, maar hield zich bezig met „aantallen en hoeveelheden" zoals Margaret hen trachtte uit te leggen. Het hield verband met het aantal artikelen dat een kwaliteitscontroleur tegelijk kon controleren en de soorten artikelen die gelijktijdig konden worden gecontroleerd. Jonge mensen waren tegenwoordig inderdaad vrije vogels en hun werkzaamheden waren even ongrijpbaar als de wind.

„Gelukkig zijn er nog mensen op de wereld die kleren maken en boeken drukken," zei Abel tegen Janice. „Kleren en boeken kun je tenminste zien en voelen, maar *zijn* werk bestaat uitsluitend uit woorden! Woorden en wind. Niemand ziet ooit iets van de resultaten."

Janice haalde haar schouders op. „Marshall is groot geworden. Hij kent me niet meer. Ik vraag me af hoe lang ze zullen blijven."

„Met zo'n ongrijpbaar beroep kun je er niets van zeggen," antwoordde Abel.

Maar ze bleven. Later ontdekte Abel dat William in zijn eerste betrekking bepaalde veranderingen had aangebracht in de fabriek. Hij had een paar maal tijdens directievergaderingen gesproken over „De Menselijke Factoren in de Assemblage Productie". Men had meerdere malen zijn advies gevraagd. De belangstelling voor zijn zienswijze was sterk toegenomen gedurende de twee jaar van zijn afwezigheid. Bij zijn terugkeer riepen meerdere fabrieken zijn hulp in. Marshall was geen baby meer. Weldra zou hij naar school gaan en Margaret had eigenlijk nog nooit een eigen huis gehad. Ze verlangde naar een eigen huis en een paar vrienden, dat merkte Abel wel. Margaret sloot niet gemakkelijk vriendschap, daarvoor had ze toch te veel van een Dove in zich.

Het was kenmerkend voor hun verhouding dat William Margaret pas op de hoogte bracht van het feit dat hij wilde blijven, toen zijn besluit al vast stond. Margaret reageerde, zoals gewoonlijk, zonder commentaar. William kende deze gereserveerdheid van haar maar al te goed. Margaret deed altijd haar plicht, haar eigen voorkeur verzweeg ze. Slechts een enkele maal realiseerde hij zich dat haar dat soms moeite moest kosten.

Ze kochten een huisje in een nieuwe woonwijk ten westen van de rivier. Het was er kaal. Er was nog geen groen en er stonden nog geen bomen. De wind joeg hoge stofwolken op rondom de huizen en de namiddagzon brandde onbarmhartig op het asfalt. Janice en Abel gingen hen eenmaal bezoeken, maar ze voelden zich niet op hun gemak daar in die kale patio, waar voortdurend vreemde kinderen en honden rondliepen. Janice en Abel waren niet erg ingenomen met het kleine benauwde huisje, de naar-

196

geestige kale vlakte, al die kinderen en de stofwolken die tussen de huizen door woeien.

Margaret ging hen nu iedere zaterdag bezoeken. Ze nam Marshall mee als ze ging winkelen „in de stad". Ze babbelde een tijdje met haar ouders en liet Marshall bij hen als ze boodschappen ging doen. Ze namen hem mee naar de kerk en als hij zich daar verveelde gaven ze hem snoepjes en speelgoed. Het was een levendig pienter kind, impulsief en lief. Janice en Abel waren als was in zijn kleine handjes.

Toen Margaret hem een middag kwam ophalen, vond ze haar ouders voor dood op de veranda liggen... „Wat doet U in hemelsnaam?"... Maar hun ogen waren gesloten en ze antwoordden niet.

Plotseling verscheen cowboy Marshall Ryder om de hoek van het huis, zijn sombrero diep in de ogen gedrukt, in beide handen een pistool. Hij droeg zwarte laarzen met rinkelende sporen en verder helemaal niets. Hij klom met veel bravour de stoepen op om de doden tot leven te wekken. „Hallo," zeiden ze een beetje verlegen toen ze Margaret zagen.

„Waar zijn zijn kleren?"

„We hadden je niet zo vroeg verwacht."

„Waar zijn zijn kleren?"

„Het was zo warm — we hebben hem in de achtertuin afgespoten met de tuinslang. Toen wilde hij schieten, en . . ."

Marshall keek altijd verongelijkt als zijn moeder hem kwam halen. Ze begon hem aan te kleden. Zijn kleren waren vochtig en vuil, vol ijsvlekken. Ze hadden hem na de kerkdienst natuurlijk weer getracteerd op ijs en hem alles gegeven waar hij naar wees. Vanavond zou zijn maag weer van streek zijn en zou hij zijn eten laten staan. Ze zuchtte. „Vooruit, het begint al donker te worden — We moeten op tijd thuis zijn."

„We moeten de Doofpotten nog dag zeggen," mopperde hij.

Margaret verstijfde. Ze kon geen woord uitbrengen. Ze had de pijn die deze beledigingen veroorzaakte al eens ondergaan

197

toen ze een jaar of zes was. Maar kinderen verwerken dergelijke dingen gemakkelijker. Nu moest ze zich bedwingen om dat brutale pruilmondje daar vóór haar niet te slaan. Het verbaasde haar dat ze nog zo kwetsbaar was. Zwijgend knoopte ze zijn blouse dicht en met een strak gezicht bracht ze zijn laarzen en pistolen naar de auto.

Terwijl ze naar huis reden, vroeg ze: ,,Waar heb je dat woord gehoord, die naam, die je Opa en Oma gaf?"

,,Oh, Doofpotten, bedoel je?" vroeg hij, tergend. ,,Dat zegt de ijscoman altijd en de kinderen op straat zeggen het ook."

Rustig en beheerst trachtte ze hem uit te leggen dat zij een gebrek hadden. Haar woorden klonken haar droog en gekunsteld in de oren.

,,Vinden de mensen Opa en Oma niet aardig?" vroeg hij.

Ze beantwoordde zijn vragen behoedzaam, zoals ouders die hun kinderen voorlichten, ,,volgens het boekje". Ze was bang om fouten te maken, bang dat hij onder dezelfde remmingen zou moeten lijden waaronder zij leed.

De volgende zaterdag aarzelde ze hem mee te nemen. Hij had enkele gebaren geleerd, die hij als vanzelfsprekend gebruikte tegenover zijn grootouders. Janice en Abel prezen hem uitbundig bij ieder nieuw handgebaar dat hij leerde. Maar ze kon geen reden verzinnen om hem niet mee te nemen naar haar ouders, die zo genoten van zijn bezoek. Ze liet hem dus weer zoals gewoonlijk bij Janice en Abel toen ze ging winkelen.

Het was laat toen ze terugkwam, al haast zes uur. Behalve levensmiddelen had ze ook kleren gekocht voor Marshall die binnenkort naar school zou gaan. Alleen maar naar de kleuterschool weliswaar, maar zij achtte het van het hoogste belang dat hij vanaf zijn vroegste jeugd contacten zou leren leggen met anderen. Zelf voelde ze dat zij nooit volledig tot ontplooiing was gekomen en dat zij haar zoon niet voldoende te bieden had. William was dikwijls van huis en werkte iedere avond tot diep in de nacht. De omgang met anderen, zowel leeftijdgenoten als

198

volwassenen, was voor Marshall van zeer veel belang, als zij niet wilde dat haar eigen begrenzingen op hem zouden overgaan. Op school zou hij zich leren bewegen, zich leren uitdrukken. Geen hoekje van zijn geest zou doof blijven.

Ze parkeerde de auto langs de stoep voor het huis. Toen ze uitstapte werd de deur geopend en Marshall kwam naar buiten. Janice en Abel volgden glimlachend. Bovenaan de trap, die naar de veranda leidde, bleef het kind staan en draaide zich om naar zijn grootouders. Zijn handjes bewogen. Blijkbaar demonstreerde hij een nieuw woord in de Taal der Handen. Als het maar niet dat ene afschuwelijke woord was, dacht zijn moeder. Terwijl ze om de auto heen liep, hield ze haar blik gericht op haar ouders. Hun gezichten straalden van liefde en trots. Ze zag dat het kind een stap achteruit wilde doen. Zijn linkervoet zweefde al boven de afgrond van de trap. De ogen van zijn grootouders waren nog steeds vertederd op zijn gezicht gevestigd en op zijn kleine druk gebarende handjes. Margaret rende door de tuin naar de veranda. Ze vloog de trap op om hem op te vangen. „Bradley!" riep ze buiten zichzelf. „Bradley! Niet vallen! Niet vallen!"

19

Marshall was tegen de wens van Abel en Janice geboren en ze hadden dan ook nooit kunnen vermoeden dat hij zulk een grote bron van vreugde en geluk voor hun zou worden. Ze verwenden hem schromelijk, want zijn glimlach maakte hen gelukkig en zijn tranen konden ze niet verdragen.

Toen Marshall zeven was werd zijn zusje Ellen geboren. Marshall was ontzettend jaloers op die kleine indringster, met wie hij nu de liefde van zijn ouders moest delen. Als vanzelfsprekend zocht hij troost bij Abel en Janice, die hem niet teleurstelden. Zaterdag werd voor hem de heerlijkste dag van de week. Ze gingen zelfs niet meer naar de kerk om koekjes te bakken voor Marshall en spelletjes met hem te spelen. Het kind voelde zich op zijn gemak in de stilte van hun huis. Hij had nooit veel handgebaren geleerd, maar op de een of andere manier had Abel hem toch dammen geleerd en verschillende kaartspelletjes.

Als hij zaterdagavond vertrokken was bekroop hen soms een nieuwe angst. Die Andere, Williams moeder, beschikte over middelen om Marshall aan zich te binden, waar zij niets tegenover konden stellen. Nu hij groter werd zou zij binnenkort met hem naar voetbalwedstrijden en films gaan en ze zou met hem kunnen praten over de dingen die zijn belangstelling hadden. Toen hij een jaar of twaalf was ging hij zondags inderdaad soms uit met zijn andere grootmoeder. Dan waren Abel en Janice de hele dag rusteloos en ongedurig. In gedachte zagen ze hem vrolijk en opgewonden naast haar zitten in het stadion of in de bioscoop. Op zulke momenten haatten ze die Andere Grootmoeder met haar keurige mantelpakjes, haar bijpassende handtassen en schoenen en haar wereldse wijsheid. Maar Marshall kwam altijd weer terug en als ze vroegen of hij genoten had van de voetbalwedstrijd of het bezoek aan het museum, knikte hij onverschillig en installeerde zich op de divan met zijn stripverhalen. Margaret en William hadden bezwaar tegen dat soort lectuur, daarom bewaarde Marshall een grote stapel stripverhalen onder de divan in het huis van zijn grootouders. Vrijwel iedere week voegden Abel en Janice een nieuw exemplaar toe aan zijn collectie.

Toen Margarets derde kind, Matthew werd geboren was Marshall al op de middelbare school aan Kirkwall Avenue. Hij had nu een fiets en zaterdagochtend kwam hij alleen, op de fiets naar het huis van zijn grootouders. Meestal deed hij een paar boodschappen voor Janice en installeerde zich daarna in een hoekje om te lezen of te tekenen. Het maakte zijn grootouders erg gelukkig dat hij uit eigen beweging naar hen toe kwam. Ze durfden hem niet te vragen waarom hij kwam, uit angst dat ze alles zouden bederven. Maar op een dag aan de lunch schreef Abel:

,,Mis je je speelgoed niet, als je hier bent?'' en schoof Marshall het briefje toe.

Marshall haalde zijn schouders op, trok het papier naar zich toe en schreef: ,,Ik heb toch geen tijd om te spelen want ik moet voortdurend opruimen van Ma. Ze wordt boos als er iets op tafel ligt of als ik vuile handen heb. Ze is altijd aan het poetsen.''

Schuchter zei Abel in de Taal der Handen: ,,Wij zijn blij dat je graag hier komt.''

Marshall schreef: ,,Het is fijn om ergens te zijn waar je niet voortdurend op je vingers wordt getikt.''

Daarna zwegen ze alle drie en aten tevreden verder: Abel en Janice straalden van liefde en trots.

In de fabriek werd Janice op een merkwaardige wijze terzijde geschoven. Zoiets konden alleen Horenden bedenken. Toen de uitbreiding tot stand was gekomen werd zij benoemd tot assistent-manager voor de kwaliteitskeuring. Haar salaris werd verhoogd en omdat ze nu tot de directie behoorde had ze geen last meer van de vakbond. Maar ze troonde nu niet langer op de afdeling tussen de naaisters en de naaimachines. Ze zat nu in een klein kamertje naast het naaiatelier en haar hulp zou uitsluitend worden ingeroepen wanneer bij de keuring van een voltooid kledingstuk bleek dat een naaimachine niet goed functioneerde. Dan moest zij via het controlenummer van het kledingstuk de defecte machine opsporen en onderzoeken of de fout gemakkelijk te verhelpen was, of dat de reparatieploeg eraan te pas moest komen.

Aanvankelijk was ze trots op haar nieuwe taak. Iedere dag zat ze te wachten tot iemand haar zou komen roepen om haar kennersblik over een defecte machine te laten gaan en het defect te verhelpen door de spanning van de draad te regelen of het spoelhuis te smeren. Maar de dagen en weken gingen voorbij en er gebeurde niets. Niemand scheen haar hulp nodig te hebben. Toen ze nog op de afdeling was, had ze voortdurend moeten inspringen, hulp bieden, corrigeren. Nu zat ze zielig te wachten in de hoop dat ze even zou worden toegelaten tot het vertrek waar ze eens in een tijd die niemand zich meer herinnerde, onmisbaar was geweest.

Na een maand van ergernis en verdriet, schreven Abel en zij samen een brief aan de president-directeur van de fabriek. Het kostte hem een volle week om die brief op te stellen. Ieder woord moest zorgvuldig worden gekozen, uit de krant of uit het woordenboek. Als ze twijfelden aan een woord, schreven ze er een ander woord tussen haakjes achter. Horenden waren immers dol op woorden, hoe meer woorden hoe beter. Nadat ze in de aanhef van de brief, Janice en de fabriek in gloeiende bewoordingen hadden geprezen, stelden ze het probleem dat hen bezighield. Janice voelde zich tevreden en belangrijk toen de brief eindelijk was gepost. Nu zou die man wel begrijpen dat het op deze manier niet langer ging. Maar de weken gingen voorbij en ze kregen geen antwoord. Toen lag er plotseling een getypt briefje op haar tafel. De directie had kennis genomen van haar brief, stond erin, en zou zo spoedig mogelijk maatregelen treffen. Drie avonden achtereen verdiepten Abel en zij zich in de betekenis van dat briefje. Tijdens de volgende inspectie van de directie, de afdelingschef en hun secretaressen, bleef het gezelschap in de deuropening staan van het kamertje waar Janice zoals gewoonlijk zat te wachten. Toen ze verder gingen liep ze snel achter hen aan en vroeg een van de secretaressen voor haar op te schrijven wat ze hadden gezegd. „Dit is onze mascotte," stond er op het briefje. „Ze is al heel lang bij ons in dienst." Ze begreep er niets van. Ze nam het briefje mee naar huis om het aan Abel te tonen. Maar Abel begreep het evenmin.

Op een avond legde Abel zijn krant neer en begon met een potlood iets uit te rekenen op een stukje papier. Janice keek vanuit de keuken naar hem. Hij zat aan tafel en plotseling keek hij op en staarde afwezig in de spiegel aan de muur tegenover de tafel. Abels vader was kort geleden overleden. Abel was alleen naar de begrafenis geweest en tevens had hij zijn moeder verhuisd naar een klein huisje in de stad. Sinds die tijd staarde hij dikwijls afwezig voor zich heen, dan wist Janice dat zijn gedachten ver weg waren. Zuchtend kwam ze de keuken uit. „Wat is er?" gebaarde ze kortaf tegen zijn spiegelbeeld. Met een schok keerde hij terug tot de werkelijkheid. „Volgende maand is het onze trouwdag."
„Nou, en . . .?"
„Dan zijn we veertig jaar getrouwd."
„Dat kan niet."
„Het is zo. Ik heb het uitgerekend."
Ongelovig staarden ze elkaar aan in de spiegel.

Ze maakten plannen voor hun jaarlijks bezoek aan het circus. Marshall was nu bijna vijftien en eigenlijk vond hij het circus kinderachtig, maar hij wilde zijn grootouders niet kwetsen. Alle handgebaren die hij eens had gekend was hij nu vergeten. Het viel hem steeds moeilijker met Abel en Janice van gedachten te wisselen. Soms kon hij hun gebaren zelfs niet meer volgen. Als hij iets bijzonders te zeggen had schreef hij briefjes, maar hij vertrouwde er steeds meer op dat zij zijn stemmingen zouden aanvoelen.

Vandaag leek hij bedrukt en uit zijn humeur en hij schreef: „Ik mag het eigenlijk niet vertellen, maar Pa en Ma zijn van plan U een cadeau te geven." Ze konden het nauwelijks geloven, maar als het hem verdriet deed, zeiden ze, zouden ze er met zijn ouders over spreken. Nadrukkelijk schudde hij zijn hoofd en smeekte hen geen aandacht aan zijn woorden te schenken.

Margaret spaarde al een tijdlang om een televisietoestel te kopen, dat ze haar ouders op hun trouwdag wilde schenken. William vond het een onzinnig plan. Wat had je nu aan T.V. als je geen geluid kon horen? Margaret boog haar hoofd en zweeg, maar ze bleef koppig door sparen. „Nou goed dan," zei William, „ze kunnen tenslotte altijd naar sportwedstrijden en naar de reclamespots kijken. Maar houd in hemelsnaam op met die twee dollar per week van je huishoudgeld te sparen. Koop liever weer eens een biefstuk, ik zal dat televisietoestel wel kopen. We hebben een goed jaar gehad en het kan er wel af."

Margaret begon informatie in te winnen over televisietoestellen. Ze scheen aan niets anders meer te denken en Marshall ergerde zich verschrikkelijk aan haar. Hij wilde helemaal geen T.V. in het huis van zijn grootouders. Eigenlijk wist hij niet precies waarom hij erop tegen was. Thuis zat hij altijd voor de televisie, maar hij had een onbestemde angst dat zijn grootouders zouden veranderen, dat ze op de een of andere wijze verraden zouden worden door zoveel contact met die onnatuurlijke, goedkope, schitterende schijnwereld. In gedachten zag hij ze naast elkaar in de schemerdonkere kamer op de divan zitten staren naar het witgrijze licht van de televisie. Die gedachte maakte hem somber en triest. Bepaalde mensen zoals priesters, nonnen, kreupelen, dwergen, waren anders dan anderen. Het waren heilige mensen, heel bijzonder. Doven behoorden eveneens tot die categorie. Hij haatte de gedachte dat zij voor de T.V. zouden zitten, net als iedereen.

Margaret wilde het toestel laten aansluiten als Janice en Abel naar hun werk waren. Die avond zouden ze dan allemaal samen met een taart naar hen toegaan. Marshall besloot onmiddellijk dat hij niet van de partij zou zijn. Hij zou wel een smoesje verzinnen. Hij wilde niet getuige zijn van de schaamte en de verlegenheid van zijn grootouders als ze dat vreselijke cadeau van zijn moeder in ontvangst moesten nemen. Soms voelde hij geen enkele verwantschap met zijn moeder. Ze was altijd bezig met onbelangrijke uiterlijkheden — ze had geen tijd om over het leven zelf na te denken.

Janice wist dat ze haar op de fabriek liever kwijt dan rijk waren. Maar ze wist eveneens dat ze haar niet zonder meer zouden ontslaan. Daarom hadden ze haar weggepromoveerd uit het veilige naaiatelier, in de hoop dat ze iets verkeerds zou doen, of dat ze zich zou beklagen. Ze durfde zich nauwelijks te verroeren in dat kleine eenzame kamertje, uit angst dat ze aan het einde van de week een ontslagbriefje in haar loonzakje zou aantreffen.

„Je werkt nog steeds goed en snel," zei Abel. „Waarom vraag je niet of je terug mag achter de naaimachine? We kunnen best met een beetje minder geld toe."

„Jij luistert ook nooit naar me. Ze stikken geen complete kledingstukken meer op de machine. Er zijn nu nieuwe machines en het werk gaat van de ene naaister naar de andere. De ene stikt een naad en de ander een knoopsgat en een derde keert het kledingstuk enzovoorts. Je mag ook vooral niet te snel werken, want dan loopt de zaak in het honderd. Ik kan *die* machines ook niet bijstellen, dat weten ze heel goed. Daar is een speciale monteur voor . . ."

Abel kende het hele verhaal allang. Maar nu begreep hij plotseling waarom het hem kwaad maakte dat ze er telkens weer over begon: hij kon haar niet helpen. Ook in de drukkerij werden steeds meer veranderingen doorgevoerd. Machines hadden het werk vergemakkelijkt en de produktie verhoogd. Iedere nieuwe machine was een zegen, maar hij had opgemerkt dat er minder arbeiders in de drukkerij waren tegenwoordig en dat sommigen nauwelijks iets te doen hadden. De machines deden het werk. Daar was niets aan te doen. Hij kon haar niet geruststellen. Hij schudde zijn hoofd en zei: „Vooruit schiet op met de vaat, dan gaan we een potje dammen."

„Waar spelen we om?" vroeg ze met schitterende ogen.

„Een dollar voor vijfentwintig zetten."

Haastig ging ze de keuken opruimen.

Hij had ontdekt dat ze iets van een gokker in zich had. Ze speelde in de bridgeclub van de parochie en dikwijls sprak ze minachtend over de spelers die uitsluitend een kwartje durfden inzetten als ze een handvol prachtige kaarten hadden. Het was maar goed dat ze niet rijk waren, dacht hij soms. Als ze boos of verdrietig was, kon hij haar soms met een spelletje canasta en een inzet van een halve dollar weer in een goed humeur brengen.

„Je moet weer eens tegen Marshall spelen," zei Abel terwijl hij het dambord te voorschijn haalde en de damstenen op hun plaats zette. „Die jongen speelt met de dag beter."

Janice glimlachte vertederd. Voor Marshalls naam gebruikten ze een vrolijk handgebaar, een vloeiende M met een speelse opwaartse beweging van de vingers. Margarets naam was voor hen een stijve, correcte M, zonder meer.

„Herinner je je de universiteit nog, die we hebben gezien toen we Margaret en William gingen bezoeken?" (De M en de W van hun namen waren even streng en ongenaakbaar als de monogrammen die mevrouw Anglin op Margarets linnengoed had geborduurd. Zouden Horenden voortdurend aan hun naam moeten worden herinnerd omdat ze hem anders wellicht zouden vergeten?)

„Ja, ik herinner me die universiteit heel goed," antwoordde Janice. „Daar moet Marshall ook heen. Het was er mooi met al die bomen."

„Hij moet naar de allerbeste universiteit," zei Abel.

„Maar alle universiteiten zijn toch zeker even goed?"

„Oh nee. Weet je nog wel dat meneer Durove zei dat hij de beste universiteit voor zijn zoon zou uitzoeken?"

„Voor *die* mensen is de *Hemel* zelfs nog niet goed genoeg — *die* zijn zó verwaand!"

„Meneer Durove is heel intelligent. Hij heeft een jaar aan de Gallandet universiteit gestudeerd, en als zijn vader niet —"

„Dat vertelt hij dan ook aan iedereen die het horen wil. Marcella heeft me gezegd dat hij gesjeesd is in Gallandet en dat zijn vader toen van verdriet is gestorven!"

Abel schudde lachend zijn hoofd. „Maak je in ieder geval maar geen zorgen om Marshall, die gaat niet naar Gallandet. Hij kan aan iedere grote beroemde universiteit studeren."

„Weet je," zei ze, „soms droom ik dat hij wel aan de Gallandet universiteit studeert. In mijn droom zie ik zijn prachtige gebaren in de Taal der Handen, en altijd komt hij bij ons terug. Dan preekt hij in de kerk, en als hij spreekt worden alle mensen rustig en sterk. Geen Horende kan hen dan nog kwaad doen."

De damstenen stonden nu op hun plaats. „Wat een dwaze droom!" zei Abel. „Waarom zou Marshall in vredesnaam zijn tijd verspillen aan een stelletje Doofpotten?"

Het begrip „ziekteverlof" was gedurende de Tweede Wereldoorlog ontstaan. Uit angst en trots had Janice er nooit gebruik van gemaakt en ze had grote minachting voor de naaisters die Hitler in de kaart speelden met hun ziekteverzuim. Na de oorlog begon ze eveneens gebruik te maken van deze nieuwe mogelijkheid.

Eerst bleef ze één dag weg, toen twee. Die winter was ze drie dagen thuis en in het voorjaar nog eens drie dagen. Ze had altijd hoofdpijn en rugklachten gehad, maar op de een of andere manier had ze zich in het verleden toch iedere ochtend naar haar werk gesleept. Tegenwoordig gaf ze toe aan die pijnen en waarom ook niet? Ze had toch niets te doen in dat kamertje naast het naai-atelier.

Op een maandag werd de tweede étage van de fabriek geverfd en Janice kreeg vreselijke hoofdpijn van de verflucht. Ze besloot naar huis te gaan. Morgen zou de verflucht nog niet verdwenen zijn, daarom zou ze pas woensdag terugkomen.

Zodra ze buiten kwam in de frisse voorjaarslucht, was haar hoofdpijn over. Even kwam ze in de verleiding door de drukke winkelstraten te wandelen en op haar gemak de etalages te bekijken, maar de macht der gewoonte dreef haar in de richting van de bushalte en toen de bus kwam, stapte ze in en reed gewoon naar huis.

Opgewekt wandelde ze van de bushalte naar huis, maar toen ze vlakbij huis was bleef ze als aan de grond genageld staan. Haar voordeur stond open. Het hart bonsde haar in de keel. Een man kwam haar huis uit en liep op zijn gemak naar een groene bestelwagen die langs de stoep geparkeerd was. Ze begon te beven. De man opende de achterdeur van de bestelauto en zocht iets daar binnen. Het duurde een hele tijd. Als ze nu maar zeker wist dat hij nog een poosje bij die auto zou blijven, kon ze voorzichtig langs de achterdeur naar binnen sluipen om de kolenschop te halen of het broodmes. Toen verscheen een andere man in de deuropening van haar huis. Hij riep iets tegen de man bij de auto. Die kwam te voorschijn met een ladder. Hij zette de ladder tegen het huis en klom op het dak. Janice draaide zich om en vluchtte.

Op de hoek woonde mevrouw Nibling, die Janice eens had geholpen de luiken te sluiten toen het zo stormde. Ze rende de tuin in en bonsde op de voordeur. Er gebeurde niets. Toen snelde ze om de hoek van het huis en zag een man in de achtertuin aan het werk. „Boolies! Aal boolies!" riep ze. De man kwam overeind en ze zag zijn lippen bewegen, maar ze was zo overstuur dat ze zijn woorden niet begreep. „He-p!" gilde ze, maar toen ze weer naar de man keek, was hij verdwenen. Hij had zijn tuingereedschap laten liggen en de deur achter zich gesloten.

Toen herinnerde zij zich dat ze een potlood en papier in haar handtas had. „Ik ben doof," schreef ze snel. „Er zijn inbrekers in mijn huis. Waarschuw de politie." Maar de tuinman wilde de deur niet openen. Ze rende de straat weer op. Haar wrong was losgeraakt en ze voelde een stekende pijn in haar zij van het harde lopen. Eindelijk zag ze iemand. Een oudere man. Ze snelde hem tegemoet en toonde hem het briefje. Hijgend keek ze hem aan terwijl hij het woord voor woord las. De man knikte haar toe, ging een tuinhek binnen en wenkte dat ze hem moest volgen. Hij belde aan en het duurde lang voordat de deur werd geopend. Al die tijd waren die dieven bezig in haar huis! In gedachten zag ze hoe het huis werd leeggedragen. Hoe al hun meubels in die groene bestelwagen werden geladen. Alles waarvoor ze jarenlang hadden gewerkt. De man sprak met de vrouw die opendeed. Ze liet hen binnen en hij liep naar de telefoon. Terwijl hij telefoneerde staarde de vrouw Janice nieuwsgierig aan. Toen legde hij de hoorn op de haak en zij wezen op een stoel en beduidden Janice dat ze moest plaats nemen.

Het wachten was nog het ergste van alles. Ze wist niet wat de man over de telefoon had gezegd, of hij haar wel had begrepen. Misschien hadden ze het gekkenhuis wel opgebeld en zou ze dadelijk door twee mannen in witte jassen worden opgehaald om met een ambulance naar een gesticht te worden gebracht.

Toen arriveerde een politiewagen. Ze knikte tegen de man en de vrouw en trok een van de politiemannen aan zijn mouw achter zich aan. Ze durfde niet in de auto te stappen, uit angst dat ze haar naar de gevangenis zouden brengen. Met de verbijsterde agent achter zich aan holde ze door de straat. De politiewagen volgde hen langzaam.

De boeven waren er nog. De ladder stond nog steeds tegen het huis en de groene bestelwagen langs de stoep. Plotseling ging de voordeur weer open en een van de dieven kwam naar buiten. De agent liep naar de man toe en sprak tegen hem. De politiewagen was nu eveneens gearriveerd en de andere agent stapte uit. Ze liepen van het huis naar de bestelauto en toen weer terug naar het huis. Janice keek gespannen toe. Af en toe ging er een rilling door haar lichaam. Toen verscheen weer iemand in de deuropening. Janices ogen puilden haast uit haar hoofd van verbazing. Margaret! Het was Margaret. Wel een minuut lang namen ze elkaar zwijgend op. Toen hief Margaret langzaam haar handen en zei: „We hebben een T.V. laten installeren voor Uw trouwdag. Kijk eens om U heen."

Janice keek om en zag honderden ogen op zich gericht. De mensen verdrongen zich in hun deuropening en hingen uit de ramen. Vrouwen met krulspelden in het haar en stofdoeken in de hand, kinderen met ronde verbaasde ogen. Al die ogen volgden haar toen ze door de tuin naar de veranda liep en vandaar naar de voordeur. Margaret was al naar binnen gevlucht.

20

De dokters hadden hun verzekerd dat het maar een heel kleine hersenbloeding was geweest. Maar toen Abel weer beter was en naar buiten mocht, vroeg hij al zijn vrienden of ze wel eens een dergelijke ziekte hadden gehad en wat hun dokters hadden gezegd. Hij was nog nooit in zijn leven ziek geweest en hij had zich nooit bezig gehouden met kwalen en ziekten, maar nu sprak hij, net als Janice, over symptomen en zat hij samen met haar in de wachtkamer bij de dokter.

Soms dacht hij dat die hersenbloeding van hem, Janice voor een verschrikkelijke geesteszíekte had behoed. Na De Vreemde Dag had ze een week lang met haar handen in haar schoot voor het raam naar buiten zitten staren. Het was nooit bij hem opgekomen dat ze nog zou kunnen verouderen. Veertig jaar geleden was ze al oud geweest. Hij had nooit gedacht dat ze nog zou veranderen na die grote verandering in de eerste jaren van hun schuld.

De Vreemde Dag had eigenlijk De Gelukkige Dag moeten zijn, maar er waren zoveel vreemde dingen gebeurd, dat die naam niet juist zou zijn. Eerst had hij een brief ontvangen van een afdeling van de fabriek waar Janice werkte. Die afdeling heette: de afdeling Public Relations. Een man van die afdeling wilde Abel komen bezoeken in de drukkerij.

De man had een tolk bij zich van de School voor Doven. Janice had nu 45 jaar gewerkt, vertelden ze hem. Dat was zelfs nog langer dan de president-directeur zelf, die zich vijf jaar geleden had teruggetrokken en het beleid van de zaak had overgedragen aan zijn zoon. Een dergelijke trouw was zeldzaam tegenwoordig en moest, volgens hen, worden beloond. Ze wilden een groot feest organiseren ter ere van Janice. Ze zou geschenken ontvangen. Ze mocht naast de president-directeur zitten aan de lunch en ze zou samen met hem en met de oude president-directeur worden gefotografeerd. Er zouden toespraken worden gehouden en ze zouden champagne drinken. Abel had hen een beetje beteuterd aangekeken: „Wat moet ik nu eigenlijk doen?"

Ze zeiden dat hij niets hoefde te doen. Hij mocht alleen niets van dit alles aan Janice vertellen en hij moest ervoor zorgen dat ze op de dag van het feest samen met hem naar de fabriek kwam. Ze moesten tegen het middaguur komen. Hij zou eveneens aan de directietafel mogen zitten. Waren er nog foto's uit haar jonge jaren toen ze pas aan de fabriek was verbonden? Herinnerde hij zich nog anecdoten of interessante gebeurtenissen uit die oude tijd? Waren er kinderen en kleinkinderen die eveneens van de partij wilden zijn? De man liet zijn kaartje achter en vroeg Abel alles op te schrijven wat hij zich kon herinneren uit die dagen en naar het adres op het kaartje te zenden. Het feest zou over twee weken plaatsvinden, op de datum waarop Janice vijfenveertig jaar geleden in dienst was getreden. Toen namen de mannen afscheid van Abel, die verbijsterd naar het kaartje in zijn hand bleef staren.

Zonder Margarets hulp zou hij er niets van terecht hebben gebracht. Zij herinnerde zich waar de foto's lagen. Hij was vergeten dat er in die ene lang vervlogen Zomer van de auto, de mooie kleren, het heerlijke eten en de zonneschijn, ook foto's van Janice en hem waren gemaakt. Daar was Janice op de kermis vóór het rad van avontuur. De jurk waar ze zo trots op was geweest leek nu plotseling een slecht passend verfomfaaid geval en haar schoenen pasten helemaal niet bij de jurk. Vanonder een veel te grote strohoed keek dat dierbare gezicht hem aan, met een glimlach die hem door de ziel sneed. Met afgewend hoofd overhandigde hij Margaret de foto: „Deze is goed." Margaret bekeek de foto en hij meende een verbaasde blik in haar ogen te zien.

„Nu een van U beiden," zei ze. Hij protesteerde, maar ze zocht al tussen het stapeltje foto's. „Hier." De auto. Hij kon zich niet meer herinneren wie die foto genomen had. Daar stonden ze, stijf en opgedirkt in hun belachelijke kleren, vóór de auto. Hun veel te knappe gezichten staarden hem wezenloos aan. Hij schaamde zich voor die foto en Margaret moest lachen om het verlegen gezicht waarmee hij haar de foto teruggaf.

De volgende twee dagen lunchten ze samen in de stad en trachtten zich amusante of interessante voorvallen te herinneren. „Bradley was bij ons de grapjas. hij haalde altijd malle streken uit," zei Abel. „Weet je nog dat we eens de geknipte petten gingen halen en dat we alles op de kar hadden gelegd en al lang en breed op de terugweg waren voordat we ontdekten dat we hem hadden vergeten in de fabriek?"

Margaret schudde haar hoofd. „Ik geloof niet dat u iets over Bradley moet vertellen. De mensen zullen vragen waar hij is. Het zou hen maar in verlegenheid brengen."

„Weet je nog die dag toen de mensen van de vakbond zich tegen ons keerden en wij de grootste moeite hadden om het stukgoed uit de fabriek te krijgen?"

„Ik geloof niet dat ze het prettig vinden daaraan te worden herinnerd."

„Maar ik bedoel, dat ze beweerden dat wij hun kinderen het brood uit de mond hielden, en dat wij meenden —"

„Dat willen ze beslist niet horen."

„Je zou het verhaal kunnen vertellen van de klossen garen. Toen ze pas begonnen was met dat stukgoed, hebben ze je moeder eens een verkeerde kleur garen meegegeven. De petten waren donkerblauw en het garen was rose. Ze wist zich geen raad! Toen heb ik die klossen garen meegenomen naar de drukkerij en in de drukinkt gelegd. Het waren een stuk of acht klossen. Die drukinkt is vreselijk vet en we moesten al dat garen eerst in heet water wassen om het vet eruit te krijgen en daarna in de oven drogen. Het was toen wel zwart, maar als je er over wreef kreeg je zwarte vlekken op je vingers, want het gaf af. Toen we die zaterdag de petten afleverden stond je moeder met

213

gesloten ogen te wachten tot de controle achter de rug was. Ze was doodsbang dat iemand over een naad zou strijken en zwarte vingers zou krijgen."

„Dat verhaal kunnen we ook niet vertellen. Het klinkt zo — zo *zielig*."

„Bedenk jij dan maar iets."

„Dat kan ik niet. Ik kan me niets prettigs herinneren uit die tijd."

„Toch hebben we het dikwijls prettig gehad!" zei hij boos. „Jij hebt nooit honger of koude gekend. Jij hebt nooit de centen in je hand hoeven te tellen, in de hoop dat je voldoende geld had voor een maaltijd!"

Ze wilde antwoorden, maar bedacht zich. Ze liet haar handen in haar schoot zakken en kneep haar lippen opeen. Zo keurig verzorgd en zo koel zat ze daar tegenover hem. Haar mantelpakjes deden hem altijd aan die van mevrouw Anglin denken — alles paste zo perfect bij elkaar, dat haar hele voorkomen onwaarschijnlijk correct en gekunsteld was. Haar bruine haar was nog steeds dik en glanzend, maar ze had een modieus kapsel dat haar gezicht hard maakte. Ieder haartje zat altijd precies op zijn plaats, alsof ze een pruik droeg. Nooit sprong er eens een krulletje los: het was allemaal griezelig correct.

Hij had plaatsgenomen aan een tafeltje achterin het restaurant, omdat hij wist dat ze niet graag in het openbaar de Taal der Handen sprak. Soms weigerde ze dat pertinent. Punctueel op de afgesproken tijd stapte ze het restaurant binnen. Toen hij haar zag voelde hij zich trots en verdrietig tegelijk, zoals steeds de laatste jaren. Ze was zulk een rechtschapen, knappe, waardige vrouw, zo intelligent, gereserveerd, koel en onkwetsbaar. „Ze willen je moeder eren. Ze vragen niet veel van ons," zei hij.

„Dat weet ik. Ik probeer ook iets te bedenken."

„Hoe maakt Marshall het?"

„Uitstekend. Het studentenleven bevalt hem opperbest, maar wij missen hem natuurlijk."

„Denk je dat hij naar het feest kan komen?"

„Ik heb hem over het feest geschreven, maar ik weet het niet. De beide andere kinderen willen natuurlijk dolgraag van de partij zijn."

„Ja, dat zal wel," antwoordde Abel vaag. Hij voelde zich nooit op zijn gemak als er over de andere kinderen werd gesproken. Hij was nooit erg intiem met ze geweest en nu Marshall weg was, betreurde hij het dat Janice en hij vanaf hun geboorte Marshalls bondgenoten waren geweest tegen de beide andere kinderen.

Toen brak De Gelukkige Dag aan. Margaret had Janice ertoe weten te bewegen naar de kapper te gaan. Ze had Abel voorgehouden hoe hij Janice die ochtend moest thuishouden. Abel deed alsof hij ziek was. Om kwart voor twaalf arriveerde Margaret met de kinderen, en vroeg Janice, haar mooiste jurk aan te doen, omdat ze foto's wilden maken in het park. Abel voelde zich plotseling weer kiplekker en ging mee.

Toen ze eenmaal in de auto zaten, herinnerde Margaret zich plotseling dat ze haar fototoestel had vergeten. Nu Abel toch weer helemaal was opgeknapt zouden ze Janice maar naar de fabriek brengen, de kinderen wilden toch zó graag zien waar Oma werkte. Janice verzette zich, maar ze negeerden haar. Ze klaagde tegen Abel dat ze was thuisgebleven om hem te verzorgen en nu zou ze plotseling in haar mooiste jurk op de fabriek verschijnen, dat was toch al te mal! Zonder een woord wendde Abel zich af en staarde naar buiten. Margaret hield haar ogen strak op de weg gericht en de kinderen kenden de Taal der Handen niet. De jongste zat naast Janice op de achterbank te giechelen.

Margaret parkeerde niet in de zijstraat naast de fabriek, maar reed door de hoofdingang het fabrieksterrein op, tot voor de grote deuren. „Ze zullen de auto wegslepen," jammerde Janice. „Niemand mag hier parkeren. Misschien halen ze de politie er wel bij! Ik voel me niet lekker vandaag. Ik wil naar huis. Laten we een andere keer terugkomen." Abel probeerde haar gerust te stellen. Hij zei tegen haar dat Margaret heel goed wist wat ze deed en dat zij nu maar eenvoudig moest doen wat haar werd gezegd. Janice gaf zich gewonnen. Haar lippen en haar vingers mompelden onverstaanbare woorden.

Margaret haalde haar handspiegeltje uit haar tas en controleerde haar perfecte kapsel en make-up. Toen wierp ze een keurende blik op de kinderen. „Matthew, je das zit scheef... Ellen, je hebt een zwarte veeg op je gezicht — ja, zo is het beter."

Het was niet gemakkelijk om met haar te praten, dacht Abel. Ze had het altijd zo druk met al haar plannen. Soms kwam het hem voor dat zij die plannen voor zich uit droeg, als een schild. Hij herinnerde zich plotseling dat Marshall ook wel eens iets dergelijks had beweerd.

Hij wendde zich tot Janice en zei: „Herinner je je nog dat we vroeger altijd door deze deur gingen als we het stukgoed kwamen halen met de kar...?" Maar Janice wendde zich met een ongeduldig gebaar van hem af. Toen tikte hij Margaret op de schouder, zodat ze haar ogen wel van haar correcte spiegelbeeld moest afwenden. „Herinner je je nog dat we vroeger allemaal samen hier kwamen..."

Margaret sloeg haar ogen neer. „Ja," zei ze, „maar de fabriek lijkt nu veel kleiner. Als kind meende ik dat het een enorm gebouw was."

Ze had de bekende straten bewust vermeden, in de hoop dat niemand haar zou vragen langs hun oude huis in Vandalia Street te rijden. „Het is tijd," zei ze en ze stapten uit de auto.

Janice bood geen weerstand. Ze was volkomen verbijsterd. Ze liet zich door de grote deuren leiden en langs de receptie. Een secretaresse kreeg hen in het oog. „Bent U de familie — eh — Ryder?" vroeg ze.

„Mevrouw Ryder, ja," zei Margaret.

„Wilt U met de lift naar de tweede etage gaan, alstublieft? Ik zal doorgeven dat U in aantocht bent."

Ze stapten in de lift en werden op de tweede etage ontvangen door een glimlachende transpirerende man. „Deze kant uit!" schreeuwde hij hen toe, want ze waren toch doof. Margaret kromp ineen. Ze liepen naar de grote openslaande deuren aan het einde van de gang. De deuren werden geopend. Janice meende de trillingen van vele machines te voelen, maar toen ze de zaal binnenging zag ze plotseling al die mensen. Ze zaten aan lange tafels. Ze keken haar aan en klapten in hun handen. Snel wendde Janice zich af om haar gebaren te verbergen. „Wat heeft dat te betekenen?" vroeg ze aan Margaret.

„Dat is ter ere van U."

„Is het geen rechtszitting?"

„Het is een feest."

Aarzelend keek Janice rond, maar plotseling flitsten fel witte vlammen in haar gezicht. Verblind deinsde ze achteruit. Hadden ze haar in brand gestoken? Abel drukte haar tegen zich aan, maar de witte vlammen schoten nog steeds van alle kanten op haar af. „Foto" spelde hij in haar hand, maar het drong niet tot haar door en ze klemde zich doodsbang aan hem vast.

Toen de vlammen eindelijk waren verdwenen, werd ze langs een reusachtige levensgrote foto geleid. Een bekend, reeds lang overleden meisje, in een belachelijke jurk, staarden haar vanaf de muur aan. 1918—1963 stond in grote letters onder de foto.

Janice werd voorgesteld aan de president-directeur. Daarna bleef iedereen doodstil staan, terwijl iemand een toespraak hield, die twee minuten duurde. Vervolgens gingen ze zitten en begonnen te eten. Janice kon haast geen hap door de keel krijgen. Al die mensen, al die bewegende handen, vingers, gezichten! Ze kan haar aandacht niet bij het voedsel op haar bord bepalen. Rusteloos dwaalden haar ogen door de zaal om te zien of er een teken zou worden gegeven, of de witte vlammen weer zouden worden afgeschoten. Dat gebeurde inderdaad van tijd tot tijd. Ze vond het vreemd dat iedereen ophield met werken op een jubileumdag. Dat ze allemaal bij elkaar kwamen in een zaal om te zien hoe zij, verblind door witte vlammen, de president-directeur een hand gaf, om vervolgens een half uur lang te morsen met het eten op haar bord.

Toen het feestmaal achter de rug was kwam een man naast haar aan tafel zitten. Er zouden toespraken worden gehouden en hij zou als haar tolk optreden. Janice maakte kleine onopvallende gebaren in haar schoot. „In het bijzijn van al die mensen?" vroeg ze.

„Ze zullen U prijzen in hun toespraken, en U wilt hen toch bedanken voor hun woorden?"

„Nee, daarvoor ben ik veel te verlegen."

„Ik zal het zo onopvallend mogelijk doen. Niemand zal er iets van merken."

Het was een jongeman en hij keek haar aan met zachte Dove ogen. Ze wilde graag aardig voor hem zijn. „Bent U van de school voor Doven?" vroeg ze.

„Ja, ik ben als leraar verbonden aan die school."

„Hoe komt het dat U de Taal der Handen spreekt? U spreekt als een ontwikkeld mens."

„Mijn ouders waren Doof."

„Hebben zij U dan de Taal der Handen geleerd?"

„Ja."

„Toen wij jong waren schaamde men zich voor de Taal der Handen," zei ze. „Is dat veranderd, tegenwoordig? Krijgen kinderen nu beter onderricht, omdat de wereld zo modern, zo progressief is geworden?"

„Er is niets veranderd," antwoordde hij. „Er is helemaal niets veranderd. Er zijn misschien een paar progressieve scholen, maar verder is er niets veranderd."

„Maar iedereen zegt toch dat de wereld zo progressief is geworden . . ."

„Dat lijkt maar zo, en dan nog alleen voor degenen die niet tot de minderheidsgroepen behoren."

„Ik heb niet veel geleerd op school," zei ze. „Ik kan niet zo goed praten als U."

„Onzin!" antwoordde hij met het korte ongeduldige gebaar dat ze de jonge mensen van de parochie zo dikwijls had zien maken. Ze lachten allebei.

Verschillende aanwezigen werden aan elkaar voorgesteld. Meerdere mensen vroegen het woord. Ze prezen Janice en zichzelf en elkaar. Soms vertaalde de tolk een grapje en Janice was hem dankbaar, omdat ze nu tenminste kon lachen als de anderen lachten. Af en toe keek ze naar het einde van de tafel, waar Margaret stijf rechtop zat en uitsluitend oog scheen te hebben voor het gedrag van haar kinderen. Abel zat naast haar, maar hij had geen tolk en hij begreep dus niet wat er werd gezegd. Nu pas drong het tot Janice door dat Margaret zich vreselijk schaamde voor het gebrek van haar ouders. Hoe was het mogelijk dat de jongeman naast haar zo anders was, dat hij zo vrij en onbevangen sprak in de Taal der Handen?

Nu sprak iemand over die lang vervlogen dagen, toen de arbeidsvoorwaarden nog zo slecht waren. Gelukkig was dat nu allemaal anders, maar wellicht zou de jubilaresse van vandaag hen nog het een en ander kunnen vertellen uit die tijd? Janice en de jongeman stonden op: zij stonden daar een hele tijd in het felle licht van de camera's. Hij deed zijn uiterste best haar te helpen.

„U kunt zich vast wel iets herinneren uit die eerste jaren, toen U pas in de fabriek werkte," zei hij. Haar hoofd was volkomen leeg. Ze stierf haast van verlegenheid. „Het doet er niet toe wat U vertelt. Hoeveel uur werkte U per dag? Hoeveel verdiende U toen U begon?"

„Ik verdiende veertien dollar per week, voordat ik de premie kreeg." Terwijl hij dat vertaalde wierp ze een schuchtere blik om zich heen. Iedereen keek haar vol belangstelling aan. „We werkten van acht uur 's morgens tot zeven uur 's avonds en als je vinger onder de machine kwam kreeg je geen betaald ziekte-

219

verlof." Meewarig glimlachend keken de aanwezigen haar aan. Zij voelde dat ze haar goed gezind waren en plotseling wist ze ook precies wat ze wilde zeggen. Vijfenveertig jaar had ze gewacht op dit ogenblik. Haar gebaren waren vastberaden en van een grote waardigheid.

„Ik heb stukgoed genaaid, thuis," begon ze. „Gedurende een jaar of tien heb ik thuis stukgoed genaaid, tot de vakbond daar een einde aan maakte. Ik weet niet waarom de mensen van de vakbond dat hebben gedaan, maar ik neem het ze nu niet langer kwalijk. Nu wil ik hier tegenover de vakbondsmensen en tegenover alle aanwezigen verklaren, dat noch mijn man, noch mijn kinderen, noch ikzelf ooit iemand het voedsel uit de mond hebben gehouden."

De tolk zweeg geschrokken. Met een gekwelde blik in zijn ogen wendde hij zich tot haar. „Ik begrijp het niet goed," zei hij. „Wilt U mij uitleggen wat U precies bedoelt?"

Ze knikte hem glimlachend toe. Hoe zou hij dat ook kunnen begrijpen. Het was al zo lang geleden. Margaret was nog maar een klein meisje geweest. „De stakers zeiden dat we dieven waren," verklaarde ze. „Vanwege het stukgoed, ziet U . . ." Met een wanhopige blik op haar, begon de jongeman weer te vertalen. „Ik moest wel als huisnaaister werken, begrijpt U, omdat ik twee kinderen had die ik niet alleen kon laten. Maar ik heb nooit het eten van een ander gestolen, nooit. Dat was omstreeks 1930 — mijn dochter, daar, en mijn man zullen het zich beslist nog wel herinneren. Het is al lang geleden maar er zijn misschien nog mensen die zich de lelijke dingen herinneren, die de vakbondsmensen toen over ons vertelden, daarom ben ik blij dat ik nu de gelegenheid heb te verklaren dat ik nooit iets heb gestolen, van wie dan ook." Daarop ging ze zitten.

Ze kreeg een medaille en een corsage. De president-directeur en de overige leden van de directie drukten haar nogmaals de hand en ze babbelde nog een beetje met de aardige jonge tolk. Ze zag duidelijk dat haar woorden indruk hadden gemaakt.

220

Iedereen zag er vermoeid uit. Margaret en Abel waren bleek en zelfs de jonge tolk had een peinzende afwezige blik in zijn ogen. Plotseling voelde zij zich ook doodmoe, maar één ding moest beslist nog gebeuren. „Ik wil jullie mijn kamertje laten zien en het naai-atelier waar ik eerst als naaister en later als cheffin heb gewerkt."

De jongeman zei dat hij helaas niet mee kon, omdat hij op school werd verwacht. Hij nam afscheid van haar en vertrok.

„Vooruit," zei ze tegen de anderen. Ze nam haar kleinkinderen bij de hand en liep met ze door de gang naar het naai-atelier. Margaret en Abel volgden langzaam. Ze was zelf verbaasd over het feit dat ze zo graag die plaats wilde tonen waar vijfenveertig jaar van haar leven onder de naaimachine waren vergleden.

De grote openslaande deuren van het atelier waren gesloten. Janice rukte aan de deuren, maar ze weken niet uiteen. Ze wendde zich tot de anderen, „De deur is op slot. De meisjes wisten natuurlijk niet dat..." Plotseling voelde ze de tranen achter haar ogen prikken. „Nou, dan zal ik jullie mijn kantoortje laten zien. Het is een open hokje, zonder deur. Daarginds om de hoek. Mijn tafel staat daar, zodat ik de kledingstukken kan bekijken, die ze mij brengen om te controleren. Boven de deuropening hangt het bordje: Assistent Manager Kwaliteitskeuring."

Ze sloeg de hoek om en bleef stokstijf staan. De anderen kwamen naderbij en lieten hun ogen langs de kale muur glijden. Het glazen hokje, de tafel, de stoel, het bordje met opschrift... alles was verdwenen. Niets was er, behalve die kale muur en twee lichter gekleurde strepen die de plaats aangaven waar het kantoor van de Assistent Manager van Kwaliteitskeuring was geweest.

21

Abel zat in een hoekje van de veranda. De junizon scheen warm op zijn gesloten oogleden en hoewel het pas tien uur in de ochtend was, voelde hij zich slaperig. Janice was het er niet mee eens dat hij buiten zat, nu hij pas zo ziek was geweest en nog niet geheel hersteld. Telkens kwam ze even naar hem kijken. Dan liep ze met een verontwaardigd gezicht over de veranda heen en weer en Abel voelde zich helemaal opgelucht. Een wanhopige Janice was een verontrustend verschijnsel, een boze Janice daarentegen was heel normaal en geruststellend. Hij hoopte vurig dat Margarets bezoek haar niet opnieuw overstuur zou maken. Als hij terugdacht aan dat strakke gesloten gezicht waarmee Janice dagen achtereen voor zich uit had zitten staren, zonder te reageren op hun gebaren, voelde hij zich weer onrustig worden. Margaret was vrijwel iedere dag bij hen geweest, totdat die kleine hersenbloeding van Abel, Janice weer tot zichzelf had gebracht. Ze had weer een taak, ze moest hem verplegen. Haar temperament had Janice in het verleden dikwijls behoed voor erger.

Margaret dacht eveneens aan Janice. Vooral vandaag vreesde ze het temperament van haar moeder. Ze vreesde dat het ongenoegen van haar ouders eerder haarzelf zou treffen dan Marshall. Ze was de laatste tijd minder zelfverzekerd, kwetsbaarder, maar ze deed haar uiterste best dit feit te verbergen onder een zeer verzorgd uiterlijk. Smetteloos witte handtas, witte schoenen, witte handschoenen, een parelsnoertje en kleine gedistingeerde parels in haar oren. Als ze moest vechten zou ze in ieder geval de schijn van onkwetsbaarheid ophouden.

Terwijl ze naar het huis van haar ouders reed viel haar weer op hoezeer hun woonwijk verpauperde. Tien jaar geleden was geen van de grote oude huizen in appartementen verdeeld en stonden nergens bordjes met de woorden „Kamers te huur" voor de ramen. De bomen aan weerszijden van de straat vormden nog steeds een groene erepoort, maar de huizen hadden hun welgestelde, verzorgde aanzien verloren. Ze zuchtte. Toen ze de auto langs de stoep had geparkeerd wierp ze automatisch een blik in het spiegeltje, voelde aan haar kapsel, streek haar kleren en haar gezicht glad en stapte uit. Ze zag haar vader op de veranda zitten. Janice kwam juist naar buiten. Toen ze haar dochter in het oog kreeg bleef ze even staan om haar eigen gezicht in de plooi te trekken. Margaret haalde diep adem en liep vastbesloten door de tuin naar de veranda.

„Heeft U een prettig weekeinde gehad?"

„Ja, heel prettig."

Ze trachtte tijd te winnen. „U ziet er veel beter uit, vader." De spanning tussen hen was haast tastbaar.

„Waarom schrijft Marshall ons nooit meer?" klaagde Janice. Eindelijk was het hoge woord eruit. Margaret bedwong een glimlach.

„Ik weet het echt niet, moeder. Ik heb hem verteld van het feest en dat het aardig zou zijn als hij een telegram stuurde, maar ik vrees dat er iets tussen gekomen is en dat hij het heeft vergeten."

„Hij heeft ons al zo lang niet geschreven," zei Abel. „Ik mis zijn brieven erg. Hij schrijft wel aan jou. Wat schrijft hij?"

„Hij schrijft dat hij het goed maakt. Hij schrijft over zijn werk, zijn colleges, wat hij doet —"

„Waarom schrijft hij ons niet?" vroeg Janice. „Als hij niet kan komen en als hij ons ook niet schrijft . . ."

Margaret haalde Marshalls brief uit haar tas. Ze kon hun toch een deel van de brief voorlezen. Haar ogen vlogen over de regels.

Lieve moeder,

Ik heb Oma geen telegram gestuurd, omdat alles wat ik had kunnen zeggen onwaarachtig zou klinken. Nadat ze haar vijftig jaar lang hebben uitgebuit, bedenken ze nu een goedkope

223

reklamestunt, waarvoor ze haar nogmaals misbruiken. Ik begrijp niet dat U dat heeft toegestaan . . .

„Hij zegt dat hij het goed maakt," zei Margaret.

Ik heb de kranteknipsels ontvangen die U me heeft gezonden.

„Hij heeft de kranteknipsels van de foto's ontvangen. Hij zegt dat hij er heel blij mee is."

. . . ze waren inderdaad fraai.

„Hij vond ze erg mooi."

Het is duidelijk dat Oma het vreselijk vindt, zo te worden uitgebuit. Haar waardigheid is treffend. Ondanks haar mooie kapsel en die corsage is ze mijlen verheven boven deze goed-kope stunt. Ze had veel beter in haar werkkleding kunnen verschijnen, dan hadden zij misschien begrepen dat zij heel goed weet hoe deze maatschappij gebrekkigen behandelt.

„Hij zegt dat U een erg mooie jurk draagt op die foto."

Ik ben vast besloten mij deze zomer bij de groep *Wij Zullen Overwinnen* aan te sluiten. We weten nog niet precies waar we onze tenten zullen opslaan, maar het zal in ieder geval ergens in het zuiden zijn. Wij willen in dezelfde armoede leven die dit land aan ontelbaren oplegt.

„Hij schrijft over zijn plannen voor de zomer . . ." Haar handen aarzelden even.
Janice en Abel namen gelijktijdig het woord. „Waar gaat hij heen van de zomer? Heeft hij al plannen gemaakt?"
„Zijn plannen staan nog niet vast," loog Margaret. „Een groep

studenten — een bepaalde groep, heeft belangstelling voor —"
stamelde ze en zweeg. Toen vervolgde ze lusteloos: „William en
ik willen graag dat hij actief deelneemt aan het studentenleven."

Maar Janice en Abel gaven zich niet zo gemakkelijk gewonnen. Margaret moest Marshall schrijven dat hij zijn vakantie
bij hen moest doorbrengen. Hij zou zijn vrienden toch wel een
poosje kunnen missen, nietwaar? Sinds hij aan de universiteit
studeerde was hij niet meer bij zijn grootouders geweest. Hij had
nog helemaal niets gehoord van het Feest. Nu Abel gepensio-
neerd werd zouden ze tijd hebben om hem de Taal der Handen
te leren. Ze zouden volop van zijn aanwezigheid kunnen genieten
en hij zou hen kunnen helpen, zoals die aardige jonge tolk Janice
had geholpen op haar feestdag.

„Hij zal het beslist op prijs stellen als U hem schrijft," zei
Margaret, maar haar ouders keken langs haar heen. Margaret
volgde hun blik en zag een vrouw met zenuwachtige korte passen
over het tuinpad naderen. Ze had een vel papier in haar hand.
Die komt iets verkopen, dacht Margaret. Haar ouders verroerden
zich niet. Margaret zou dat zaakje wel voor hun opknappen. Ze
keken strak voor zich uit, maar de vrouw bleef staan en Margaret
sprak tegen hen.

„Deze dame is Uw buurvrouw," zei ze in de Taal der Handen.
Ze was zich bewust van de nieuwsgierige blik waarmee de vrouw
haar opnam en het ergerde haar dat ze zich nu, na al die jaren,
nog steeds schaamde voor het gebrek van haar ouders. „Ze
vraagt of U deze petitie wilt tekenen."

„Een bepaalde groep wil een huis hier in de buurt kopen,"
mompelde de vrouw verlegen tegen Margaret. „Het zijn druggebruikers."

Verslaafden. Drugs. Margaret trachtte het begrip te verklaren
in de Taal der Handen. Het zweet brak haar uit en ze wist dat
haar make-up het binnen afzienbare tijd zou begeven.

„Nu begrijp ik wat je bedoelt!" riep Abel plotseling enthousiast
uit. „Maar die mensen krijgen toch geen huis hier in de buurt?"

„Ze horen in de gevangenis thuis!" riep Janice verontwaardigd.

Voordat Margaret iets in het midden kon brengen zei de buurvrouw: „De politie kan niet voortdurend aanwezig zijn. Die mensen zeggen dat ze niet meer verslaafd zijn, dat ze een soort opvangcentrum nodig hebben. Maar dat betekent dat wij voortdurend druggebruikers en agenten in de buurt zullen hebben. De mensen zullen 's avonds niet meer hun huis durven verlaten. Al die druggebruikers hebben stuk voor stuk in de gevangenis gezeten. U kent dat soort wel, mensen met een misdadige inslag — geestelijk *verziekte* mensen."

Margaret vertaalde plichtmatig, maar niet in de sensationele termen van deze lichtelijk hysterische dame. Die vrouw deed het voorkomen alsof deze wijk een soort onderwereld zou worden met een gevaarlijke misdadiger achter iedere boom. Het was eenvoudig belachelijk. Natuurlijk moesten haar ouders de petitie tekenen, maar niet om die redenen. Janice en Abel keken hun dochter vol verwachting aan. Margaret zou hun wel uitleggen wat dit nu eigenlijk allemaal te betekenen had.

„Uw veiligheid is beslist niet in gevaar," begon Margaret, „maar als dit soort mensen hier komt wonen, verliest deze wijk ieder aanzien —"

„Ik begrijp het niet," zei Abel.

„Kijk," zei Margaret geduldig, „als deze mensen zich hier vestigen, brengen ze de armoede met zich mee, dan bent U weer terug in Vandalia Street." Abel knikte bedachtzaam. Zonder zich langer te bedenken tekenden Janice en hij de petitie. De vrouw nam afscheid en vertrok.

22

Marshalls brief lag op het bureau van zijn moeder. Zij moest hem nog beantwoorden.

Wij zijn allemaal schuldig aan de afschuwelijke omstandigheden waaronder deze mensen moeten leven. Hoe kan ik ze in hemelsnaam doen geloven dat wij niet wisten wat hier gebeurde? Dat ik nog nooit iemand heb ontmoet die in angst leeft, met de wanhoop in zijn hart? Dat ik dit nooit had kunnen geloven, als ik het niet met mijn eigen ogen had gezien? Ik schaam me diep voor de weelde waarin wij leven — die weelde, dat hele gemakkelijke leventje, maakt ons blind en doof voor de ellende en de nood van die anderen, buiten ons eigen veilige warme nestje. Als die neger activist niet een lezing had gehouden aan de universiteit, zou ik nu nog steeds in de veronderstelling leven dat het recht in Amerika veilig was in de handen van de middenstand — dat de negers onze hulp echt niet nodig hebben . . .

William was woedend over die brief. „Het spijt me verschrikkelijk dat ik hem blind en doof heb gemaakt door het weelderige leven dat hij bij ons heeft geleid — maar dat kan ik snel veranderen. Wat denkt die snotneus eigenlijk wel!" Margaret was niet boos, alleen maar gekwetst. Ze had William gesust en tenslotte kon hij zelfs lachen om de foto die Marshall bij zijn brief had ingesloten. Daar stond hij met ontbloot bovenlijf in een katoenveld, geleund op een ouderwetse schoffel. Op de achtergrond was een klein vervallen hutje te zien.

„Nu werkt meneer op een katoenplantage, ja zeker!" zei William sarcastisch. „Maar vroeger moest ik wel een tuinman huren omdat hij nooit tijd had om iets aan onze eigen tuin te doen . . ."

Marshalls brief aan Janice en Abel had echter wel Margarets woede opgewekt. Toen zij Janice kwam halen om met haar naar de dokter te gaan, had Abel zijn dochter zwijgend de brief overhandigd. Ze nam haar ouders scherp op, maar ze stonden daar met uitgestreken gezichten „Doof te zijn," dacht Margaret geergerd. Toen vlogen haar ogen over de regels van Marshalls brief:

Hier ben ik dan eindelijk in het goeie ouwe Zuiden. Ik heb het gevoel dat ik op een andere planeet ben beland. Moeder heeft u zeker wel verteld wat we hier doen. We proberen de Vrije Scholen van de grond te krijgen en we steunen de kleine negerparochies zoveel mogelijk, in de hoop dit achtergebleven gebied binnen de moderne maatschappij te brengen. Deze geweldige mensen zijn àl te lang over het hoofd gezien. Het wordt hoog tijd dat Amerika zich om hun welzijn bekommert.

Margaret sloeg een paar regels over en las het einde van de brief.

Ik weet zeker dat u meer begrip zult hebben voor ons werk dan de gemiddelde burger. Ik heb uw moeilijkheden en vernederingen mogen delen, dat heeft me gevoelig gemaakt voor het lijden van anderen . . .

Margarets handen trilden en haar gezicht werd vuurrood. Janice keek haar dochter aan en kon zich niet langer beheersen.
„Jullie hebben hem weggestuurd!" barstte ze los. „Jullie hebben hem naar die ellendige plaats gezonden, waar al die vieze mensen wonen! Kijk maar eens!"
Ze keek naar de foto die Janice haar voorhield. Daar stond Marshall groot, blond en glimlachend te midden van een groep jonge mensen, blank en bruin, gehuld in lompen. „Onze stafmedewerkers", had hij op de achterzijde van de foto geschreven.

228

Zonder die jonge, openhartige, trots stralende gezichten, zou het gewoon belachelijk zijn geweest.

„Ik . . .” begon Margaret en legde de foto op de theetafel. Plotseling zag ze Marshall weer voor zich op de avond vóór zijn vertrek naar het zuiden. Hypocrieten had hij hen genoemd. Dat moest wel een grote opluchting voor hem zijn geweest. Hij was nog zo jong, hij had nog geen veertig jaar van zijn leven iets uit liefde verdedigd waar hij in feite niet achter stond. „Wij hebben hem niet weggestuurd, moeder. Hij is daar uit eigen beweging heen gegaan. Natuurlijk hadden wij ook liever gezien dat hij hier was gebleven.”

„Wat jij zegt van die jongen, kan niet waar zijn!” Abel fronste zijn wenkbrauwen. „Hij kan dit onmogelijk zelf hebben gekozen. Ik denk dat zijn vader hem heeft willen straffen. Ik denk dat William boos is op hem en hem daarheen heeft gezonden om armoede en honger te lijden, te midden van die ellende!”

Abel vormde zijn woorden moeizaam, alsof het hem pijn deed.

„Jullie kunt hem beter thuis straffen. Dat zal hem pijn doen, en hij zal zich schamen, maar de wereld zal hem niet uitlachen. William heeft hem daarheen gezonden om hem door die mensen te laten vernederen. Hij had zijn zoon zelf moeten straffen, in zijn eigen huis.”

„U begrijpt het niet,” zei Margaret. Ze klemde haar tanden opeen. „Marshall heeft dit zelf gewild. Hij beweerde dat hij een roeping had, net als een dokter of een priester. Hij heeft zich aangesloten bij een groepering van de universiteit.”

„Om wat te doen?” vroeg Abel. „Wat wil hij in vredesnaam doen voor die mensen?”

„Dat weet ik werkelijk niet. Ik weet dat hij wil helpen, dat schrijft hij in zijn brief. Hij wil ’getuigen’.”

„Moeten die mensen dan voor de rechtbank verschijnen? Moeten ze naar de gevangenis?” riep Janice uit.

„Nee, moeder,” Margaret kon haast niet spreken, zo zwaar drukte de last op haar hart. „Hij wil met zijn eigen ogen zien

229

onder welke vreselijke omstandigheden die mensen leven — en hij wil het vertellen aan anderen."

„Maar iedereen weet toch dat er arme boeren zijn? Ik weet dat tenminste al lang. Mijn vader wist het eveneens, daarom heeft hij mij naar de stad gestuurd om een vak te leren. Je moet hem schrijven dat hij naar huis moet komen. Ik kan hem wel vertellen wat het betekent arm te zijn."

„Maar, vader, ik weet zeker dat hij met de armen wil werken, dat hij hen wil helpen omdat ze zoveel ontberen . . ."

„Ja, de armen lijden *ontberingen!*" zei Abel — „Maar *ik ben ook arm!* Ik lijd *ook* ontberingen! Zeg hem dat hij het niet zo ver hoeft te zoeken —" Zijn handen aarzelden. „De armoede is *hier* onder zijn neus! *Wij* zijn *ook* arm!"

„Nee," viel Janice hem in de rede. „*Nu* niet meer!"

Maar Abel maakte een ongeduldig gebaar. „Nee, niet wat betreft geld, dat weet ik wel, maar wat betreft wereldse zaken! Wat we moeten doen, moeten zeggen, moeten weten! Wat betreft de Wereld!"

Janice barstte in tranen uit.

„Ik wilde dat Marshall op die aardige tolk leek, die op het feest was. Dove mensen krijgen nu eenmaal Horende kinderen, daar is niets aan te doen. Maar de Horenden gaan weg en alleen de half-Doof-half-Horenden blijven en trachten de weg voor de Doven te effenen. Je moet je schamen dat je hem naar die armoedige, vieze mensen laat gaan. Je hebt hem niet eens de Taal der Handen geleerd. Als je hem de Taal der Handen had geleerd zou hij ons nu kunnen helpen, en niet alleen ons, maar alle Doven die op school alleen maar leren uiterlijk op Horenden te lijken! Hij zei dat wij vernederd zijn."

„Ja," beaamde Abel, „dat zei hij in zijn brief. Dat is niet waar. Wij zijn trots op onze familie, wij zijn nooit vernederd, wij hebben nooit moeilijkheden gemaakt. Wie heeft hem dat eigenlijk verteld? Wie heeft hem verteld dat wij vernederd zijn, dat wij moeilijkheden maken?"

230

„U heeft nooit moeilijkheden gemaakt," antwoordde Margaret met verstikte stem, „voor hem niet tenminste."

„En voor jou evenmin. Jij hebt een gelukkige jeugd gehad, zonder problemen." Plotseling begonnen Margarets handen te spreken. Er was geen gedachte in haar hoofd, maar haar handen spraken, zonder dat zij ze daartoe opdracht had gegeven.

„Bent u het kleine meisje vergeten dat de laagste prijs moest bedingen voor de doodkist van haar broertje. Het meisje dat de vrouwenkwaaltjes van haar moeder moest uitleggen aan vreemde dokters? Was er niet iedere dag —" geschrokken zweeg ze en verbleekte. Wankelend, alsof iemand haar had geslagen zei ze: „Het spijt me, het spijt me vreselijk. Dat had ik niet willen zeggen. Kunt u het mij alstublieft vergeven. Ik voel me vandaag niet zo goed . . . het spijt me."

Doodstil zat ze in de auto te luisteren naar het bonzen van haar hart. Ze wilde zo snel mogelijk weg, maar ze durfde de motor niet te starten, haar handen trilden te erg. Wat heb ik gezegd, wat heb ik gezegd, wat heb ik gezegd? dreunde het voortdurend in haar hoofd. Ze wist dat ze moest wegrijden, anders zouden Janice en Abel naar buiten komen om te vragen wat er aan de hand was. Ze startte de motor en reed langzaam de straat uit.

Als ze nu maar ergens heen kon met deze mooie auto die William voor haar had gekocht. Als er maar een psychiater, een geestelijke, een vriendin, een echtgenoot, een moeder of een vader was aan wie ze kon vertellen wat ze had gedaan en die het zou begrijpen. Niet iemand die het zou goedpraten of die haar zou raadgeven, maar iemand die kon luisteren en begrijpen. De dominee van haar gemeente was bijzonder progressief. Die was altijd druk bezig met het organiseren van het een of ander jeugd-congres waar tieners met ernstige gezichten de waarden van een vorige generatie verwierpen — waarden die ze nooit hadden ge-test. Als zij met deze gevierde jonge dominee over haar ouders

231

zou spreken, zou hij haar troosten met de Nieuwe Moraal: „U moet Uw eigen leven leiden — als zij zich niet kunnen aanpassen is dat *hun* probleem." Hij zou haar beslist aanraden datgene op te offeren wat voor hem geen enkele waarde had. Nee, er was niemand waarbij ze haar hart kon uitstorten, en wat zou ze trouwens moeten zeggen?

Ongemerkt was ze in de richting van Vandalia Street gereden. Ze wist zelf niet waarom ze die oude bekende straten opzocht, en wat ze van plan was als ze tenslotte in „haar" straat zou komen. De grote meubelwinkel op de hoek van Carver Avenue was verdwenen. Er waren nu een paar kleine armoedige winkeltjes. En overal zag ze Negers, uitsluitend Negers.

De straathandel in Vandalia Street was eveneens verdwenen, geen handkarren meer, geen kraampjes, bedelaars of straatpredikers. Er stonden enkel auto's geparkeerd, een paar kinderen renden door de steegjes en uit de ramen hingen vrouwen, net als vroeger. Maar iedereen was zwart. Waar waren alle andere mensen gebleven? Hoelang geleden was ze hier voor het laatst geweest? Ze was in verwachting van Marshall. Het was haast niet te geloven dat ze hier in geen twintig jaar was geweest! Hoe was het mogelijk dat ze twintig jaar in deze stad had gewoond en nooit meer in Vandalia Street was geweest? Op de dag van Janices jubileum hadden ze door deze straten kunnen rijden, waar zij de eerste twintig jaar van haar leven had doorgebracht, maar dat zou misplaatst zijn geweest — op iedere dag zou het misplaatst zijn, de plek te bezoeken waar je ongelukkig en in armoede hebt geleefd. Over dit punt had ze genoeg twistgesprekken gehad met Marshall, die zich nu zo intensief bezig hield met de ellende van de mensheid.

„Voelt U zich niet schuldig als U bedenkt dat een Vietnamees gezin zou kunnen leven van de etensresten die wij weggooien?"

„Ik heb jullie altijd voorgehouden dat je je bord moet leegeten. Je vader en ik verkwisten geen eten in dit huis."

„Maar U begrijpt er niets van — ik bedoel onze overconsumptie, het feit dat wij in overvloed leven terwijl anderen honger lijden!"

„Ik geloof dat we dankbaar moeten zijn dat we te eten hebben en dat we trots moeten zijn op je vader die dat eten voor ons verdient en op ons vaderland dat rijk genoeg is om zijn bevolking te voeden."

„Weet U wel hoeveel mensen in dit land honger lijden?"

„Helpt het de armen als wij aan tafel verschil van mening hebben?"

Na deze opmerking was hij woedend opgestaan en had de kamer verlaten. William wilde hem terugroepen, maar hij bedacht zich. Zwijgend keek hij Margaret aan en schudde het hoofd.

„Hij wil dat ik me schuldig voel," had ze gezegd. „'Wees zo eerlijk je schuld te bekennen', zegt hij tegen mij. Maar als ik heel eerlijk ben begrijp ik niet welke schuld ik op me moet nemen. De volgende keer zal ik schuld bekennen, *wat* hij me dan ook voor de voeten werpt. Misschien kunnen we dan eens zonder ruzie van onze maaltijd genieten."

„Je weet wel beter," had William geantwoord. „Hij wil een heilige zijn en wij zijn nu eenmaal geen geschikte ouders voor een heilige. Hij zou ons beter kunnen verdragen als we een of ander *gebrek* hadden."

„*Wij* zijn arm," had Abel gezegd, en *Ik* heb een gebrek, dacht Margaret thans.

Plotseling zag ze de oude vervallen katholieke kerk van St. Casimir voor zich opdoemen. De Poolse kerk, had iedereen die kerk in haar jeugd genoemd. Ze stopte voor de kerk en bleef in gedachten verdiept zitten. Ze had naar de oude winkel van meneer Petrakis willen gaan, maar op de plaats van het pandjeshuis stonden nu twee nieuwe winkels. Deze kerk kende ze tenminste nog van vroeger.

Ze stapte uit, sloot de auto af en liep langzaam de stoepen op naar de verveloze kerkdeur. De deur was niet op slot en behoedzaam glipte ze naar binnen. Er hing een ranzige bedorven lucht, maar de beelden stonden nog in hun nissen en het schilderij van de Heilige Maagd hing nog steeds aan de zijmuur. Ze wierp een blik in het wijwatervat. Er was nog twee centimeter wijwater in. ,,Nu voel ik me schuldig," zei ze in gedachten tegen Marshall, ,,nu kun je eindelijk trots op me zijn".

Ze nam plaats in een bank achterin de kerk en wachtte gespannen af. Ze vroeg zich af waarom ze hier zat, wat ze hier zocht. Minuten gingen voorbij. Plotseling realiseerde zij zich dat ze hier was gekomen om haar hart uit te storten, om begrip te vinden zonder antwoord te krijgen. Ze schoof dichter naar het schilderij van de Heilige Maagd. Het was een lelijk schilderij, maar de geheven handen van de Heilige Maagd schenen haar toe te spreken in de Taal der Handen. ,,Ik moet U iets vertellen," zei Margaret eveneens in de Taal der Handen. Haar gebaren waren houterig en verkrampt. ,,Ik wil U vertellen van mijn vader," vervolgde ze. ,,Mijn vader is een trots, waardig en onzelfzuchtig mens. Hij wil deel uitmaken van de wereld. Hij wil lezen, leren en zich ontplooien. *Nu* wil hij dat allemaal, maar *nu* is het te laat voor mij. Ik zie al zijn nieuwe verworvenheden, maar ze brengen me alleen maar in verwarring. Tot wie moet ik mij wenden? Tot wie kan ik zeggen: 'Help mij. Mijn vader heeft veel geleerd, hij heeft zich ontwikkeld maar nu is de waarheid omtrent zijn verleden verborgen voor hem, voor mij en voor mijn zoon.' U wilde niet schrijven!" schreeuwden haar handen. ,,U was te trots om te schrijven, daarom moest ik de vragen van de politie beantwoorden toen Bradley daar dood op de grond lag. Alleen *ik* denk nog steeds aan die doodgraver. *Ik* ben de enige die na al die jaren nog angstdromen heeft over al die dingen uit het verleden. U bent veranderd, maar Marshall weet nu nog steeds niet dat ik een broertje heb gehad dat ik niet kan vergeten, dat de herinnering aan hem en aan de ranzige stank van dat appartement in Vandalia Street mij blijft kwellen in mijn dromen!"

Haar handen trilden van woede. Ze kon de woorden haast niet meer vormen in haar schoot. Ze kneep haar ogen stijf dicht, maar plotseling dacht ze weer aan Marshall en een nieuwe golf van woede sloeg door haar heen. „Dwaas die je bent!" riepen haar handen. „Jouw zogenaamde nederigheid is niets anders dan ijdelheid. Je ziet de wanhoop in de ogen van een mens en je meent dat je die deelt. Je kijkt naar zijn armoede en je denkt dat je die begrijpt. Als jij je schuldig wilt voelen, mijn verwende, mooie, geliefde zoon, dan zul je het zonder je standaardovertuigingen moeten stellen. Dan zul je de mensen waarmee je bent opgegroeid en die je je leven lang zult liefhebben, voor je ogen moeten zien aftakelen. Jij verlangt een beloning voor de dingen die je je kunt veroorloven: je namaak armoede, je valse schuldgevoelens, je zogenaamde vernedering. Jij geeft je leven met het grootste genoegen voor dat ene progressieve doel, waar jullie jongeren naar streven. Maar hoe *durf* je eigenlijk zonder mijn toestemming? Je bent er zo zeker van dat je leven jouw eigendom is, dat wij er geen rechten op kunnen doen gelden!"

Ze kon niet meer. Haar handen vielen hulpeloos in haar schoot. Het was krankzinnig wat ze hier zat te doen. Ze was toch een normale, fatsoenlijke vrouw.

Margaret stond op, streek haar rok glad en stapte uit de bank. Daar achter in de kerk zat een klein oud, in het zwart gekleed hoopje mens, haar met onverholen nieuwsgierigheid aan te staren. Ze wist niet of het een man was of een vrouw. Vanuit het tandeloze gerimpelde gezicht namen de ronde zwarte kraaloogjes haar spottend, meedogenloos en haast kwaadaardig op.

Ze snelde de kerk uit. De straat was verlaten. Er zaten geen mensen meer voor de ramen. Margaret liep de stoepen af naar haar auto. De banden waren doorgesneden. De portieren stonden open. De bekleding was vernield. Onder de auto druppelde de benzine langzaam en regelmatig in een steeds groter wordende plas die zich verspreidde over de stille straat.

235

23

Janice en Abel hadden nooit kunnen vermoeden dat Marshall de hulp van de kerk zou inroepen in zijn strijd tegen het maatschappelijk onrecht. Hij schreef hen weinig tegenwoordig, en zijn brieven waren opgeschroefd vrolijk en nietszeggend. Langzaam vergleden de hete zomerdagen. Abel zag plotseling hoe armoedig en vervallen hun woonwijk werd. Zij besloten de veranda te laten repareren en het huis te laten verven. Het kostte hun al hun spaarcentjes maar toen de werkzaamheden achter de rug waren, stond hun huis daar weer sterk en stralend te midden van de trieste vervallen buurhuizen. Er was een schandaal in de stad toen men tot de ontdekking kwam dat twee kinderen die al jaren in het tehuis voor geestelijk gestoorden verbleven, vanaf hun geboorte Doof waren geweest en nog een schandaal toen een meisje van de school voor Doven zwanger bleek te zijn.

In augustus wendde een maatschappelijk werkster van het kinderziekenhuis zich tot de Dovengemeenschap van de kerk, met het verzoek om hulp bij het leren van de Taal der Handen. Ze vertelde dat Dove kinderen die naar het ziekenhuis moesten, dikwijls bang waren voor die vreemde omgeving. Meerdere Doven uit de parochie, waaronder Abel boden aan als tolk op te treden bij de rechtbank of in ziekenhuizen, maar uiteindelijk werd hun aanbod afgeslagen onder het motto dat vertrouwelijke mededelingen niet openbaar mochten worden gemaakt.

In augustus gingen de druggebruikers langs de huizen in de woonwijk van Abel en Janice met een petitie, die Abel en Janice tekenden in de veronderstelling dat het een protest tegen druggebruik betrof. De druggebruikers waren zo slim geweest om aardige jonge mensen met de lijst te laten rondgaan en toen Margaret haar ouders uitlegde wat ze hadden ondertekend, konden ze het nauwelijks geloven. „Dat is niet mogelijk — jij hebt ze niet gezien. Het waren zulke aardige jongens." Het lukte Margaret hun handtekening van de lijst te laten schrappen.

September begon goed. Het was mooi weer, en de ergste hitte was voorbij. De eerste zondag in september droeg Janice haar nieuwe najaarshoed, toen ze naar de kerk gingen. Ze kwamen, zoals gewoonlijk, op het laatste nippertje de kerk binnen. Ze knikten links en rechts naar vrienden en nauwelijks hadden ze plaatsgenomen of de dominee opende de dienst.

Het was een nieuwe dominee, erg jong nog en ze wisten niet hoe lang hij het zou uithouden. Na het vertrek van dominee Maartens, twintig jaar geleden, hadden ze een stuk of acht geestelijken zien komen en gaan. De meesten waren niet lang gebleven en enkelen hadden een uitgesproken hekel aan het extra werk dat hun werd opgelegd in deze Dovengemeente. Deze nieuwe dominee was nog niet geaccepteerd door de Dove parochianen. Ze wachtten af, ze stelden hun oordeel over hem uit. Hij leek wel vriendelijk, maar tenslotte hoorde hij niet tot de Doven. Hij had de Taal der Handen geleerd, maar hij was er niet mee opgegroeid. Abel had opgemerkt dat hij niet met zijn gezicht en zijn lichaam sprak, en dat zijn gebaren iedere overtuiging misten. Het lukte hem nooit Christus te *zijn*, die daar voor Pilatus stond en vervolgens Pilatus te zijn tegenover Christus. Nee, een dominee als dominee Maartens zouden ze wel nooit meer krijgen, dacht Abel, en tegenwoordig viel hij dikwijls in slaap tijdens de preek.

Ook nu was hij ingedommeld, maar plotseling voelde hij Janice naast zich verstijven en hij schoot geschrokken overeind. Was de dienst al voorbij? Janice staarde strak voor zich uit. „Ik ben bang, ik ben bang," trilde het kleine hoedje bovenop haar hoofd.

„Ik ben blij dat die jongeman *onze* hulp heeft ingeroepen," zei de dominee, „en ik ben ervan overtuigd dat zijn grootouders, de heer en mevrouw Ryder, trots op hem zijn en op het goede werk dat hij verricht. Hij schrijft in zijn brief dat de mensen

237

waarmee hij werkt grote behoefte hebben aan kleren, conserven en natuurlijk aan geld. Misschien kunnen wij een behoorlijke zending bijeen krijgen... Ik zal een grote kist achterin de kerk laten plaatsen, wellicht kunnen wij die kist in de komende maand vullen. Ik zal deze brief op het mededelingenbord prikken, voor het geval U geld wilt storten voor dit goede doel."

Janice was doodsbleek. Abel hield haar arm vast, omdat hij vreesde dat ze onwel zou worden. Wanhopig zochten zij naar een mogelijkheid om de kerk onopvallend te verlaten. Tijdens het gebed probeerde Janice overeind te komen, maar Abel hield haar stevig vast. Direct na het gebed wierp hij ostentatief een blik op zijn horloge en duwde zijn vrouw haastig voor zich uit naar buiten alsof hij zich aan een belangrijke afspraak moest houden. Bij de uitgang van de kerk kon Janice zich niet langer beheersen. Ze rukte zich los uit Abels greep en rende voor hem uit.

Toen Abel haar de stoepen zag afhollen realiseerde hij zich plotseling hoe verschrikkelijk veel hij van haar hield. Ze had er nog nooit zo lomp, zo belachelijk en tegelijk zo dierbaar en vertrouwd uitgezien. Ze was tegenwoordig uitgesproken fors. Sinds ze niet meer werkte was ze veel dikker geworden, maar dat viel haar zelf niet op en ze droeg nog steeds kleine hoedjes met bloemen. Ook nu had ze een belachelijke kleine toque schuin op het hoofd en daaronder droegen haar gezicht en haar lichaam de sporen van negenenveertig jaar hard werken, verdriet, armoede, haar eigen onvolmaaktheden en de zijne. Hij moest haar inhalen, anders zou ze dadelijk struikelen met haar hooggehakte schoenen.

Hij holde de stoepen af en bij de hoek van de straat liepen ze hijgend naast elkaar verder. Hij keek haar aan. Grijze pieken haar sprongen onder haar idiote hoedje uit en hij kon de gekwelde, verslagen blik in haar ogen nauwelijks verdragen. „Niet alleen zijn vader —" wierpen haar handen hem toe. „Zij allebei! Zij ook! Hoe is het mogelijk! Ze zijn rijk, ze hebben alles wat hun hart begeert en ze hebben van die goede, flinke, geweldige

238

jongen een bedelaar gemaakt! Een bedelaar die in de kerk komt vragen om de afleggertjes van de parochianen! Nu kunnen we nooit meer naar de kerk gaan. Nooit meer! Dat begrijp je zeker wel. Iedereen zal zich voor ons schamen. Ik wil naar huis. Ik wil in mijn eigen huis sterven en nooit meer wil ik mijn dochter zien, die een bedelaar van hem heeft gemaakt!"

Hij moest haar zien te kalmeren. Als er nu maar een taxi kwam. Weldra zouden de kerkgangers om de hoek van de straat verschijnen. „Zo erg is het nu ook weer niet," zei hij, „hij bedelt voor *anderen*, niet voor zichzelf."

„Nou, dat is een hele troost! Zet dan maar niet op mijn graf dat mijn kleinzoon een bedelaar is, maar de Hoop van de Familie, een bedelaar voor bedelaars!"

„De Doven van de Wereld, de ontwikkelde Doven, zullen ons niet uitlachen. Die begrijpen heus wel dat hij die dingen vraagt voor de armen, precies zoals de dominee geld vraagt voor zijn kerk."

„Hij helpt de negers daar in het zuiden herrie schoppen: hij is de leider van een troep Dove bedelaars!"

Doof? Hij wist zeker dat ze Dove bedelaars had gezegd. „Wat zeg je?"

„Ik zei dat hij een troep zwarte bedelaars aanvoert."

„Je zei Dove bedelaars."

„Ik zei *zwarte* bedelaars!" Maar hij wist zeker dat haar handen „dove" hadden gezegd. „Vooruit, opschieten!" zei hij. „Dadelijk komt iedereen uit de kerk."

Maar ze moesten Margaret wel vergeven. Ze konden haar niet missen. Abel vroeg zich af of Marshall ook een brief aan haar dominee had geschreven. Toen Margaret hen die woensdag kwam halen om naar het bureau Sociale Zaken te gaan, vroeg hij haar zo luchtig mogelijk of haar dominee ook een brief van Marshall had ontvangen. Ze sloeg haar ogen neer. „Hoe weet u dat?" vroeg ze. „Heeft uw dominee dan ook een brief gekregen? Oh, lieve hemel!"

„Was het moeilijk voor jou?" vroeg hij. „Hebben de mensen nare dingen gezegd?"

„Het ergste waren degenen die medelijden met ons hadden, die deden alsof hij een soort communist was ... Oh, kent u dat woord, *communist?*"

„Ja zeker," zei Abel glimlachend.

„Ik vergeet steeds weer dat u bent veranderd." Ze schudde haar hoofd. „Was het moeilijk voor u?"

„Voor je moeder," antwoordde Abel. „Ze was overstuur, en bang voor praatjes. Ze begrijpt het niet."

„Begrijpt u het wel?"

„Nee, maar ik praat wel eens met vrienden die gestudeerd hebben. Zij lezen en zij begrijpen veel. Ik begrijp het nog niet, maar ze zeggen dat de jonge mensen van tegenwoordig trachten een einde te maken aan bepaalde wantoestanden — of althans wat zij als wantoestanden beschouwen."

„Maar wij wisten vroeger toch ook niet zo zeker wat er moest gebeuren?"

„Jij en ik, wij hebben één goede eigenschap, die tegenwoordig niet meer zo in tel is."

„Welke eigenschap?"

„Trouw."

„Oh, jawel," zei Margaret, „die eigenschap is zelfs erg in tel. *Onze trouw,* die gebruiken ze, daar rekenen ze zelfs op."

Ze liepen naar de auto.

Het was lunchtijd toen ze eindelijk het bureau Sociale Zaken verlieten. Margaret stelde voor dat ze in het nieuwe Franse restaurant zouden lunchen, in de buurt van Farmers' Market, vlakbij Page warenhuis, waar deze week een grote tentoonstelling van kristal en glaswerk was. Abel schudde zijn hoofd en zei dat hij geen trek had. Hij voelde zich niet op zijn gemak in een groot, duur restaurant. Misschien had Janice wel op hen gerekend met de lunch. Ze zou zich ongerust maken als ze zo lang weg bleven ...

„En als we nu gauw ergens een broodje eten, gaat U dan mee naar die glastentoonstelling?"

„Nou, goed dan, als het niet al te lang duurt." Ze aten een hamburger in een overvolle lunchroom en reden naar Page Warenhuis.

Abel was zenuwachtig en maakte zich bezorgd over Janice: ze zou niet begrijpen waarom ze zo lang wegbleven. Hij voelde zich niet op zijn gemak in die grote warenhuizen en hij begreep niet waarom Margaret hem mee sleepte naar een glastentoonstelling. Al die dure breekbare dingen die je bij de minste onhandige beweging omver zou kunnen stoten. In een dergelijke omgeving lagen honderden gevaren voor hem op de loer. Maar ze had het hem nu eenmaal gevraagd en hij had zuchtend toegestemd. Tenslotte was het haar auto en hij had haar maar te volgen. Margaret voelde zich bijzonder aangetrokken tot voorwerpen van glas en kristal. Er ging een ongekende rust uit van die stille, maar allerminst stomme wereld vol licht en schittering. Ze had dit genot zo graag met haar vader willen delen. Lang geleden, toen ze nog een klein meisje was, had hij haar eens gevraagd of zonlicht geluid maakte. De wind maakte geluid, dat wist hij, maar de zon? Raakte het zonlicht de bladeren van de bomen of de straat met een klap? Ze had hem toen uitgelachen. „Welnee," had ze gezegd, „je *hoort niets*. De zon maakt geen *enkel* geluid." Hij had haar verbaasd aangekeken. „Wat vreemd," zei hij peinzend. „Dikwijls meen ik de zon te horen, maakt de zon echt helemaal geen geluid?" Ze had zeer beslist haar hoofd geschud. Maar als hij haar die vraag nu had gesteld, zou haar antwoord anders luiden. Nu voelde zij zelf immers ook de hoge heldere klank van een zonnestraal op geslepen kristal.

Maar Abel was vandaag ongeduldig. Hij werd nerveus van al die vreemde gezichten en al die breekbare voorwerpen om zich heen. Daarom bleven ze niet lang.

Snel liep Abel voor haar uit naar de auto. Zij volgde langzaam. Voor iedere etalage bleef ze even staan. Ze zag Abel in de

241

verte verdwijnen tussen de menigte. Ze moest voortmaken. Voor een smal steegje, tussen twee winkels zat een man op zijn jas. Ze struikelde over zijn benen. In de hoop dat het een dronkaard was, die op het trottoir lag te slapen, wendde zij zich tot hem. „Neem me niet kwalijk," zei ze. Maar het was geen dronkaard. *Hij* was het. Zij was een vrouw van middelbare leeftijd geworden, maar hij was niet veranderd. Hij droeg nog steeds dezelfde kleren, en op zijn borst hing nog steeds datzelfde bordje met de woorden „Ik Ben Doof". Margaret begon hem uit te schelden. Ze gebruikte handgebaren die ze nog nooit had gebruikt, ordinaire, onopgevoede, haast primitieve gebaren. De bedelaar nam haar van het hoofd tot de voeten op. Hij zag een welvarende matrone, kennelijk uit de betere kringen en vertrok zijn gezicht tot een brutale grijns. Margaret wendde zich af en liep verder. Wat had ze anders kunnen doen?

Abel zag de angst in de ogen van zijn dochter en hij schrok hevig.

„Wat is er?" vroeg hij. Ze antwoordde niet. Zwijgend liepen ze naar de parkeerplaats. Zenuwachtig zocht ze in haar beurs naar een gulden voor de parkeerwachter. Abel stond perplex. Dat was niets voor haar — zijn Margaret was altijd even onverstoorbaar. Een gebroken hak, een lekke band, een ladder in haar kous, niets kon haar uit haar evenwicht brengen. Daarom was het ook veel moeilijker om van haar te houden dan van Janice, die nooit tot in de puntjes verzorgd was. Toch hield hij van zijn dochter, maar het feit dat zij, de onverstoorbare, overstuur was, bracht hem in grote verwarring.

Met korte driftige passen liep ze naar de auto. Ze stapte in en smeet het portier met een klap dicht. „Waarom rij' je niet in je eigen auto, die William voor je heeft gekocht," v eg Abel om de beklemmende stilte te verbreken.

„Die is in de garage," antwoordde ze ' taf, „die wordt gerepareerd."

„Wat is er gebeurd? Waarom ben je zo boos?"

„Ik heb iemand ontmoet."

„Wie?"

„Iemand die heel goed de vader van een heilige had kunnen zijn."

24

Marshall besloot niet meer terug te gaan naar de universiteit. Hij had hen dit telefonisch medegedeeld. Een universitaire opleiding had niets te maken met de werkelijkheid, zei hij, nu stond hij midden in het leven. Margaret luisterde mee, via de telefoon op de slaapkamer. Ze zei vrijwel niets. „Moeder, U klinkt zo bedroefd. Ik wil zo graag dat U gelukkig bent in de wetenschap dat ik belangrijk werk doe, dat ik geen oneerlijk leven hoef te leiden, dat ik mijn handen niet hoef te bevuilen. Ik meende dat het U gelukkig zou maken."

„Jammer dat je met al die mooie woorden blijkbaar niet veel wijzer bent geworden," zei William en legde de hoorn op de haak. Voordat Margaret de verbinding verbrak zei ze nog dat ze ervan overtuigd was dat hij meende juist te handelen en dat ze hoopte dat hij bevrediging zou vinden in zijn werk. Toen legde zij eveneens de hoorn op de haak en huilde met haar hoofd in haar handen.

Marshall had weer eens aan Janice en Abel geschreven. Toen Margaret haar ouders kwam bezoeken, stonden ze, keurig gekleed, op het punt te vertrekken. Ze hielden haar de brief voor. Er sprak verwijt uit hun ogen.

„Wie is dat: de maatschappij?" vroeg Abel, terwijl hij zijn ogen over de regels van de brief liet gaan.

„Ik weet het niet," antwoordde Margaret. „Ik denk dat hij het zelf ook niet weet."

„Nou, in ieder geval is die maatschappij oneerlijk," zei Abel. „Marshall zegt dat de maatschappij corrupt is."

„Ja, ik weet het," antwoordde Margaret. „Marshall is zó bescheiden dat hij zich niet tot de maatschappij rekent."

„Als hij ons bedoelt, dan denkt hij dat we liegen, oorlog maken en voortdurend slechte dingen doen."

„Ja, dat weet ik ook," zei Margaret. „Maar ik heb zijn opvattingen altijd voor iedereen geheim gehouden, zodat hij terug kan keren om bij zijn vader te werken als hij ooit van gedachten verandert."

„Hij zegt dat William mensen werkloos maakt."

„Ik geloof dat het werk dat William doet, de wereld meer goed heeft gedaan dan kwaad, maar dat zullen we pas over honderd jaar weten. Over honderd jaar zal pas bewezen worden of automatisering de mensheid meer goed dan kwaad heeft gedaan."

„Wat wil Marshall van ons?" vroeg Abel.

„Ik denk dat hij wil dat we ons schuldig voelen vanwege de armen. Hij wil dat we ons schamen en dat we een einde maken aan de armoede en de ellende in de wereld."

Abel keek van Janice naar Margaret. Toen glimlachte hij. „Nou, dat hebben we gedaan," zei hij.

„Hij wil dat iedereen een kans krijgt."

„Dan kunnen we maar één ding doen," zei Abel tegen Janice.

„Ik geloof dat ik weet wat je bedoelt," zei Janice glimlachend.

„Het lijkt op de Taal der Handen," zei Abel en ze lachten alle drie.